#3주_완성
#쉽게
#빠르게
#재미있게

초등
수학 전략

Chunjae
Makes
Chunjae

▼

[수학 전략]

기획총괄	김안나
편집개발	이근우, 김정희, 서진호, 한인숙, 김현주, 최수정, 김혜민, 박웅, 김정민
디자인총괄	김희정
표지디자인	윤순미, 안채리
내지디자인	박희춘
제작	황성진, 조규영

발행일	2021년 12월 15일 초판 2021년 12월 15일 1쇄
발행인	(주)천재교육
주소	서울시 금천구 가산로9길 54
신고번호	제2001-000018호
고객센터	1577-0902

※ 정답 분실 시에는 천재교육 교재 홈페이지에서 내려받으세요.

※ KC 마크는 이 제품이 공통안전기준에 적합하였음을 의미합니다.

※ 주의

책 모서리에 다칠 수 있으니 주의하시기 바랍니다.

부주의로 인한 사고의 경우 책임지지 않습니다.

8세 미만의 어린이는 부모님의 관리가 필요합니다.

수학 전략

초등 수학 5-1

이 책의 구성과 특징 — 3주 완성

핵심 개념

단원별로 꼭 필요한 핵심 개념을 만화를 보면서 재미있게 익힐 수 있도록 하였습니다.

개념 돌파 전략❶, ❷

개념 돌파 전략❶에서는 단원별로 기본적인 개념을 설명하고 개념의 기초를 확인하는 문제를 제시하였습니다.
개념 돌파 전략❷에서는 기본적인 개념을 알고 있는지 문제로 확인할 수 있습니다.

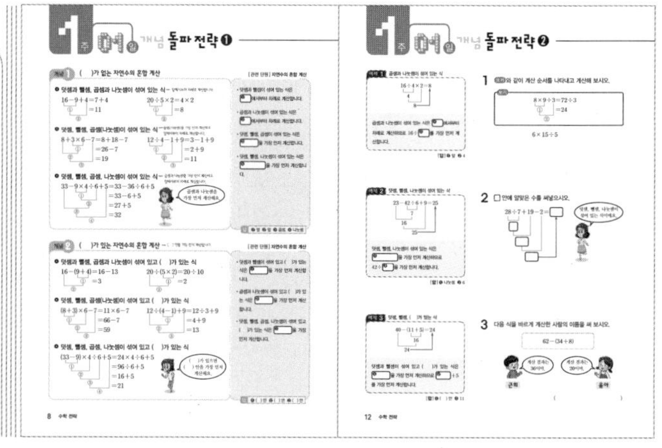

필수 체크 전략❶, ❷

필수 체크 전략❶에서는 단원별로 중요한 유형을 선택하여 반복 연습할 수 있도록 하였습니다.
필수 체크 전략❷에서는 추가적으로 중요한 유형을 선택하여 문제로 확인할 수 있도록 하였습니다.

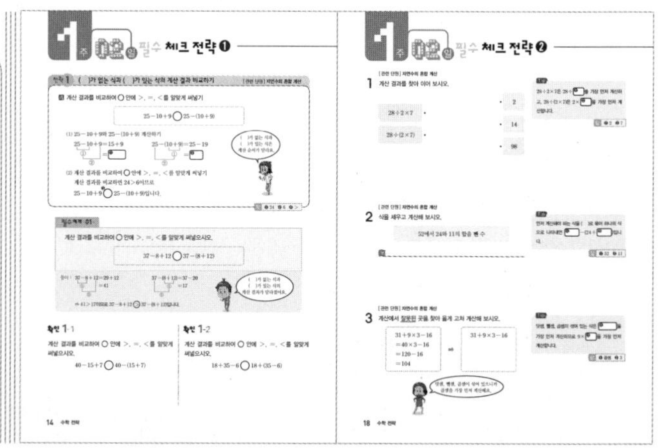

1주에 4일 구성+1일에 6쪽 구성

교과서 대표 전략❶, ❷

교과서 대표 전략❶에서는 단원별로 교과서에 나오는 대표적인 문제를 제시하였습니다.
교과서 대표 전략❷에서는 한 번 더 확인할 수 있는 문제를 제시하였습니다.

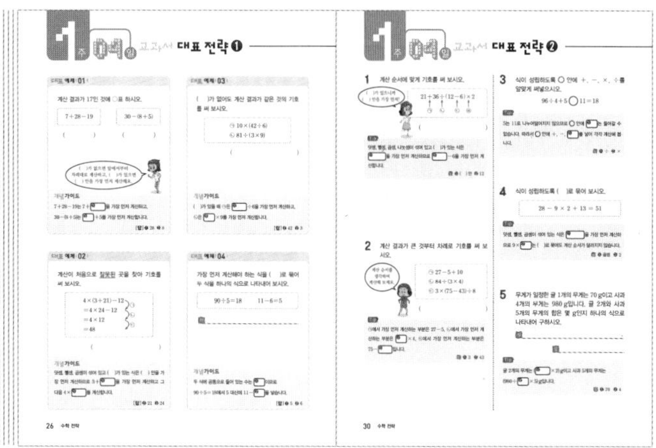

누구나 만점 전략
창의·융합·코딩 전략❶, ❷

누구나 만점 전략에서는 단원별로 꼭 풀어야 하는 문제를 제시하여 누구나 만점을 받을 수 있도록 하였습니다.
창의•융합•코딩 전략에서는 새 교육과정에서 제시하는 창의, 융합, 코딩 문제를 쉽게 접근할 수 있도록 제시하였습니다.

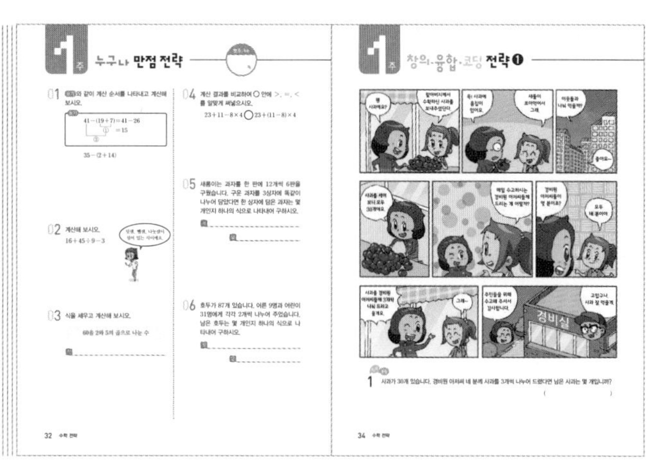

권말정리 마무리 전략
신유형·신경향·서술형 전략
학력진단 전략 1~3회

권말정리 마무리 전략은 만화로 마무리할 수 있게 하였습니다.
신유형•신경향•서술형 전략에서는 신유형, 신경향, 서술형 문제를 쉽게 풀 수 있도록 단계별로 제시하였습니다.
학력진단 전략은 총 3회로 전 단원의 학력을 진단할 수 있도록 구성하였습니다.

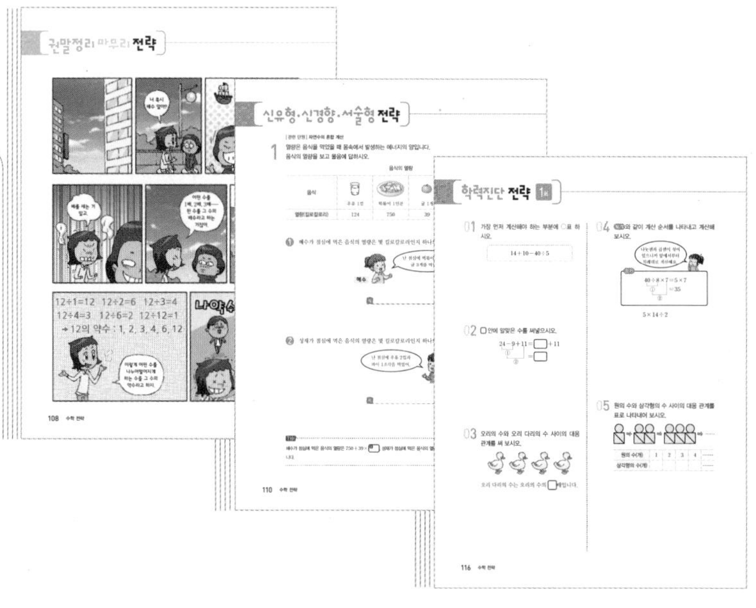

이 책의 차례

1주

[관련 단원]

자연수의 혼합 계산 • 규칙과 대응 6쪽

2주

[관련 단원]

약수와 배수 • 약분과 통분 40쪽

[관련 단원]

분수의 덧셈과 뺄셈 • 다각형의 둘레와 넓이 74쪽

[관련 단원]

1. 자연수의 혼합 계산 ~ 6. 다각형의 둘레와 넓이 108쪽

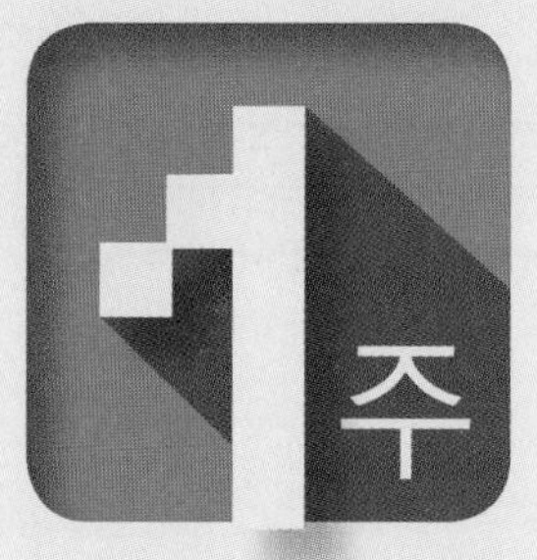

자연수의 혼합 계산, 규칙과 대응

학습할 내용

❶ (　　)가 없는 자연수의 혼합 계산

❷ (　　)가 있는 자연수의 혼합 계산

❸ 두 양 사이의 대응 관계 알아보기

❹ 대응 관계를 식으로 나타내기

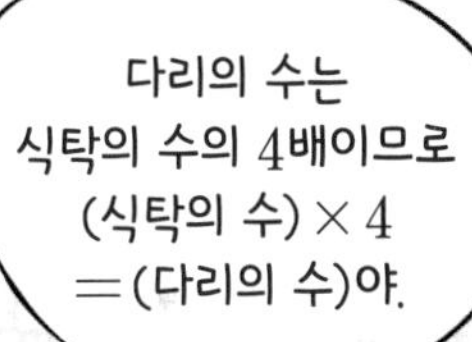

식탁의 수(개)	다리의 수(개)
1	4
2	8
3	12
4	16
5	20
6	24
7	28
⋮	⋮

개념 돌파 전략 ❶

개념 1 ( )가 없는 자연수의 혼합 계산

[관련 단원] 자연수의 혼합 계산

◎ 덧셈과 뺄셈, 곱셈과 나눗셈이 섞여 있는 식 — 앞에서부터 차례로 계산합니다.

$16-9+4=7+4$
$=11$
(① $16-9$, ② $7+4$)

$20\div5\times2=4\times2$
$=8$
(① $20\div5$, ② 4×2)

◎ 덧셈, 뺄셈, 곱셈(나눗셈)이 섞여 있는 식 — 곱셈(나눗셈)을 가장 먼저 계산하고 앞에서부터 차례로 계산합니다.

$8+3\times6-7=8+18-7$
$=26-7$
$=19$
(① 3×6, ② $8+18$, ③ $26-7$)

$12\div4-1+9=3-1+9$
$=2+9$
$=11$
(① $12\div4$, ② $3-1$, ③ $2+9$)

◎ 덧셈, 뺄셈, 곱셈, 나눗셈이 섞여 있는 식 — 곱셈과 나눗셈을 가장 먼저 계산하고 앞에서부터 차례로 계산합니다.

$33-9\times4\div6+5=33-36\div6+5$
$=33-6+5$
$=27+5$
$=32$
(① 9×4, ② $36\div6$, ③ $33-6$, ④ $27+5$)

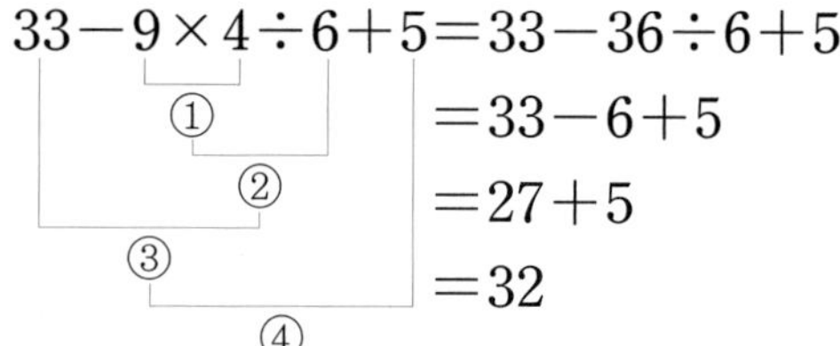

곱셈과 나눗셈을 가장 먼저 계산해요.

- 덧셈과 뺄셈이 섞여 있는 식은 ❶ [ ]에서부터 차례로 계산합니다.
- 곱셈과 나눗셈이 섞여 있는 식은 ❷ [ ]에서부터 차례로 계산합니다.
- 덧셈, 뺄셈, 곱셈이 섞여 있는 식은 ❸ [ ]을 가장 먼저 계산합니다.
- 덧셈, 뺄셈, 나눗셈이 섞여 있는 식은 ❹ [ ]을 가장 먼저 계산합니다.

답 ❶ 앞 ❷ 앞 ❸ 곱셈 ❹ 나눗셈

개념 2 ( )가 있는 자연수의 혼합 계산 — ( ) 안을 가장 먼저 계산합니다.

[관련 단원] 자연수의 혼합 계산

◎ 덧셈과 뺄셈, 곱셈과 나눗셈이 섞여 있고 ( )가 있는 식

$16-(9+4)=16-13$
$=3$
(① $9+4$, ② $16-13$)

$20\div(5\times2)=20\div10$
$=2$
(① 5×2, ② $20\div10$)

◎ 덧셈, 뺄셈, 곱셈(나눗셈)이 섞여 있고 ( )가 있는 식

$(8+3)\times6-7=11\times6-7$
$=66-7$
$=59$
(① $8+3$, ② 11×6, ③ $66-7$)

$12\div(4-1)+9=12\div3+9$
$=4+9$
$=13$
(① $4-1$, ② $12\div3$, ③ $4+9$)

◎ 덧셈, 뺄셈, 곱셈, 나눗셈이 섞여 있고 ( )가 있는 식

$(33-9)\times4\div6+5=24\times4\div6+5$
$=96\div6+5$
$=16+5$
$=21$
(① $33-9$, ② 24×4, ③ $96\div6$, ④ $16+5$)

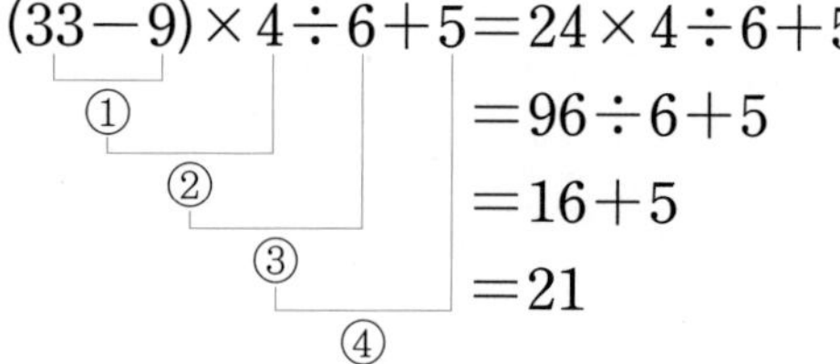

( )가 있으면 ( ) 안을 가장 먼저 계산해요.

- 덧셈과 뺄셈이 섞여 있고 ( )가 있는 식은 ❶ [ ]을 가장 먼저 계산합니다.
- 곱셈과 나눗셈이 섞여 있고 ( )가 있는 식은 ❷ [ ]을 가장 먼저 계산합니다.
- 덧셈, 뺄셈, 곱셈, 나눗셈이 섞여 있고 ( )가 있는 식은 ❸ [ ]을 가장 먼저 계산합니다.

답 ❶ ( ) 안 ❷ ( ) 안 ❸ ( ) 안

1-1 식의 계산 순서를 바르게 나타낸 것에 ○표 하시오.

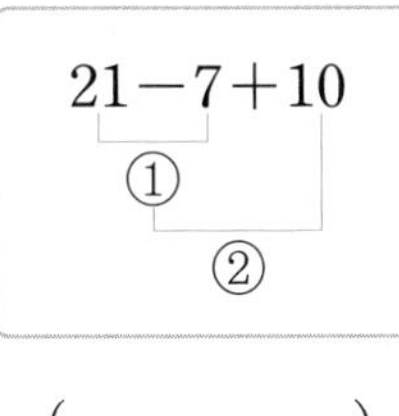

21−7+10 (①: 7+10, ②: 21−)

( ) ( )

• **풀이** • 덧셈과 뺄셈이 섞여 있는 식은 [❶]에서부터 차례로 계산하므로 21−[❷]을 가장 먼저 계산합니다.

답 ❶ 앞 ❷ 7

1-2 식의 계산 순서를 바르게 나타낸 것에 ○표 하시오.

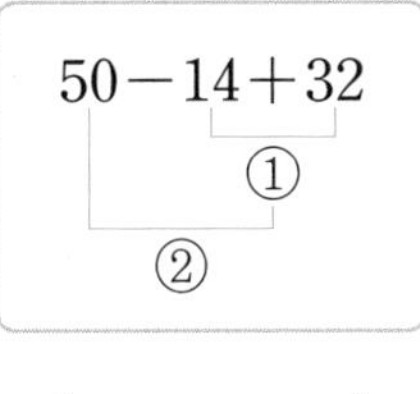

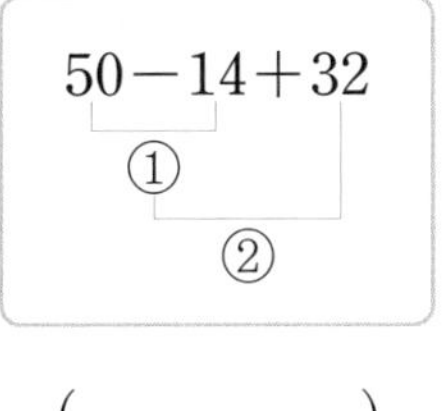

( ) ( )

뺄셈과 덧셈이 섞여 있으니까 앞에서부터 계산해요.

덧셈, 뺄셈, 곱셈이 섞여 있는 식이에요.

2-1 가장 먼저 계산해야 하는 부분에 ○표 하시오.

$43-11+9\times2$

• **풀이** • 덧셈, 뺄셈, 곱셈이 섞여 있는 식은 [❶]을 가장 먼저 계산하므로 [❷]×2를 가장 먼저 계산합니다.

답 ❶ 곱셈 ❷ 9

2-2 가장 먼저 계산해야 하는 부분에 ○표 하시오.

$15+8\times6-20$

( )가 있으니까 ( ) 안을 가장 먼저!

3-1 □ 안에 알맞은 수를 써넣으시오.

$12\times6\div(7-3)=12\times6\div\square$

② ① ③

$=\square\div\square$

$=\square$

• **풀이** • 뺄셈, 곱셈, 나눗셈이 섞여 있고 ( )가 있는 식은 [❶]을 가장 먼저 계산하므로 [❷]−3을 가장 먼저 계산합니다.

답 ❶ ( ) 안 ❷ 7

3-2 □ 안에 알맞은 수를 써넣으시오.

$63\div(4+5)\times2=63\div\square\times2$

① ② ③

$=\square\times2$

$=\square$

개념 3 두 양 사이의 대응 관계 알아보기

[관련 단원] 규칙과 대응

● 삼각형의 수와 사각형의 수 사이의 대응 관계

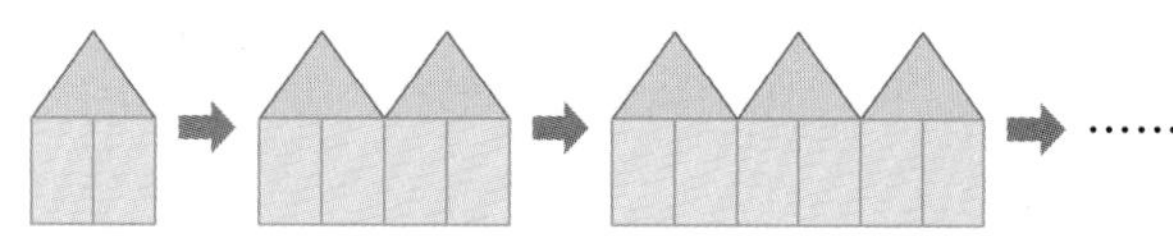

① 삼각형의 수와 사각형의 수 사이의 대응 관계를 표를 이용하여 알아보기

삼각형의 수(개)	1	2	3	4	……
사각형의 수(개)	2	4	6	8	……

삼각형의 수가 1개씩 늘어날 때 사각형의 수는 2개씩 늘어납니다.

② 삼각형의 수와 사각형의 수 사이의 대응 관계 말하기
삼각형의 수는 사각형의 수의 반입니다.
사각형의 수는 삼각형의 수의 2배입니다.

사각형의 수(개)	1	2	3	……
삼각형의 수(개)	2	4	❶	……

사각형의 수가 1개씩 늘어날 때 삼각형의 수는 ❷ 개씩 늘어납니다.

답 ❶ 6 ❷ 2

개념 4 대응 관계를 식으로 나타내기

[관련 단원] 규칙과 대응

● 자동차의 수와 바퀴의 수 사이의 대응 관계

① 자동차의 수와 바퀴의 수 사이의 대응 관계를 표를 이용하여 알아보기

자동차의 수(대)	1	2	3	4	……
바퀴의 수(개)	4	8	12	16	……

자동차의 수가 1대씩 늘어날 때 바퀴의 수는 4개씩 늘어납니다.

② 자동차의 수와 바퀴의 수 사이의 대응 관계를 식으로 나타내기
(자동차의 수) × 4 = (바퀴의 수)
(바퀴의 수) ÷ 4 = (자동차의 수)

③ 자동차의 수를 □, 바퀴의 수를 △라고 할 때, 두 양 사이의 대응 관계를 기호를 사용하여 식으로 나타내기 ─ 각각의 양을 ○, □, ☆, △ 등과 같은 기호로 표현할 수 있습니다.
□ × 4 = △
△ ÷ 4 = □

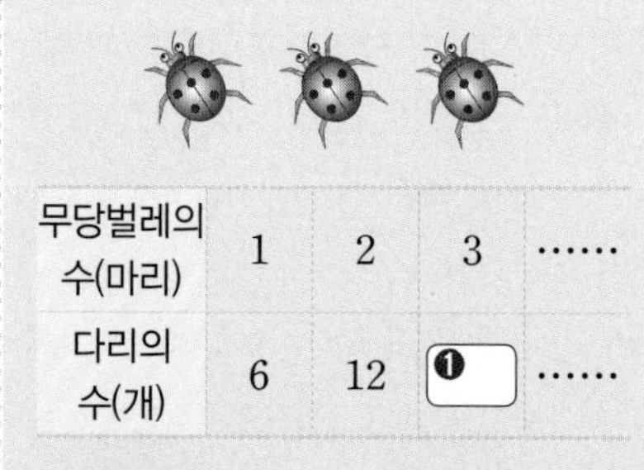

무당벌레의 수(마리)	1	2	3	……
다리의 수(개)	6	12	❶	……

무당벌레의 수를 ○, 다리의 수를 ☆이라고 할 때, 두 양 사이의 대응 관계를 기호를 사용하여 식으로 나타내면 ○ × ❷ = ☆입니다.

답 ❶ 18 ❷ 6

개념 기초 확인

▶정답 및 풀이 2쪽

4-1 도형의 배열을 보고 다음에 이어질 모양에 ○표 하시오.

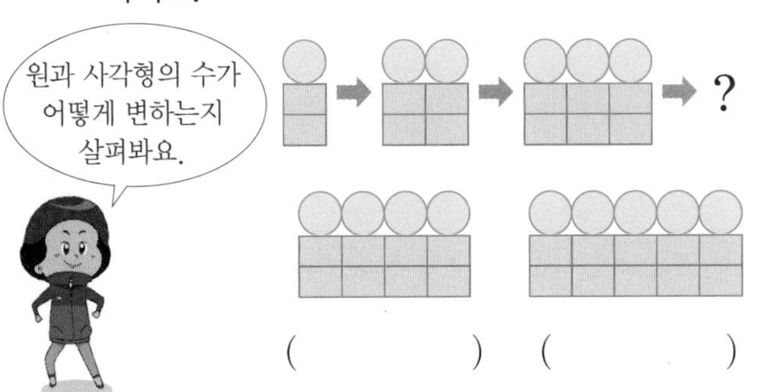

( ) ( )

• **풀이** • 원의 수가 1개씩 늘어날 때 사각형의 수는 ❶ 개씩 늘어나므로 다음에 이어질 모양에서 원은 ❷ 개, 사각형은 ❸ 개입니다.

답 ❶ 2 ❷ 4 ❸ 8

4-2 도형의 배열을 보고 다음에 이어질 모양에 ○표 하시오.

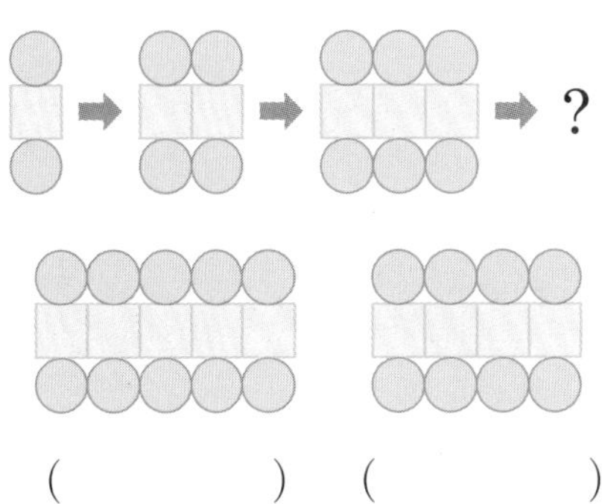

( ) ( )

5-1 자전거의 수와 바퀴의 수 사이의 대응 관계를 표로 나타내어 보시오.

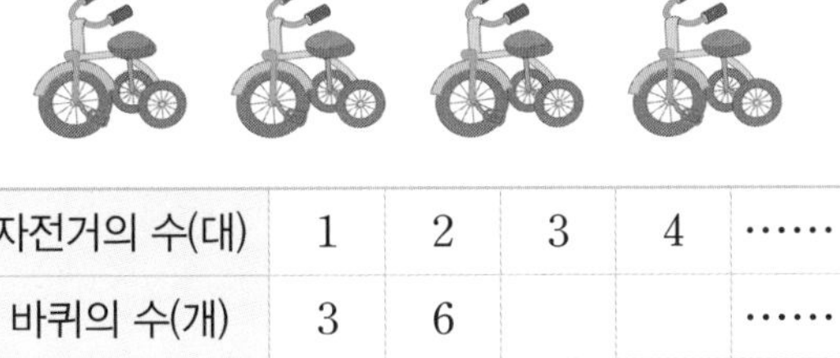

자전거의 수(대)	1	2	3	4	……
바퀴의 수(개)	3	6			……

• **풀이** • 자전거 한 대의 바퀴는 ❶ 개이므로 자전거의 수가 1대씩 늘어날 때 바퀴의 수는 ❷ 개씩 늘어납니다.

답 ❶ 3 ❷ 3

5-2 바구니의 수와 사과의 수 사이의 대응 관계를 표로 나타내어 보시오.

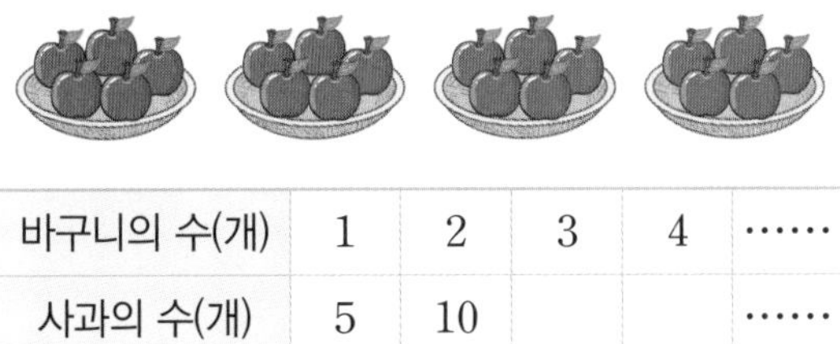

바구니의 수(개)	1	2	3	4	……
사과의 수(개)	5	10			……

6-1 탁자의 수와 의자의 수 사이의 대응 관계를 식으로 나타내어 보시오.

(탁자의 수)×□=(의자의 수)

• **풀이** • 탁자 한 개에 의자가 ❶ 개씩 놓여 있으므로 의자의 수는 탁자의 수의 ❷ 배입니다.

답 ❶ 4 ❷ 4

6-2 꽃의 수와 꽃잎의 수 사이의 대응 관계를 식으로 나타내어 보시오.

(꽃의 수)×□=(꽃잎의 수)

1 주

개념 돌파 전략 ❷

예제 1 곱셈과 나눗셈이 섞여 있는 식

$16 \div 4 \times 2 = 8$

(계산 순서: $16 \div 4 = 4$, $4 \times 2 = 8$)

곱셈과 나눗셈이 섞여 있는 식은 ❶ ☐ 에서부터 차례로 계산하므로 $16 \div$ ❷ ☐ 를 가장 먼저 계산합니다.

[답] ❶ 앞 ❷ 4

1 보기 와 같이 계산 순서를 나타내고 계산해 보시오.

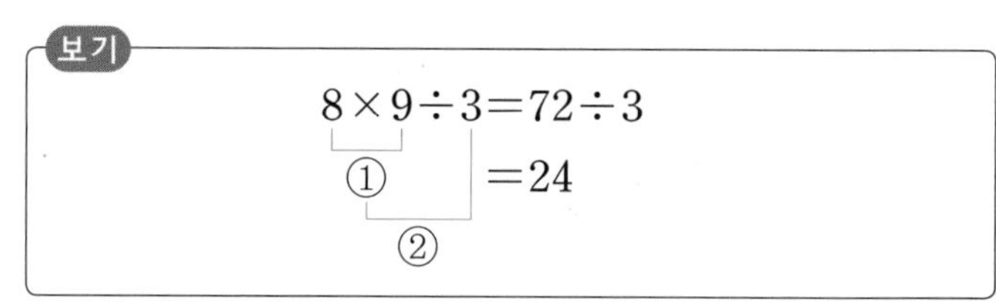

$6 \times 15 \div 5$

예제 2 덧셈, 뺄셈, 나눗셈이 섞여 있는 식

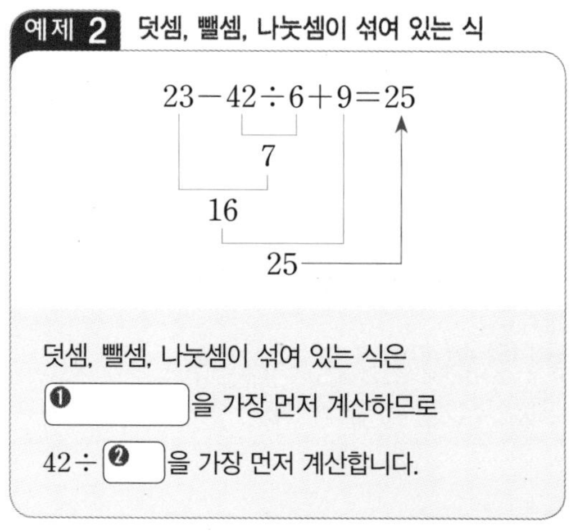

덧셈, 뺄셈, 나눗셈이 섞여 있는 식은 ❶ ☐ 을 가장 먼저 계산하므로 $42 \div$ ❷ ☐ 을 가장 먼저 계산합니다.

[답] ❶ 나눗셈 ❷ 6

2 ☐ 안에 알맞은 수를 써넣으시오.

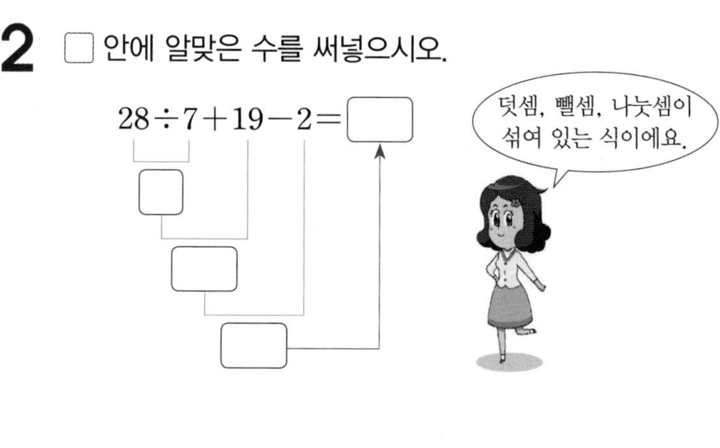

예제 3 덧셈, 뺄셈, (   )가 있는 식

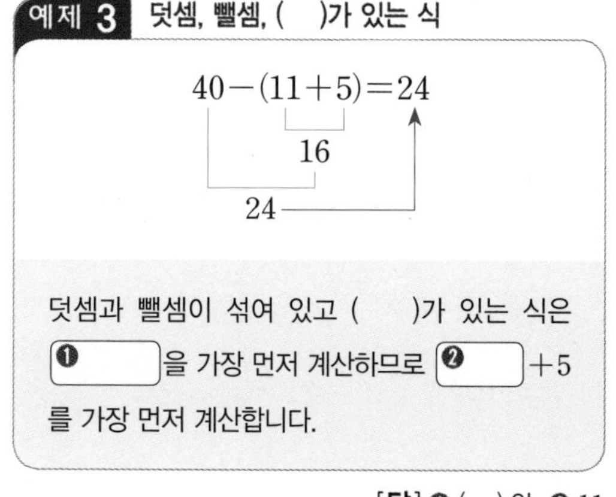

덧셈과 뺄셈이 섞여 있고 (   )가 있는 식은 ❶ ☐ 을 가장 먼저 계산하므로 ❷ ☐ $+5$ 를 가장 먼저 계산합니다.

[답] ❶ (   ) 안 ❷ 11

3 다음 식을 바르게 계산한 사람의 이름을 써 보시오.

$62 - (34 + 8)$

근희: 계산 결과는 36이야.

윤아: 계산 결과는 20이야.

(   )

▶정답 및 풀이 2쪽

예제 4 덧셈, 뺄셈, 곱셈, 나눗셈, (　)가 있는 식

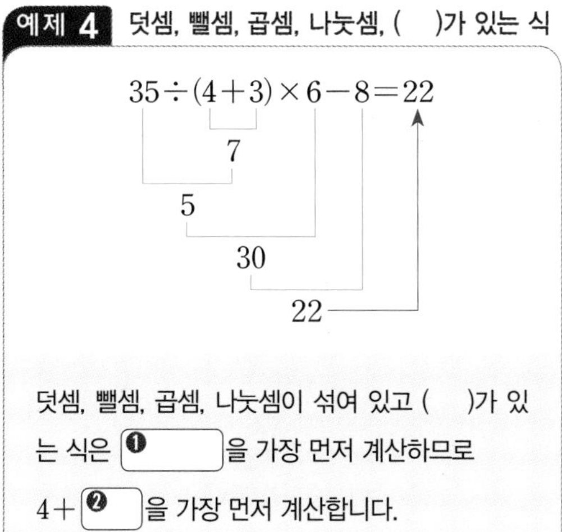

$35 \div (4+3) \times 6 - 8 = 22$

7, 5, 30, 22

덧셈, 뺄셈, 곱셈, 나눗셈이 섞여 있고 (　)가 있는 식은 ❶ [　] 을 가장 먼저 계산하므로 4+❷ [　] 을 가장 먼저 계산합니다.

[답] ❶ (　) 안 ❷ 3

4 계산해 보시오.

$21 + (30 - 12) \div 6 \times 4$

예제 5 두 양 사이의 대응 관계

삼각형의 수는 사각형의 수보다 1개 많습니다.
사각형의 수는 삼각형의 수보다 1개 적습니다.

사각형의 수(개)	1	2	3	……
삼각형의 수(개)	2	❶ [　]	❷ [　]	……

[답] ❶ 3 ❷ 4

5 사각형과 원으로 규칙적인 배열을 만들고 있습니다. 사각형의 수와 원의 수 사이의 대응 관계를 써 보시오.

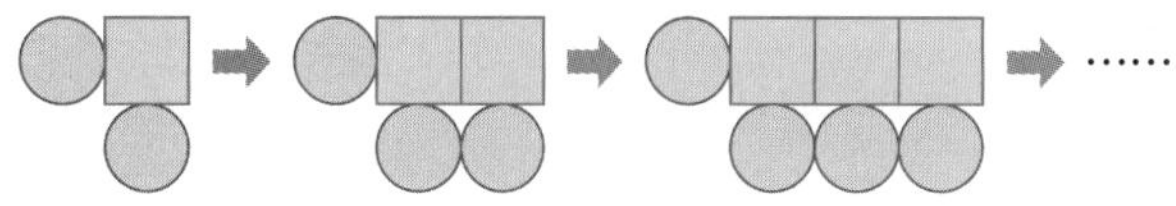

원의 수는 사각형의 수보다 [　]개 많습니다.

사각형의 수는 원의 수보다 [　]개 적습니다.

예제 6 대응 관계를 식으로 나타내기

□	1	2	3	4	……
○	2	4	6	8	……

○는 □의 2배입니다. ➡ □×2=○
□는 ○를 2로 나눈 수입니다. ➡ ○÷2=□

□가 1일 때 ○는 ❶ [　] 이고 □의 수가 1씩 커질 때 ○의 수는 ❷ [　] 씩 커집니다.

[답] ❶ 2 ❷ 2

6 ○와 △ 사이의 대응 관계를 기호를 사용하여 식으로 나타내어 보시오.

○	1	2	3	4	5	……
△	5	10	15	20	25	……

○×[　]=△

△÷[　]=○

1 주

필수 체크 전략 ❶

전략 1 ( )가 없는 식과 ( )가 있는 식의 계산 결과 비교하기

[관련 단원] 자연수의 혼합 계산

예 계산 결과를 비교하여 ○ 안에 >, =, <를 알맞게 써넣기

$$25-10+9 \bigcirc 25-(10+9)$$

(1) 25−10+9와 25−(10+9) 계산하기

$25-10+9=15+9$ (① $25-10$, ② $15+9$) $=$ ❶ □

$25-(10+9)=25-19$ (① $10+9$, ② $25-19$) $=$ ❷ □

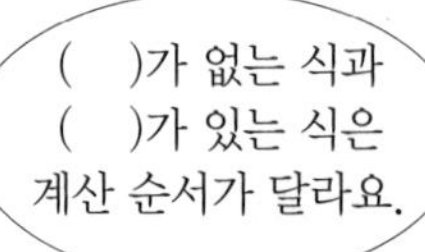

(2) 계산 결과를 비교하여 ○ 안에 >, =, <를 알맞게 써넣기

계산 결과를 비교하면 24>6이므로

25−10+9 ❸○ 25−(10+9)입니다.

답 ❶ 24 ❷ 6 ❸ >

필수 예제 01

계산 결과를 비교하여 ○ 안에 >, =, <를 알맞게 써넣으시오.

$$37-8+12 \bigcirc 37-(8+12)$$

풀이 | $37-8+12=29+12$ (① $37-8$, ② $29+12$) $=41$

$37-(8+12)=37-20$ (① $8+12$, ② $37-20$) $=17$

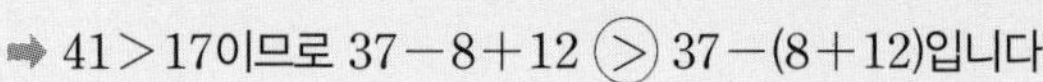

➡ 41>17이므로 37−8+12 ⃝> 37−(8+12)입니다.

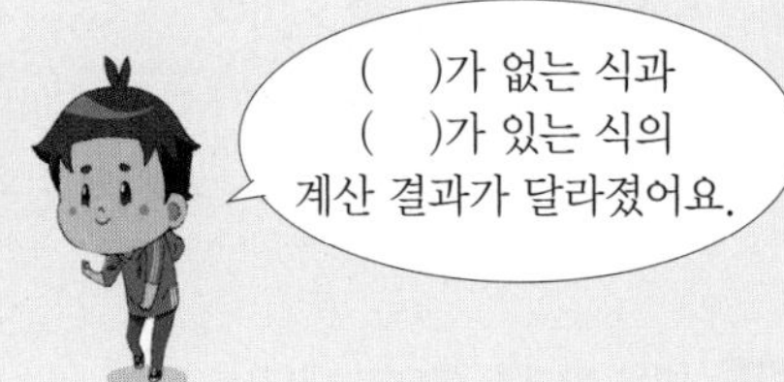

확인 1-1

계산 결과를 비교하여 ○ 안에 >, =, <를 알맞게 써넣으시오.

$$40-15+7 \bigcirc 40-(15+7)$$

확인 1-2

계산 결과를 비교하여 ○ 안에 >, =, <를 알맞게 써넣으시오.

$$18+35-6 \bigcirc 18+(35-6)$$

▶정답 및 풀이 3쪽

전략 2 두 식을 하나의 식으로 나타내기

[관련 단원] 자연수의 혼합 계산

예 두 식을 하나의 식으로 나타내기

$12\times5=60$ $60\div4=15$

(1) 두 식에 공통으로 들어 있는 수 찾기: $12\times5=60$ $60\div4=15$

공통으로 들어 있는 수

(2) 두 식을 하나의 식으로 나타내기

$60\div4=15$에서 ❶ ☐ 대신에 12×5를 넣으면 ❷  $\times$ ❸ ☐ $\div4=15$입니다.

답 ❶ 60 ❷ 12 ❸ 5

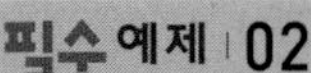
필수 예제 02

두 식을 하나의 식으로 나타내어 보시오.

$24\div8=3$ $3\times17=51$

식

풀이 | $24\div8=3$ $3\times17=51$

공통으로 들어 있는 수

두 식에 공통으로 들어 있는 수는 3입니다.

$3\times17=51$에서 3 대신에 $24\div8$을 넣으면 $24\div8\times17=51$입니다.

두 식에 공통으로 들어 있는 수를 먼저 찾아요.

확인 2-1

두 식을 하나의 식으로 나타내어 보시오.

$9\times10=90$ $90\div45=2$

식

확인 2-2

두 식을 하나의 식으로 나타내어 보시오.

$56\div7=8$ $4\times14=56$

식

전략 3 바르게 계산한 것 찾기

[관련 단원] 자연수의 혼합 계산

예 바르게 계산한 것의 기호 쓰기

㉠ $45\div(5\times3)=27$
㉡ $28-20\div4+6=29$

(1) ㉠과 ㉡ 계산하기

㉠ $45\div(5\times3)=45\div15$ (①) $=$ ❶ (②)

㉡ $28-20\div4+6=28-5+6$ (①) $=23+6$ (②) $=$ ❷ (③)

㉠은 (   )안을 가장 먼저 계산하고
㉡은 나눗셈을 가장 먼저 계산해요.

(2) 바르게 계산한 것의 기호 쓰기: 바르게 계산한 것은 ❸ 입니다.

답 ❶ 3 ❷ 29 ❸ ㉡

필수 예제 03

바르게 계산한 것의 기호를 써 보시오.

㉠ $30-16+11=3$
㉡ $8+(19-2)\times5=93$

(   )

풀이 | ㉠ $30-16+11=14+11$ (①) $=25$ (②)

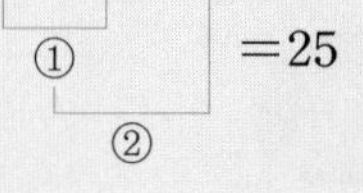

㉡ $8+(19-2)\times5=8+17\times5$ (①) $=8+85$ (②) $=93$ (③)

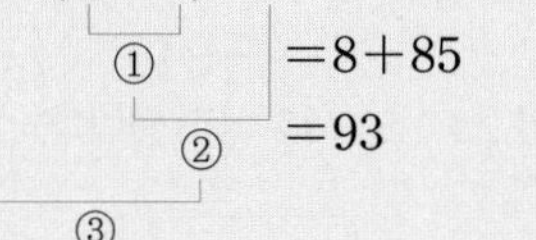

따라서 바르게 계산한 것은 ㉡입니다.

확인 3-1

바르게 계산한 것의 기호를 써 보시오.

㉠ $21-(9+7)=5$
㉡ $6+34-2\times10=380$

(   )

확인 3-2

바르게 계산한 것의 기호를 써 보시오.

㉠ $84\div4\times3=7$
㉡ $(40-16)\times2+25=73$

(   )

▶정답 및 풀이 3쪽

전략 4 필요한 도형의 수 구하기

[관련 단원] 규칙과 대응

예 도형의 배열을 보고 삼각형이 8개일 때 필요한 사각형의 수 구하기

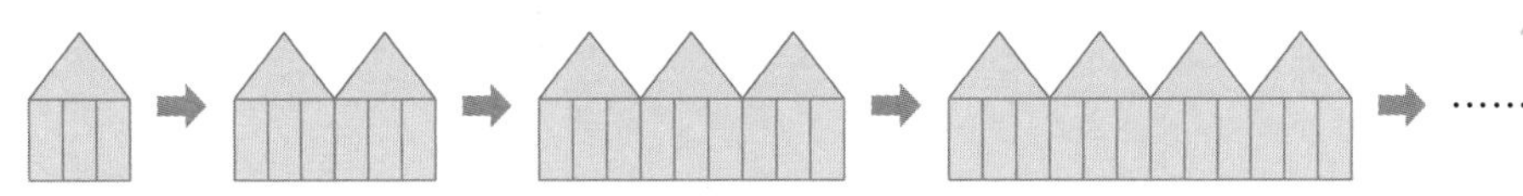

(1) 삼각형의 수와 사각형의 수 사이의 대응 관계를 표를 이용하여 알아보기

삼각형의 수(개)	1	2	3	4	……
사각형의 수(개)	3	6	9	❶	……

삼각형의 수가 1개씩 늘어날 때 사각형의 수는 3개씩 늘어나요.

(2) 삼각형이 8개일 때 필요한 사각형의 수 구하기

사각형의 수는 삼각형의 수의 ❷ □배이므로 삼각형이 8개일 때 사각형은 ❸ □개 필요합니다.

답 ❶ 12 ❷ 3 ❸ 24

필수 예제 04

도형의 배열을 보고 사각형이 10개일 때 원은 몇 개 필요한지 구하시오.

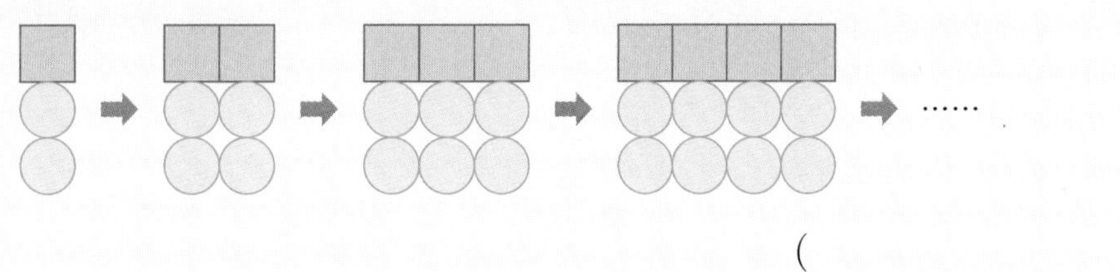

( )

풀이 |

사각형의 수(개)	1	2	3	4	……
원의 수(개)	2	4	6	8	……

원의 수는 사각형의 수의 2배이므로 사각형이 10개일 때 원은 $10 \times 2 = 20$(개) 필요합니다.

확인 4-1

도형의 배열을 보고 삼각형이 7개일 때 원은 몇 개 필요한지 구하시오.

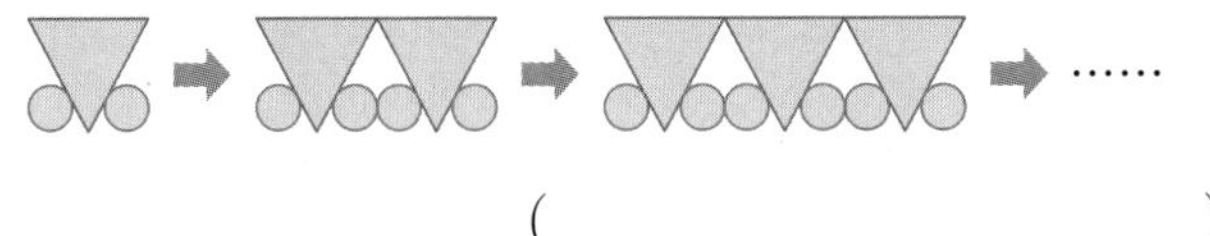

( )

확인 4-2

도형의 배열을 보고 사각형이 12개일 때 삼각형은 몇 개 필요한지 구하시오.

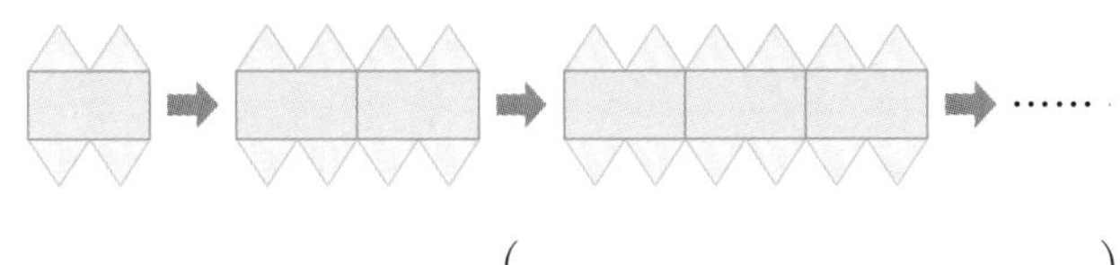

( )

1 주

1주 02일 필수 체크 전략 ❷

[관련 단원] **자연수의 혼합 계산**

1 계산 결과를 찾아 이어 보시오.

$28 \div 2 \times 7$ •		• 2
$28 \div (2 \times 7)$ •		• 14
		• 98

Tip

$28 \div 2 \times 7$은 $28 \div$ ❶ [ ]를 가장 먼저 계산하고, $28 \div (2 \times 7)$은 $2 \times$ ❷ [ ]을 가장 먼저 계산합니다.

답 ❶ 2 ❷ 7

[관련 단원] **자연수의 혼합 계산**

2 식을 세우고 계산해 보시오.

52에서 24와 11의 합을 뺀 수

식

Tip

먼저 계산해야 하는 식을 ( )로 묶어 하나의 식으로 나타내면 ❶ [ ] $-(24+$ ❷ [ ] $)$입니다.

답 ❶ 52 ❷ 11

[관련 단원] **자연수의 혼합 계산**

3 계산에서 잘못된 곳을 찾아 옳게 고쳐 계산해 보시오.

$31+9\times3-16$
$=40\times3-16$
$=120-16$
$=104$

➡

$31+9\times3-16$

Tip

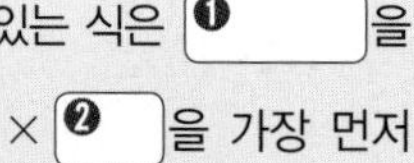
덧셈, 뺄셈, 곱셈이 섞여 있는 식은 ❶ [ ]을 가장 먼저 계산하므로 $9\times$ ❷ [ ]을 가장 먼저 계산합니다.

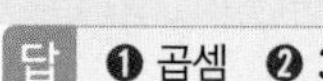
답 ❶ 곱셈 ❷ 3

덧셈, 뺄셈, 곱셈이 섞여 있으니까 곱셈을 가장 먼저 계산해요.

▶정답 및 풀이 4쪽

[관련 단원] **자연수의 혼합 계산**

4 계산 결과가 더 큰 것의 기호를 써 보시오.

㉠ $63\div9+13-5$
㉡ $17+(24-8)\div4$

( )

Tip
㉠은 $63\div$ ❶ 를 가장 먼저 계산하고,
㉡은 $24-$ ❷ 을 가장 먼저 계산합니다.

답 ❶ 9 ❷ 8

[관련 단원] **규칙과 대응**

5 ❷기차가 이동하는 거리를 □, 걸린 시간을 △라고 할 때, 두 양 사이의 대응 관계를 기호를 사용하여 식으로 나타내어 보시오.

❶1초 동안에 이동하는 거리: 25 m

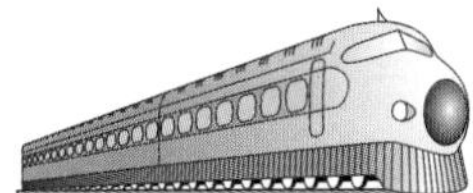

식

Tip
❶ 걸린 시간이 1초씩 늘어날 때 이동하는 거리는 ❶ m씩 늘어납니다.
❷ 기차가 이동하는 거리와 걸린 시간 사이의 대응 관계를 □와 ❷ 를 사용하여 식으로 나타냅니다.

답 ❶ 25 ❷ △

[관련 단원] **규칙과 대응**

6 다음과 같이 색종이에 누름 못을 꽂아서 벽에 붙이고 있습니다. 색종이를 7장 붙일 때 누름 못은 몇 개 필요합니까?

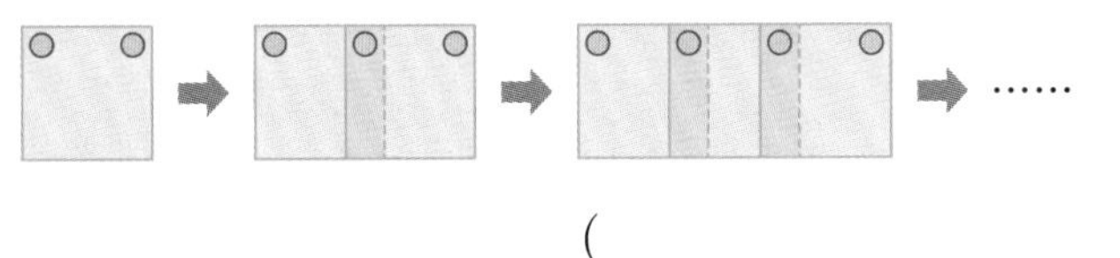

( )

Tip
색종이를 1장 붙일 때 필요한 누름 못은 ❶ 개이고, 색종이의 수가 1장씩 늘어날 때 누름 못의 수도 ❷ 개씩 늘어납니다.

답 ❶ 2 ❷ 1

1주

필수 체크 전략 ❶

전략 1 ▢ 안에 들어갈 수 있는 자연수 구하기

[관련 단원] 자연수의 혼합 계산

예 ▢ 안에 들어갈 수 있는 가장 작은 자연수 구하기

$23-8\times2+11<\square$

(1) $23-8\times2+11$ 계산하기 : $23-8\times2+11=23-16+11$

$=7+11$

$=$ ❶ ▢

(①, ②, ③ 계산 순서)

덧셈, 뺄셈, 곱셈이 섞여 있으니까 곱셈을 가장 먼저 계산해요.

(2) ▢ 안에 들어갈 수 있는 가장 작은 자연수 구하기

❷ ▢ $<\square$이므로 ▢ 안에 들어갈 수 있는 가장 작은 자연수는 ❸ ▢ 입니다.

답 ❶ 18 ❷ 18 ❸ 19

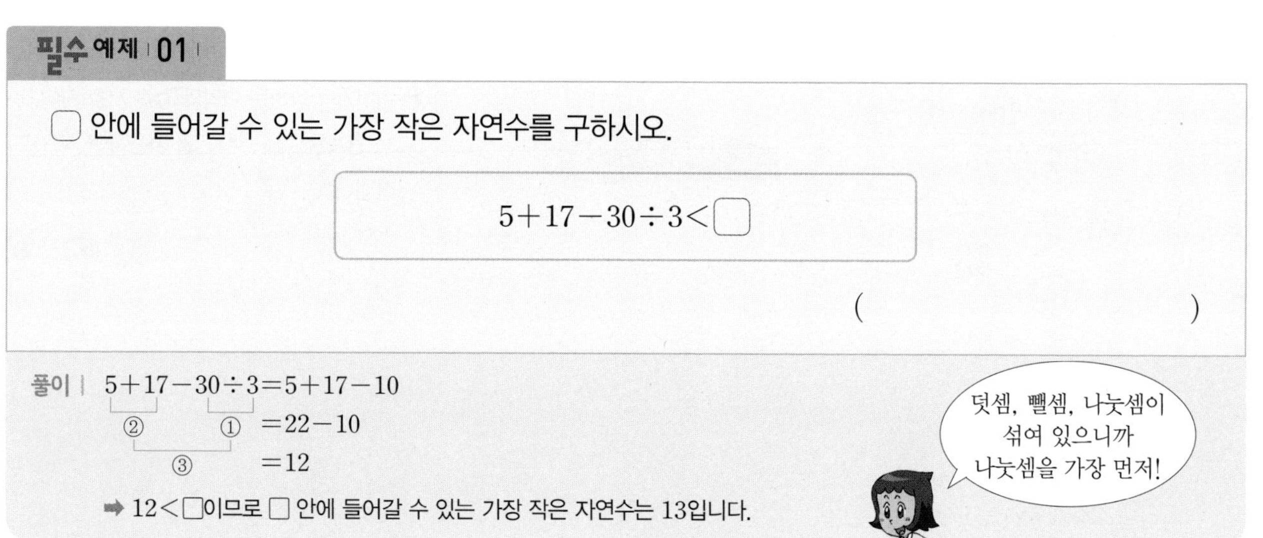

필수 예제 01

▢ 안에 들어갈 수 있는 가장 작은 자연수를 구하시오.

$5+17-30\div3<\square$

(　　　　　　　　)

풀이 | $5+17-30\div3=5+17-10$

$=22-10$

$=12$

(①, ②, ③ 계산 순서)

➡ $12<\square$이므로 ▢ 안에 들어갈 수 있는 가장 작은 자연수는 13입니다.

확인 1-1

▢ 안에 들어갈 수 있는 가장 작은 자연수를 구하시오.

$4\times(10+3)-22<\square$

(　　　　　　　　)

확인 1-2

▢ 안에 들어갈 수 있는 가장 작은 자연수를 구하시오.

$(20+45)\div5-7<\square$

(　　　　　　　　)

▶정답 및 풀이 4쪽

전략 2 약속에 따라 계산하기

[관련 단원] 자연수의 혼합 계산

예 기호 ★을 다음과 같이 약속 을 할 때 13★2의 값 구하기

약속
가★나=가×나−나+가

(1) 13★2를 약속에 따라 하나의 식으로 나타내기

가 대신에 13, 나 대신에 2를 넣으면 13★2=13×2−❶ ☐ +13입니다.

(2) 13★2의 값 구하기

13★2=13×2−2+13
=❷ ☐ −2+13
=24+13
=❸ ☐

답 ❶ 2 ❷ 26 ❸ 37

필수 예제 02

기호 ◆를 다음과 같이 약속 을 할 때 27◆9의 값을 구하시오.

약속
가◆나=가−가÷나+나

( )

풀이 | 가 대신에 27, 나 대신에 9를 넣어 계산합니다.
➡ 27◆9=27−27÷9+9=27−3+9=24+9=33

확인 2-1

기호 ♠를 다음과 같이 약속 을 할 때 36♠3의 값을 구하시오.

약속
가♠나=가×나−가÷나

( )

확인 2-2

기호 ♣를 다음과 같이 약속 을 할 때 42♣7의 값을 구하시오.

약속
가♣나=(가−나)÷나+가

( )

1 주

전략 3 나이 구하기

[관련 단원] 규칙과 대응

예 형이 18살일 때 준우의 나이 구하기

형: 난 14살이야.
준우: 난 12살이야.

(1) 형의 나이와 준우의 나이 사이의 대응 관계를 식으로 나타내기

(형의 나이)−❶☐=(준우의 나이)

(2) 형이 18살일 때 준우의 나이 구하기

형이 18살일 때 준우는 18−❷☐=❸☐(살)입니다.

답 ❶ 2 ❷ 2 ❸ 16

필수 예제 03

언니가 20살일 때 나경이는 11살입니다. 언니가 26살일 때 나경이는 몇 살인지 구하시오.

(1) 언니의 나이와 나경이의 나이 사이의 대응 관계를 식으로 나타내어 보시오.

(언니의 나이)−☐=(나경이의 나이)

(2) 언니가 26살일 때 나경이는 몇 살입니까?

( )

풀이 | (1) 나경이의 나이는 언니의 나이보다 20−11=9(살) 적으므로 (언니의 나이)−9=(나경이의 나이)입니다.
(2) 언니가 26살일 때 나경이는 26−9=17(살)입니다.

확인 3-1

누나가 30살일 때 홍기는 몇 살인지 구하시오.

( )

확인 3-2

삼촌이 51살일 때 이모는 몇 살인지 구하시오.

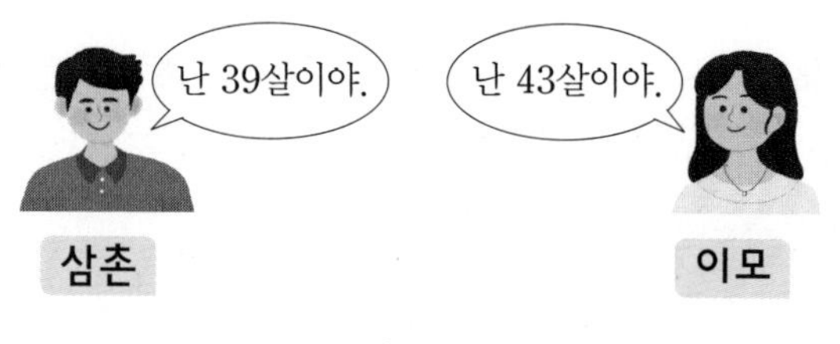

( )

전략 4 말한 수 구하기

[관련 단원] 규칙과 대응

예 표를 보고 민지가 답한 수가 10일 때 유라가 말한 수 구하기

유라가 말한 수	1	2	3	4	……
민지가 답한 수	4	5	6	7	……

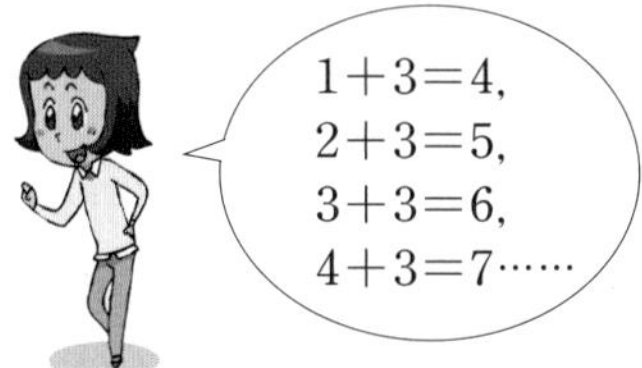

(1) 유라가 말한 수를 ○, 민지가 답한 수를 ☆이라고 할 때, 두 양 사이의 대응 관계를 기호를 사용하여 식으로 나타내기

○+3=☆ 또는 ☆−❶☐=○

(2) 민지가 답한 수가 10일 때 유라가 말한 수 구하기

☆−3=○이므로 민지가 답한 수가 10일 때 유라가 말한 수는 10−❷☐=❸☐입니다.

답 ❶ 3 ❷ 3 ❸ 7

필수 예제 04

현서와 빛나가 대응 관계 알아맞히기를 하고 있습니다. 빛나가 답한 수가 16일 때 현서가 말한 수는 얼마입니까?

현서가 말한 수	12	8	20	16	……
빛나가 답한 수	5	1	13	9	……

( )

풀이 | 현서가 말한 수를 ○, 빛나가 답한 수를 ☆이라고 할 때, 두 양 사이의 대응 관계를 기호를 사용하여 식으로 나타내면 ○−7=☆ 또는 ☆+7=○입니다.

➡ ☆+7=○이므로 빛나가 답한 수가 16일 때 현서가 말한 수는 16+7=23입니다.

확인 4-1

예리와 준하가 대응 관계 알아맞히기를 하고 있습니다. 준하가 답한 수가 28일 때 예리가 말한 수는 얼마입니까?

예리가 말한 수	1	5	9	11	……
준하가 답한 수	2	10	18	22	……

( )

확인 4-2

슬기와 태호가 대응 관계 알아맞히기를 하고 있습니다. 태호가 답한 수가 12일 때 슬기가 말한 수는 얼마입니까?

슬기가 말한 수	15	30	10	45	……
태호가 답한 수	3	6	2	9	……

( )

필수 체크 전략 ❷

[관련 단원] **자연수의 혼합 계산**

1 □ 안에 알맞은 수를 구하시오.

$$77-\square\times8\div4=53$$

(　　　　　　　　　　)

Tip

$\square\times8\div4$는 ❶ □ − ❷ □을 계산한 값입니다.

답 ❶ 77 ❷ 53

[관련 단원] **자연수의 혼합 계산**

2 혜교네 반은 남학생이 11명, 여학생이 15명입니다. 이 중에서 동생이 있는 학생이 6명이라면 동생이 없는 학생은 몇 명인지 하나의 식으로 나타내어 구하시오.

식

답

Tip

혜교네 반 학생 수는 (11+❶ □)명이므로 동생이 없는 학생 수는 11+❷ □ − ❸ □으로 구합니다.

답 ❶ 15 ❷ 15 ❸ 6

[관련 단원] **자연수의 혼합 계산**

3 ❶ 수진이는 문구점에서 900원짜리 연필 2자루와 600원짜리 지우개 3개를 사고 ❷ 5000원을 냈습니다. 거스름돈은 얼마인지 (　)를 사용하여 하나의 식으로 나타내어 구하시오.

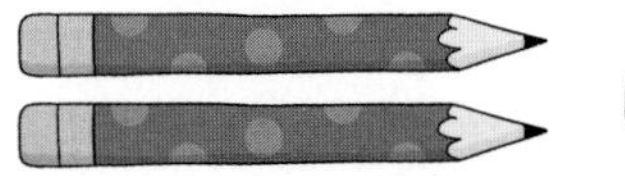

식

답

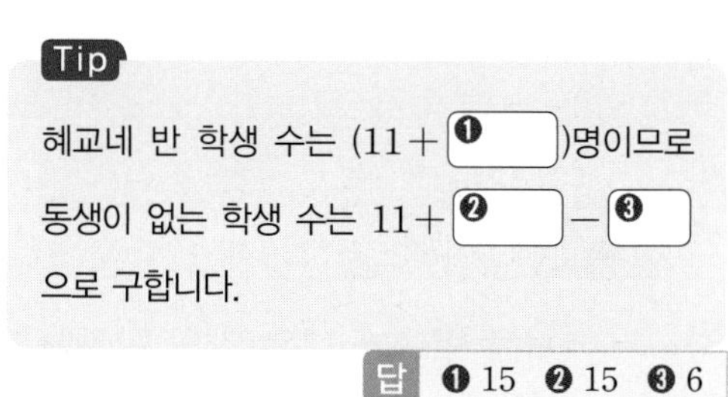

Tip

❶ 연필 2자루와 지우개 3개의 값은 $(900\times2+$❶ □$\times3)$원입니다.

❷ 거스름돈은 ❷ □ $-(900\times2+$❸ □$\times3)$으로 구합니다.

답 ❶ 600 ❷ 5000 ❸ 600

▶정답 및 풀이 5쪽

[관련 단원] **규칙과 대응**

4 1월 어느 날 서울과 베를린의 시각 사이의 대응 관계를 나타낸 표입니다. 서울의 시각을 □, 베를린의 시각을 ○라고 할 때, 두 양 사이의 대응 관계를 기호를 사용하여 식으로 나타내어 보시오.

서울의 시각	오후 2시	오후 3시	오후 4시	……
베를린의 시각	오전 6시	오전 7시	오전 8시	……

식 ______________________

Tip

베를린의 시각은 서울의 시각보다 ❶ □ 시간 느리고, 서울의 시각은 베를린의 시각보다 ❷ □ 시간 빠릅니다.

답 ❶ 8 ❷ 8

1 주

[관련 단원] **규칙과 대응**

5 성냥개비로 정오각형을 만들고 있습니다. 정오각형을 14개 만들 때 성냥개비는 몇 개 필요합니까?

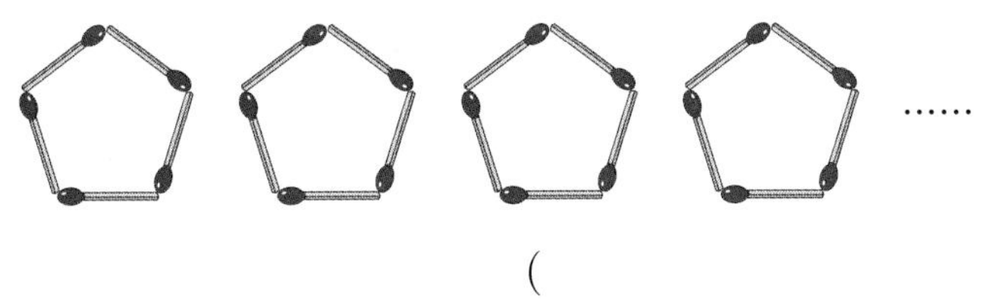

( )

Tip

정오각형을 1개 만들 때 성냥개비는 ❶ □ 개 필요하고, 정오각형의 수가 1개씩 늘어날 때마다 성냥개비의 수는 ❷ □ 개씩 늘어납니다.

답 ❶ 5 ❷ 5

[관련 단원] **규칙과 대응**

6 ②다음과 같은 방법으로 통나무 한 개를 10도막으로 자르려고 합니다. ③한 번 자르는 데 2분이 걸린다면 쉬지 않고 모두 자르는 데 몇 분이 걸립니까?

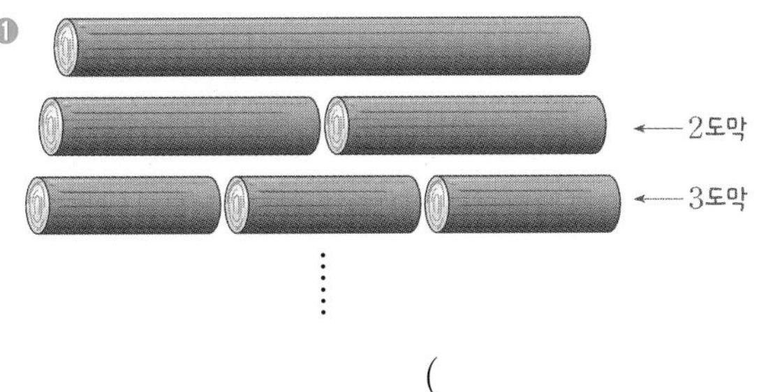

( )

Tip

① 자르는 횟수는 도막의 수보다 ❶ □ 작습니다.

② 10도막으로 자르려면 ❷ □ 번 잘라야 합니다.

③ 모두 자르는 데 걸리는 시간은 $2\times$(자르는 횟수)로 구합니다.

답 ❶ 1 ❷ 9

교과서 대표 전략 ❶

대표 예제 01

계산 결과가 17인 것에 ○표 하시오.

7+28−19	30−(8+5)
(　　　)	(　　　)

( )가 없으면 앞에서부터 차례대로 계산하고, ( )가 있으면 ( ) 안을 가장 먼저 계산해요.

개념가이드

7+28−19는 7+❶[　]을 가장 먼저 계산하고,

30−(8+5)는 ❷[　]+5를 가장 먼저 계산합니다.

[답] ❶ 28 ❷ 8

대표 예제 02

계산이 처음으로 <u>잘못된</u> 곳을 찾아 기호를 써 보시오.

$$4\times(3+21)-12$$ ㉠
$$=4\times24-12$$ ㉡
$$=4\times12$$ ㉢
$$=48$$

(　　　　　　)

개념가이드

덧셈, 뺄셈, 곱셈이 섞여 있고 ( )가 있는 식은 ( ) 안을 가장 먼저 계산하므로 3+❶[　]을 가장 먼저 계산하고 그 다음 4×❷[　]를 계산합니다.

[답] ❶ 21 ❷ 24

대표 예제 03

( )가 없어도 계산 결과가 같은 것의 기호를 써 보시오.

㉠ $10\times(42\div6)$

㉡ $81\div(3\times9)$

(　　　　　　)

개념가이드

( )가 있을 때 ㉠은 ❶[　]÷6을 가장 먼저 계산하고,

㉡은 ❷[　]×9를 가장 먼저 계산합니다.

[답] ❶ 42 ❷ 3

대표 예제 04

가장 먼저 계산해야 하는 식을 ( )로 묶어 두 식을 하나의 식으로 나타내어 보시오.

$90\div5=18$　　　$11-6=5$

식 ______________________

개념가이드

두 식에 공통으로 들어 있는 수는 ❶[　]이므로

90÷5=18에서 5 대신에 11−❷[　]을 넣습니다.

[답] ❶ 5 ❷ 6

▶정답 및 풀이 6쪽

잘할 수 있어!

대표 예제 05

두 식의 계산 결과의 차를 구하시오.

$48-22+5\times3$

$11+32\div8-9$

(　　　　　　　　)

개념가이드

$48-22+5\times3$은 ❶☐$\times3$을 가장 먼저 계산하고,

$11+32\div8-9$는 $32\div$❷☐을 가장 먼저 계산합니다.

[답] ❶ 5 ❷ 8

대표 예제 06

잉크가 번져 수가 보이지 않습니다. 보이지 않는 부분에 알맞은 수를 구하시오.

$(19+●)\times6=138$

(　　　　　　　　)

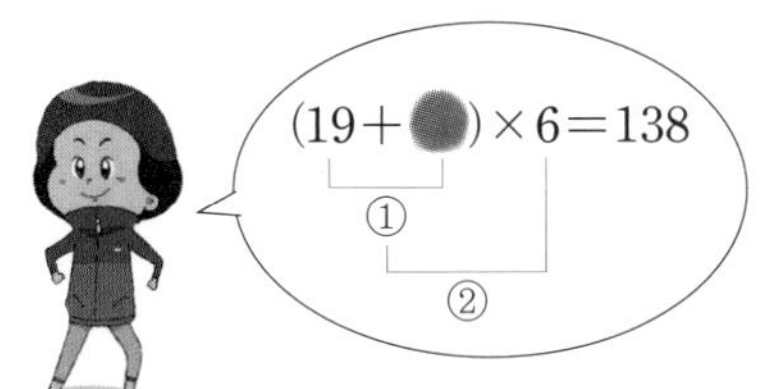

개념가이드

$19+●$은 ❶☐$\div$❷☐을 계산한 값입니다.

[답] ❶ 138 ❷ 6

대표 예제 07

미현이는 5개에 1000원 하는 사탕을 13개 샀습니다. 사탕 13개의 값은 얼마인지 하나의 식으로 나타내어 구하시오.

식

답

개념가이드

사탕 한 개의 값은 $(1000\div$❶☐$)$원이므로 사탕 13개의 값은 $1000\div$❷☐$\times$❸☐으로 구합니다.

[답] ❶ 5 ❷ 5 ❸ 13

대표 예제 08

수 카드 [2], [3], [7]을 한 번씩 모두 사용하여 다음과 같은 식을 만들려고 합니다. 계산 결과가 가장 클 때는 얼마인지 계산 결과를 구하시오.

$66\div(\square\times\square)+\square$

(　　　　　　　　)

개념가이드

계산 결과를 가장 크게 만들려면 66을 나누는 수인 ☐×☐가 가장 작아야 하므로 $66\div(2\times$❶☐$)$ 또는 $66\div($❷☐$\times2)$여야 합니다.

[답] ❶ 3 ❷ 3

대표 예제 09

기태네 반 학생은 28명입니다. 6명씩 4모둠으로 나누어 피구를 하고, 피구를 하지 않는 나머지 학생들은 다른 반 학생 10명과 함께 응원을 하였습니다. 응원을 한 학생은 모두 몇 명인지 하나의 식으로 나타내어 구하시오.

식 ________________

답 ________________

개념가이드

기태네 반 학생 중 응원을 한 학생 수는

(❶ ☐ −6×❷ ☐)명입니다.

[답] ❶ 28 ❷ 4

대표 예제 10

온도를 나타내는 단위에는 섭씨(℃), 화씨(℉)가 있습니다. 현재 기온을 화씨로 나타내면 68 ℉입니다. 현재 기온을 섭씨로 나타내면 몇 ℃인지 구하시오.

> 화씨온도에서 32를 뺀 수에 5를 곱하고 9로 나누면 섭씨온도가 됩니다.

(　　　　　　　　　　)

개념가이드

(섭씨온도)=((화씨온도)−32)×❶ ☐ ÷❷ ☐

[답] ❶ 5 ❷ 9

대표 예제 11

도형의 배열을 보고 사각형이 7개일 때 삼각형은 몇 개 필요한지 구하시오.

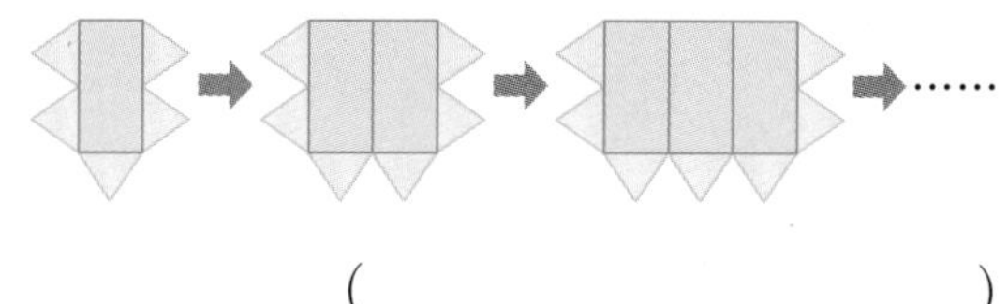

(　　　　　　　　　　)

개념가이드

양옆에 있는 삼각형 ❶ ☐개는 변하지 않고 사각형의 수와 아래쪽에 있는 삼각형의 수가 ❷ ☐개씩 늘어납니다.

[답] ❶ 4 ❷ 1

대표 예제 12

팔각형의 수를 ○, 팔각형의 꼭짓점의 수를 ☆이라고 할 때, 두 양 사이의 대응 관계를 기호를 사용하여 식으로 나타내어 보시오.

팔각형의 수가 1개씩 늘어날 때, 꼭짓점의 수는 8개씩 늘어나요.

식 ________________

개념가이드

팔각형의 꼭짓점의 수는 ❶ ☐개이므로 팔각형의 꼭짓점의 수는 팔각형의 수의 ❷ ☐배입니다.

[답] ❶ 8 ❷ 8

▶정답 및 풀이 6쪽

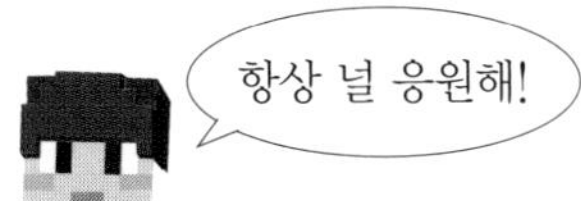

대표 예제 | 13 |

대응 관계를 나타낸 식을 보고 식에 알맞은 상황을 만들어 보시오.

$\square = \triangle \times 6$

개념가이드

□는 ❶ [ ]의 ❷ [ ]배이므로 이러한 관계가 있는 두 양을 찾아 상황을 만듭니다.

[답] ❶ △ ❷ 6

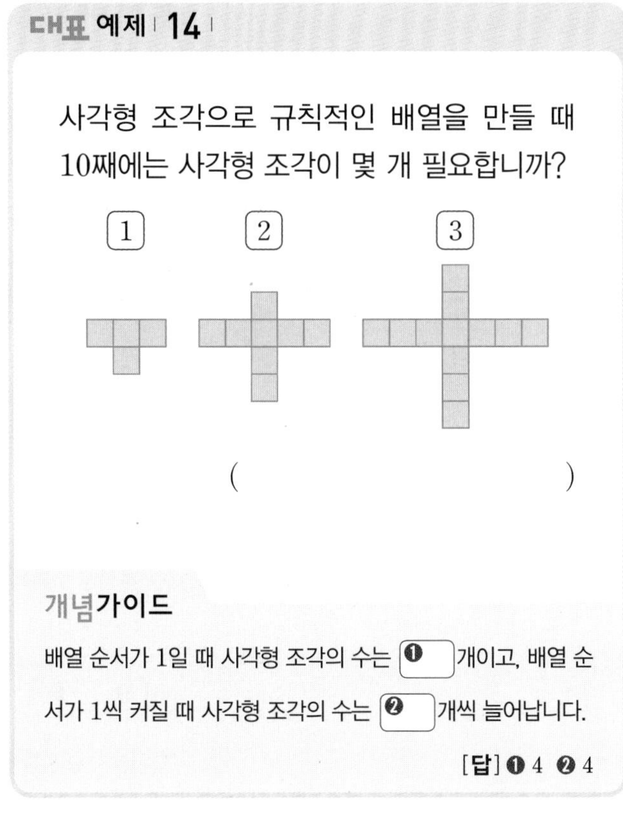

대표 예제 | 14 |

사각형 조각으로 규칙적인 배열을 만들 때 10째에는 사각형 조각이 몇 개 필요합니까?

1 2 3

( )

개념가이드

배열 순서가 1일 때 사각형 조각의 수는 ❶ [ ]개이고, 배열 순서가 1씩 커질 때 사각형 조각의 수는 ❷ [ ]개씩 늘어납니다.

[답] ❶ 4 ❷ 4

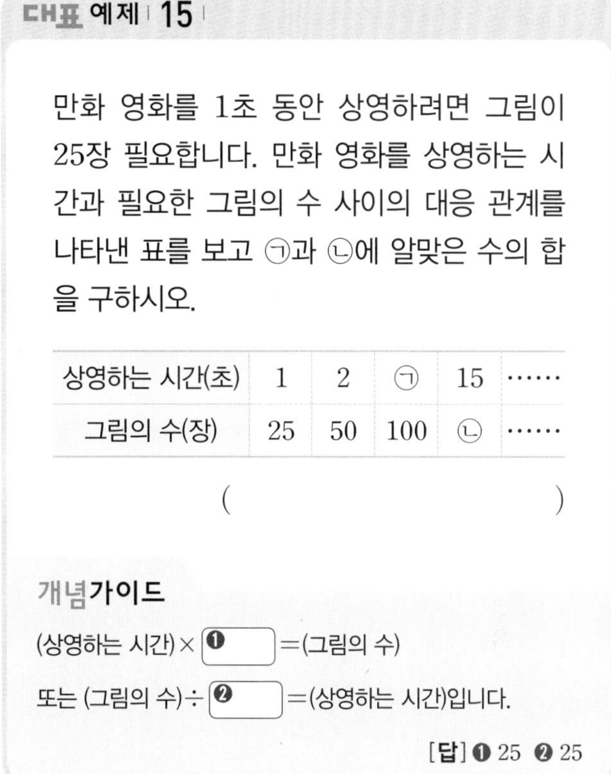

대표 예제 | 15 |

만화 영화를 1초 동안 상영하려면 그림이 25장 필요합니다. 만화 영화를 상영하는 시간과 필요한 그림의 수 사이의 대응 관계를 나타낸 표를 보고 ㉠과 ㉡에 알맞은 수의 합을 구하시오.

상영하는 시간(초)	1	2	㉠	15	……
그림의 수(장)	25	50	100	㉡	……

( )

개념가이드

(상영하는 시간)× ❶ [ ] =(그림의 수)

또는 (그림의 수)÷ ❷ [ ] =(상영하는 시간)입니다.

[답] ❶ 25 ❷ 25

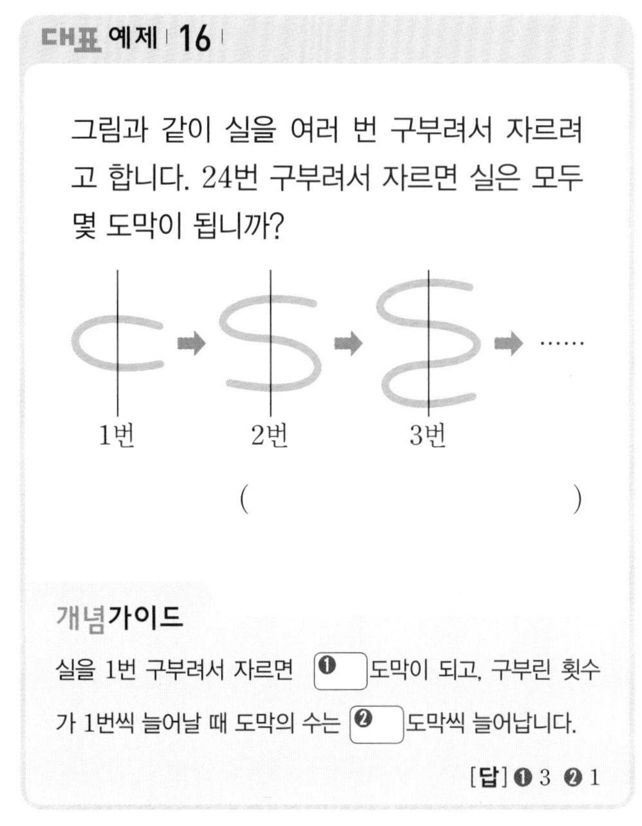

대표 예제 | 16 |

그림과 같이 실을 여러 번 구부려서 자르려고 합니다. 24번 구부려서 자르면 실은 모두 몇 도막이 됩니까?

1번 2번 3번 ……

( )

개념가이드

실을 1번 구부려서 자르면 ❶ [ ]도막이 되고, 구부린 횟수가 1번씩 늘어날 때 도막의 수는 ❷ [ ]도막씩 늘어납니다.

[답] ❶ 3 ❷ 1

1 주

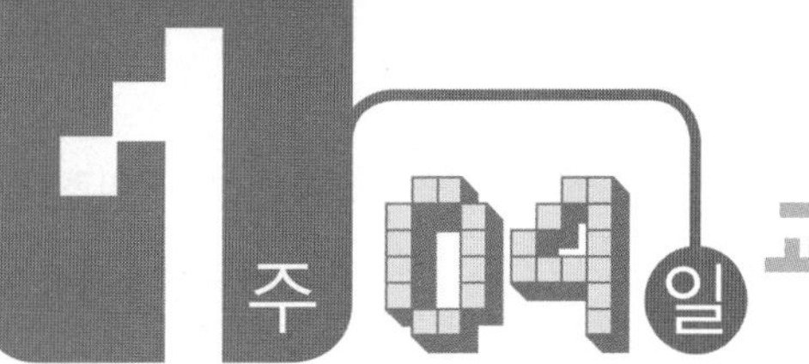

교과서 대표 전략 ❷

1 계산 순서에 맞게 기호를 써 보시오.

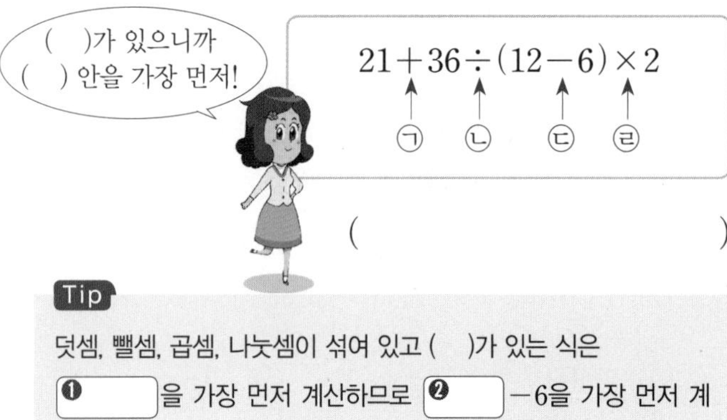

(   )

Tip
덧셈, 뺄셈, 곱셈, 나눗셈이 섞여 있고 (   )가 있는 식은 ❶ [   ]을 가장 먼저 계산하므로 ❷ [   ]－6을 가장 먼저 계산합니다.

답 ❶ (   ) 안 ❷ 12

2 계산 결과가 큰 것부터 차례로 기호를 써 보시오.

㉠ 27－5＋10
㉡ 84÷(3×4)
㉢ 3×(75－43)÷8

(   )

Tip
㉠에서 가장 먼저 계산하는 부분은 27－5, ㉡에서 가장 먼저 계산하는 부분은 ❶ [   ]×4, ㉢에서 가장 먼저 계산하는 부분은 75－❷ [   ]입니다.

답 ❶ 3 ❷ 43

3 식이 성립하도록 ◯ 안에 ＋, －, ×, ÷를 알맞게 써넣으시오.

96÷4＋5 ◯ 11＝18

Tip
5는 11로 나누어떨어지지 않으므로 ◯ 안에 ❶ [   ]는 들어갈 수 없습니다. 따라서 ◯ 안에 ＋, －, ❷ [   ]를 넣어 각각 계산해 봅니다.

답 ❶ ÷ ❷ ×

4 식이 성립하도록 (   )로 묶어 보시오.

28 － 9 × 2 ＋ 13 ＝ 51

Tip
덧셈, 뺄셈, 곱셈이 섞여 있는 식은 ❶ [   ]을 가장 먼저 계산하므로 9×❷ [   ]는 (   )로 묶어도 계산 순서가 달라지지 않습니다.

답 ❶ 곱셈 ❷ 2

5 무게가 일정한 귤 1개의 무게는 70 g이고 사과 4개의 무게는 980 g입니다. 귤 2개와 사과 5개의 무게의 합은 몇 g인지 하나의 식으로 나타내어 구하시오.

식 ______________________

답 ______________________

Tip
귤 2개의 무게는 (❶ [   ]×2) g이고 사과 5개의 무게는 (980÷❷ [   ]×5) g입니다.

답 ❶ 70 ❷ 4

▶정답 및 풀이 8쪽

6 한 모둠에 5명씩 앉아 있습니다. 모둠의 수(○)와 사람 수(☆) 사이의 대응 관계를 잘못 나타낸 친구는 누구입니까?

두 양 사이의 대응 관계는 ○×5=☆로 나타낼 수 있어.

정표

두 양 사이의 대응 관계는 ○÷5=☆로 나타낼 수 있어.

소라

(　　　　　　　　　　)

Tip

한 모둠에 5명씩 앉아 있으므로 사람 수는 모둠의 수의 ❶☐배입니다. 또는 사람 수를 ❷☐로 나누면 모둠의 수입니다.

답 ❶ 5 ❷ 5

7 학생 한 명에게 빨간색 풍선 1개와 파란색 풍선 3개를 나누어 주고 있습니다. 학생 수를 □, 풍선 수를 △라고 할 때, 두 양 사이의 대응 관계를 기호를 사용하여 식으로 나타내어 보시오.

식

Tip

학생 한 명에게 나누어 주는 풍선은 (1+❶☐)개이므로 풍선의 수는 학생 수의 ❷☐배입니다.

답 ❶ 3 ❷ 4

8 바둑돌로 규칙적인 수의 배열을 만들고 있습니다. 바둑돌이 26개 놓이는 것은 몇째입니까?

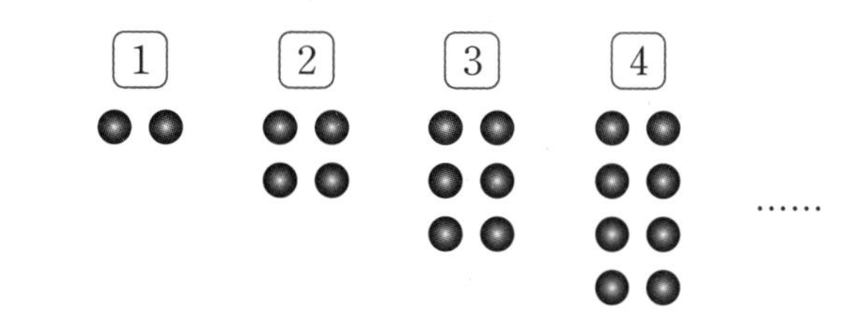

(　　　　　　　　　　)

Tip

배열 순서가 1일 때 바둑돌은 ❶☐개 놓여 있고, 배열 순서가 1씩 커질 때 바둑돌의 수는 ❷☐개씩 늘어납니다.

답 ❶ 2 ❷ 2

9 다음과 같이 한 쪽에 의자를 1개씩 놓을 수 있는 탁자가 있습니다. 탁자 12개를 한 줄로 붙이면 의자를 몇 개 놓을 수 있습니까?

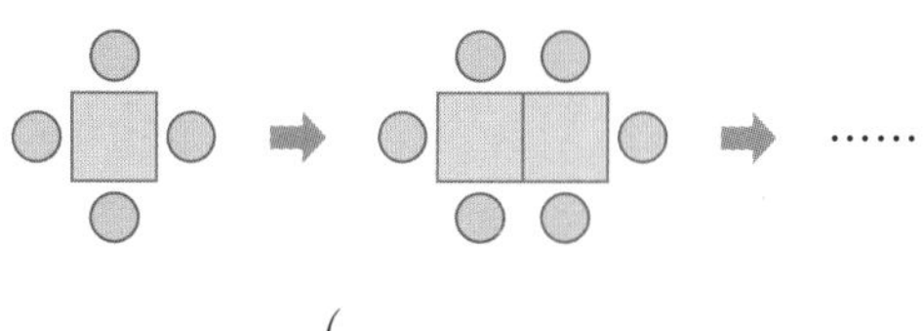

(　　　　　　　　　　)

Tip

탁자 1개에 의자를 ❶☐개 놓을 수 있고, 탁자의 수가 1개씩 늘어날 때 의자의 수는 ❷☐개씩 늘어납니다.

답 ❶ 4 ❷ 2

1 주

1주 누구나 만점 전략

맞은 개수 개

01 보기와 같이 계산 순서를 나타내고 계산해 보시오.

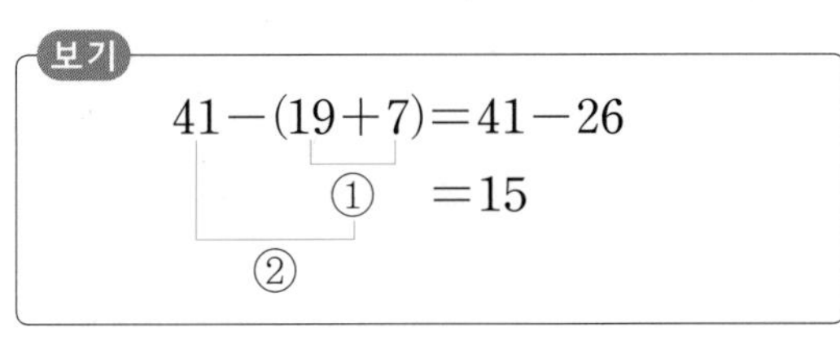

$35-(2+14)$

02 계산해 보시오.

$16+45\div 9-3$

03 식을 세우고 계산해 보시오.

60을 2와 5의 곱으로 나눈 수

식

04 계산 결과를 비교하여 ◯ 안에 >, =, < 를 알맞게 써넣으시오.

$23+11-8\times 4 \bigcirc 23+(11-8)\times 4$

05 새롬이는 과자를 한 판에 12개씩 6판을 구웠습니다. 구운 과자를 3상자에 똑같이 나누어 담았다면 한 상자에 담은 과자는 몇 개인지 하나의 식으로 나타내어 구하시오.

식

답

06 호두가 87개 있습니다. 어른 9명과 어린이 31명에게 각각 2개씩 나누어 주었습니다. 남은 호두는 몇 개인지 하나의 식으로 나타내어 구하시오.

식

답

▶정답 및 풀이 9쪽

07 도형의 배열을 보고 원의 수와 삼각형의 수 사이의 대응 관계를 완성해 보시오.

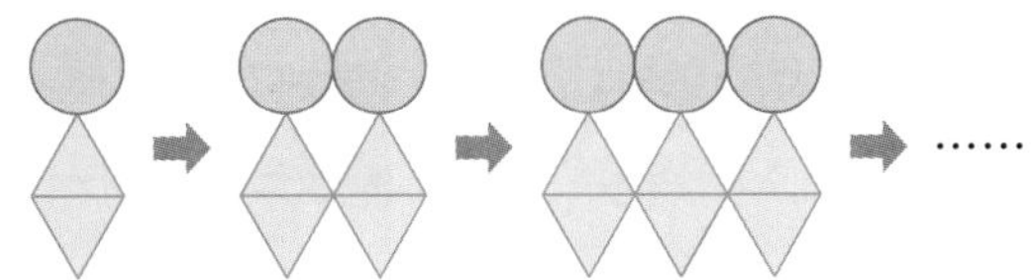

삼각형의 수는 원의 수의 □배입니다.

08 의자의 수를 □, 팔걸이의 수를 △라고 할 때, 두 양 사이의 대응 관계를 기호를 사용하여 식으로 나타내어 보시오.

식 ____________

09 연도와 준상이의 나이 사이의 대응 관계를 나타낸 표입니다. 2030년에 준상이는 몇 살입니까?

연도(년)	2018	2019	2020	2021	……
준상이의 나이(살)	9	10	11	12	……

( )

10 타일을 정사각형 모양의 규칙적인 배열로 놓고 있습니다. 정사각형 모양으로 놓은 타일이 121장일 때 한 변에 놓은 타일은 몇 장입니까?

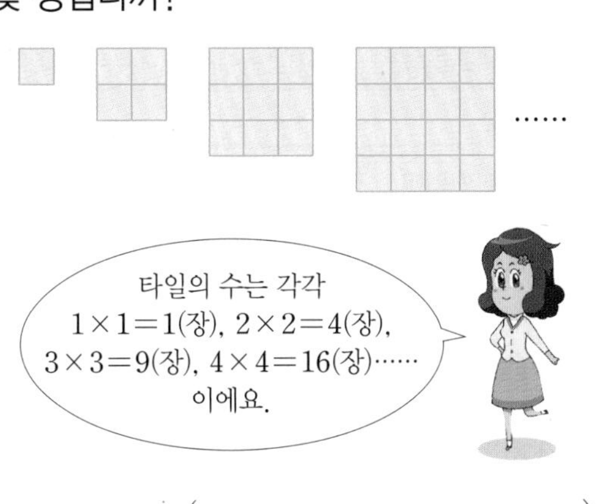

( )

창의·융합·코딩 전략 ❶

창의 융합

1 사과가 30개 있습니다. 경비원 아저씨 네 분께 사과를 3개씩 나누어 드렸다면 남은 사과는 몇 개입니까?

( )

▶정답 및 풀이 9쪽

개미의 수(마리)	1	2	3	4	……
개미의 다리 수(개)	6	12	18	24	……

2 위의 표를 보고 개미 10마리의 다리 수는 모두 몇 개인지 알아보시오.

개미의 다리 수는 개미의 수의 □배이므로 개미 10마리의 다리 수는
모두 10 × □ = □(개)입니다.

창의·융합·코딩 전략 ❷

코딩

1 ㉠에 수를 넣어 계산 결과가 짝수이면 선물을 받을 수 있고, 짝수가 아니면 선물을 받을 수 없습니다. ㉠에 17을 넣었을 때 선물을 받을 수 있습니까, 받을 수 없습니까?

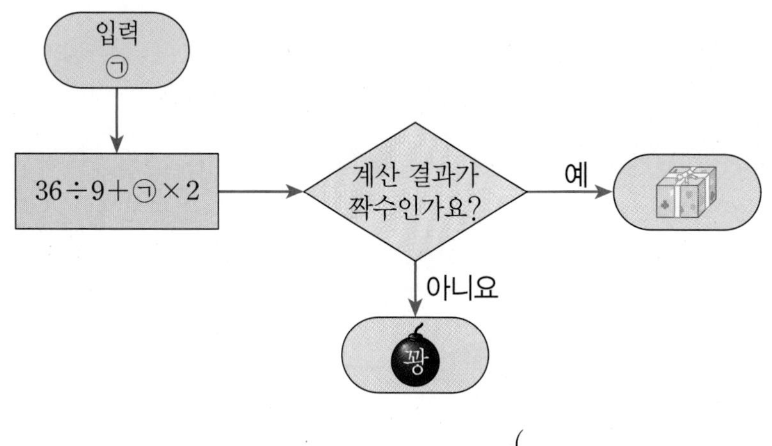

(　　　　　　　　　　　　)

Tip

㉠에 17을 넣으면 36÷9+ ❶ × ❷ 가 됩니다.

[답] ❶ 17　❷ 2

창의 융합

2 새롬이의 용돈 기입장입니다. 4월 19일에 남은 돈은 얼마인지 하나의 식으로 나타내어 구하시오.

날짜	들어온 돈	나간 돈	남은 돈
4월 5일			2500원
4월 8일	5500원		
4월 11일		1800원	
4월 19일		3100원	

식 ______________________

답 ______________

Tip

2500원에 들어온 돈 ❶ 원을 더하고 나간 돈 1800원과 ❷ 원을 차례대로 뺍니다.

[답] ❶ 5500　❷ 3100

▶정답 및 풀이 9쪽

코딩

3 계산기의 저장 기능을 이용하여 덧셈, 뺄셈, 곱셈, 나눗셈이 섞여 있는 식을 계산하려고 합니다. 보기와 같이 계산 과정을 빈칸을 알맞게 채우고 답을 구하시오.

계산기의 저장 기능을 이용하면 덧셈, 뺄셈, 곱셈, 나눗셈이 섞여 있는 식을 편리하게 계산할 수 있습니다.

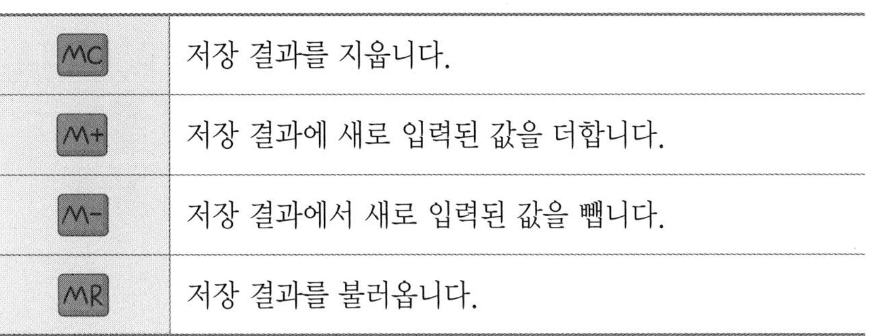

MC	저장 결과를 지웁니다.
M+	저장 결과에 새로 입력된 값을 더합니다.
M-	저장 결과에서 새로 입력된 값을 뺍니다.
MR	저장 결과를 불러옵니다.

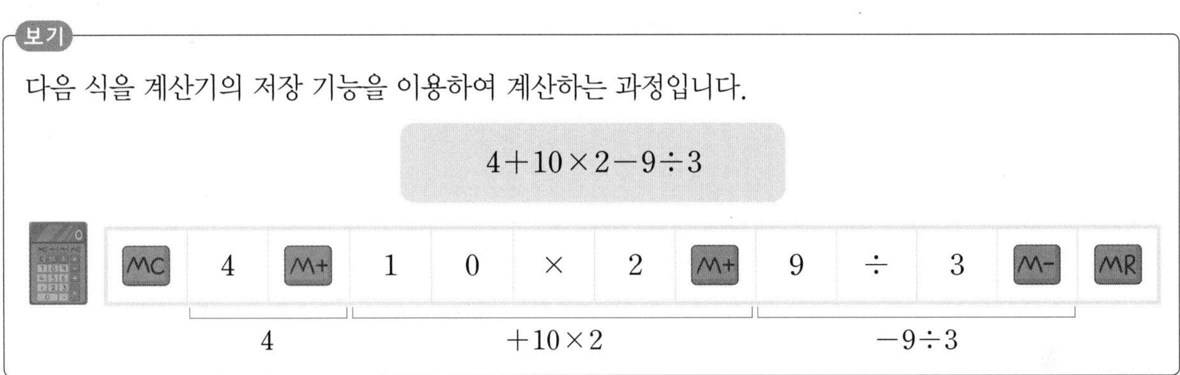

보기

다음 식을 계산기의 저장 기능을 이용하여 계산하는 과정입니다.

$4+10\times2-9\div3$

MC	4	M+	1	0	×	2	M+	9	÷	3	M-	MR

4    $+10\times2$ $-9\div3$

Tip

저장 결과에 새로 입력된 값을 더할 때는 ❶ (　　) 을 사용하고 저장 결과에서 새로 입력한 값을 뺄 때는 ❷ (　　) 을 사용합니다.

[답] ❶ M+ ❷ M-

(1) $7\times5+16\div4-18$

MC	7	×	5	M+						1	8	M-	MR

(　　　　　　　　)

(2) $21-56\div8+3\times6$

MC													MR

(　　　　　　　　)

1 주

4 요술 항아리에 젤리를 넣으면 다음 그림과 같이 젤리가 나옵니다. 물음에 답하시오.

Tip

젤리 1개를 넣으면 젤리 ❶ 개가 나오고, 젤리 2개를 넣으면 젤리 ❷ 개가 나오고, 젤리 3개를 넣으면 젤리 ❸ 개가 나옵니다.

[답] ❶ 4 ❷ 5 ❸ 6

(1) 넣은 젤리의 수와 나온 젤리의 수 사이의 대응 관계를 표로 나타내어 보시오.

넣은 젤리의 수(개)	1	2	3	4	5	……
나온 젤리의 수(개)						……

(2) 넣은 젤리의 수를 ○, 나온 젤리의 수를 △라고 할 때, 두 양 사이의 대응 관계를 기호를 사용하여 식으로 나타내어 보시오.

식

(3) 요술 항아리에 젤리를 15개 넣으면 젤리 몇 개가 나올까요?

( )

▶정답 및 풀이 9쪽

코딩

5 은호와 서우는 글자 카드를 가지고 규칙을 정해 암호를 만들기로 했습니다. 그리고 자신들만 알아볼 수 있는 비밀 편지를 써 보기로 했습니다. 예를 들어 암호 A5H는 ㄱㅗㅇ ➡ 공을 의미합니다. 암호표를 보고 은호와 서우가 만든 암호를 해독하여 편지의 내용을 완성해 보시오.

암호	A	B	C	D	E	F	G	H	I	J	K	L	M	N
해독	ㄱ	ㄴ	ㄷ	ㄹ	ㅁ	ㅂ	ㅅ	ㅇ	ㅈ	ㅊ	ㅋ	ㅌ	ㅍ	ㅎ

암호	1	2	3	4	5	6	7	8	9	0
해독	ㅏ	ㅑ	ㅓ	ㅕ	ㅗ	ㅛ	ㅜ	ㅠ	ㅡ	ㅣ

Tip

알파벳은 자음을 나타내고 숫자는 ❶ [　　] 을 나타내므로 G3H7은 ❷ [　　] 입니다.

[답] ❶ 모음 ❷ 서우

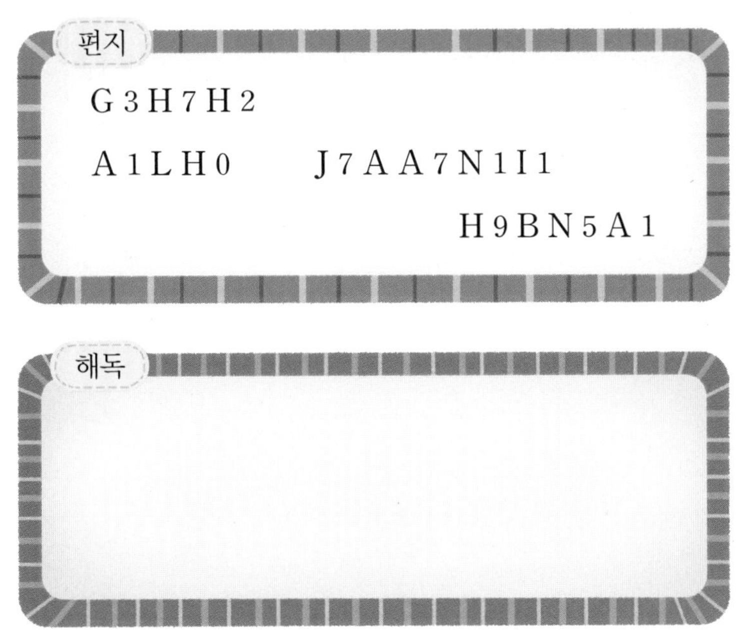

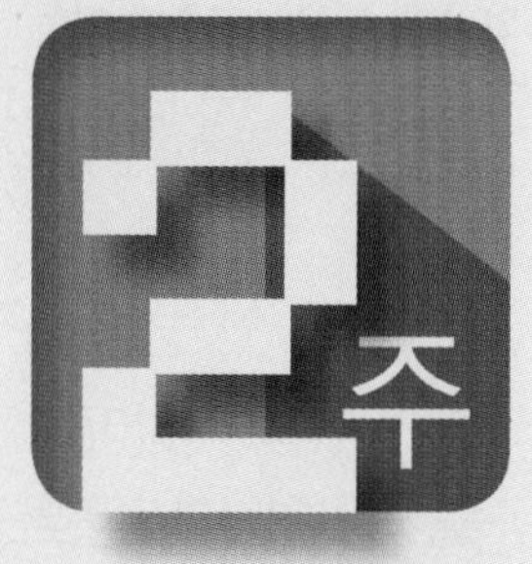
2주

약수와 배수, 약분과 통분

분식
정말로 떡볶이 알레르기가 있다니까.

이것 봐. 떡볶이 말만 들어도 붉은 반점이 생겼잖아.

모기에 물린 것 같은데.
어…어떻게 알았지?

오늘은 재료가 딱 2인분 남아서 문제를 맞히면 떡볶이를 그냥 줄게.

신난다!
너 알레르기 다 나았니?

방금 다 나았어.
으이구~

15의 약수를 말해 보거라.

15의 약수는 15를 나누어떨어지게 하는 수이니까 1, 3, 5, 15입니다.
15 ÷ 1 = 15
15 ÷ 3 = 5
15 ÷ 5 = 3
15 ÷ 15 = 1

정답! 떡볶이를 만들어 주마.

학습할 내용

❶ 약수, 공약수, 최대공약수
❷ 배수, 공배수, 최소공배수
❸ 약분, 통분
❹ 분수와 분수, 분수와 소수의 크기 비교

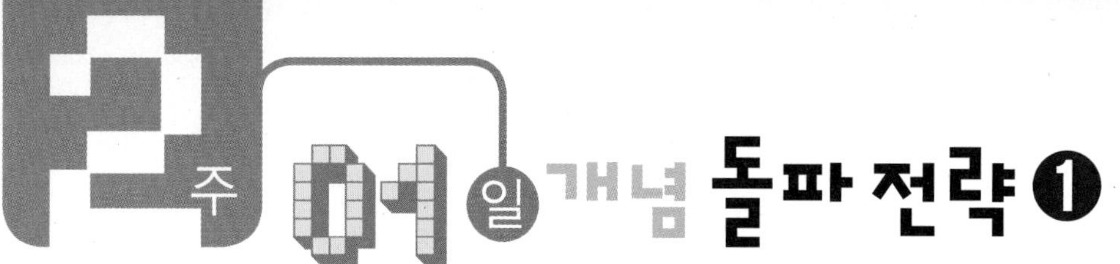

2주 04일 개념 돌파 전략 ❶

개념 1 약수, 공약수, 최대공약수

[관련 단원] **약수와 배수**

- **약수**: 어떤 수를 나누어떨어지게 하는 수

  예 4÷1=4, 4÷2=2, 4÷4=1 ➡ 4의 약수: 1, 2, 4

- **공약수**: 두 수의 공통된 약수

  최대공약수: 두 수의 공약수 중에서 가장 큰 수

  예 6의 약수: 1, 2, 3, 6

  9의 약수: 1, 3, 9

  ➡ 6과 9의 공약수: 1, 3

  6과 9의 최대공약수: 3

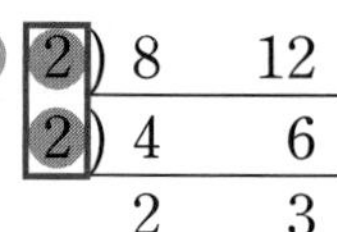

- **최대공약수 구하기**

  예 8과 12의 최대공약수 구하기

  방법 1 8=2×2×2

  12=2×2×3

  ➡ 8과 12의 최대공약수: 2×2=4

  방법 2

2)	8	12
2)	4	6
	2	3

  ➡ 8과 12의 최대공약수: 2×2=4

- 어떤 수를 나누어떨어지게 하는 수를 그 수의 ❶ ____ 라고 합니다.
- 두 수의 공통된 약수를 ❷ ____ 라고 합니다.
- 두 수의 공약수 중에서 가장 큰 수를 두 수의 ❸ ____ 라고 합니다.

답 ❶ 약수 ❷ 공약수 ❸ 최대공약수

개념 2 배수, 공배수, 최소공배수

[관련 단원] **약수와 배수**

- **배수**: 어떤 수를 1배, 2배, 3배⋯⋯ 한 수

  예 5×1=5, 5×2=10, 5×3=15⋯⋯ ➡ 5의 배수: 5, 10, 15⋯⋯

- **공배수**: 두 수의 공통된 배수

  최소공배수: 두 수의 공배수 중에서 가장 작은 수

  예 2의 배수: 2, 4, 6, 8, 10, 12⋯⋯

  3의 배수: 3, 6, 9, 12, 15, 18⋯⋯

  ➡ 2와 3의 공배수: 6, 12⋯⋯

  2와 3의 최소공배수: 6

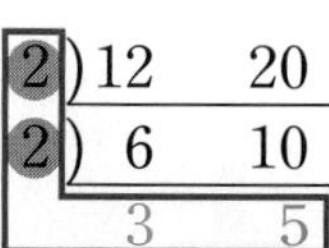

- **최소공배수 구하기**

  예 12와 20의 최소공배수 구하기

  방법 1 12=2×2×3

  20=2×2×5

  ➡ 12와 20의 최소공배수: 2×2×3×5=60

  방법 2

2)	12	20
2)	6	10
	3	5

  ➡ 12와 20의 최소공배수: 2×2×3×5=60

- 어떤 수를 1배, 2배, 3배⋯⋯ 한 수를 그 수의 ❶ ____ 라고 합니다.
- 두 수의 공통된 배수를 ❷ ____ 라고 합니다.
- 두 수의 공배수 중에서 가장 작은 수를 두 수의 ❸ ____ 라고 합니다.

답 ❶ 배수 ❷ 공배수 ❸ 최소공배수

개념 기초 확인

▶정답 및 풀이 10쪽

1-1 □ 안에 알맞은 수를 써넣고 8의 약수를 모두 구하시오.

$8 \div 1 = 8$	$8 \div \square = 4$
$8 \div \square = 2$	$8 \div \square = 1$

8의 약수 ➡ □, □, □, □

• **풀이** • 8의 약수는 8을 나누어떨어지게 하는 수이므로 1, 2, ❶□, ❷□입니다.

답 ❶ 4 ❷ 8

1-2 □ 안에 알맞은 수를 써넣고 10의 약수를 모두 구하시오.

$10 \div 1 = 10$	$10 \div \square = 5$
$10 \div \square = 2$	$10 \div \square = 1$

10의 약수 ➡ □, □, □, □

2-1 □ 안에 알맞은 수를 써넣고 6의 배수를 가장 작은 수부터 차례로 4개 써 보시오.

$6 \times 1 = 6$	$6 \times 2 = \square$
$6 \times 3 = \square$	$6 \times 4 = \square$ ……

6의 배수 ➡ □, □, □, □

• **풀이** • 6의 배수는 6을 1배, 2배, 3배, 4배…… 한 수입니다.
6을 1배 한 수는 6×1, 6을 2배 한 수는 $6 \times$ ❶□,
6을 3배 한 수는 $6 \times$ ❷□……입니다.

답 ❶ 2 ❷ 3

2-2 □ 안에 알맞은 수를 써넣고 9의 배수를 가장 작은 수부터 차례로 4개 써 보시오.

$9 \times 1 = 9$	$9 \times 2 = \square$
$9 \times 3 = \square$	$9 \times 4 = \square$ ……

9의 배수 ➡ □, □, □, □

3-1 다음을 보고 18과 30의 최대공약수를 구하시오.

$18 = 2 \times 3 \times 3$
$30 = 2 \times 3 \times 5$

➡ 18과 30의 최대공약수: $\square \times \square = \square$

• **풀이** • 18과 30의 최대공약수는 두 곱셈식에 공통으로 들어 있는 수의 곱이므로 ❶□ × ❷□으로 구합니다.

답 ❶ 2 ❷ 3

3-2 다음을 보고 42와 28의 최대공약수를 구하시오.

$42 = 2 \times 3 \times 7$
$28 = 2 \times 2 \times 7$

➡ 42와 28의 최대공약수: $\square \times \square = \square$

2주

개념 3 약분

[관련 단원] **약분과 통분**

크기가 같은 분수

분모와 분자에 각각 0이 아닌 같은 수를 곱하면 크기가 같은 분수가 됩니다.

$\frac{1}{2}=\frac{1\times2}{2\times2}=\frac{2}{4}$, $\frac{1}{2}=\frac{1\times3}{2\times3}=\frac{3}{6}$

분모와 분자를 각각 0이 아닌 같은 수로 나누면 크기가 같은 분수가 됩니다.

$\frac{4}{8}=\frac{4\div2}{8\div2}=\frac{2}{4}$, $\frac{4}{8}=\frac{4\div4}{8\div4}=\frac{1}{2}$

약분한다: 분모와 분자를 공약수로 나누어 간단히 하는 것

기약분수: 분모와 분자의 공약수가 1뿐인 분수

예 $\frac{12}{20}$를 기약분수로 나타내기 ➡ $\frac{12}{20}=\frac{12\div4}{20\div4}=\frac{3}{5}$

└ 20과 12의 최대공약수

- 분모와 분자를 공약수로 나누어 간단히 하는 것을 ❶ [ ] 한다고 합니다.
- 분모와 분자의 공약수가 1뿐인 분수를 ❷ [ ] 라고 합니다.

답 ❶ 약분 ❷ 기약분수

개념 4 통분

[관련 단원] **약분과 통분**

통분한다: 분수의 분모를 같게 하는 것

공통분모: 통분한 분모

예 $\frac{3}{4}$과 $\frac{5}{6}$를 통분하기

방법1 두 분모의 곱을 공통분모로 하여 통분하기

$\left(\frac{3}{4}, \frac{5}{6}\right)$ ➡ $\left(\frac{3\times6}{4\times6}, \frac{5\times4}{6\times4}\right)$ ➡ $\left(\frac{18}{24}, \frac{20}{24}\right)$

방법2 두 분모의 최소공배수를 공통분모로 하여 통분하기

$\left(\frac{3}{4}, \frac{5}{6}\right)$ ➡ $\left(\frac{3\times3}{4\times3}, \frac{5\times2}{6\times2}\right)$ ➡ $\left(\frac{9}{12}, \frac{10}{12}\right)$

- 분수의 분모를 같게 하는 것을 ❶ [ ] 한다고 하고, 통분한 분모를 ❷ [ ] 라고 합니다.

답 ❶ 통분 ❷ 공통분모

개념 5 분수의 크기 비교

[관련 단원] **약분과 통분**

분수의 크기 비교 – 분수를 통분한 후 분자의 크기를 비교합니다.

$\frac{2}{5}=\frac{2\times7}{5\times7}=\frac{14}{35}$ 〉 $\frac{2}{5}<\frac{3}{7}$ 〈 $\frac{3}{7}=\frac{3\times5}{7\times5}=\frac{15}{35}$

분수와 소수의 크기 비교

방법1 – 분수를 소수로 나타내어 비교

$\frac{3}{5}=\frac{6}{10}=0.6$ 〉 $\frac{3}{5}<0.8$

방법2 – 소수를 분수로 나타내어 비교

$\frac{3}{5}<0.8$ 〈 $0.8=\frac{8}{10}=\frac{4}{5}$

- 분모가 다른 두 분수의 크기를 비교할 때는 분수를 통분한 후 ❶ [ ] 의 크기를 비교합니다.
- 분수와 소수의 크기를 비교할 때 소수 한 자리 수는 분모가 ❷ [ ] 인 분수로 나타내어 비교합니다.

답 ❶ 분자 ❷ 10

개념 기초 확인

▶정답 및 풀이 10쪽

4-1 $\frac{4}{12}$를 약분하려고 합니다. □ 안에 알맞은 수를 써넣으시오.

$$\frac{4}{12}=\frac{4\div\square}{12\div2}=\frac{\square}{\square}$$

$$\frac{4}{12}=\frac{4\div4}{12\div\square}=\frac{\square}{\square}$$

• **풀이** • 4와 12의 공약수는 1, 2, ❶ [ ] 이므로 분모와 분자를 2, ❷ [ ] 로 각각 나눕니다.

답 ❶ 4 ❷ 4

4-2 $\frac{9}{36}$를 약분하려고 합니다. □ 안에 알맞은 수를 써넣으시오.

$$\frac{9}{36}=\frac{9\div3}{36\div\square}=\frac{\square}{\square}$$

$$\frac{9}{36}=\frac{9\div\square}{36\div9}=\frac{\square}{\square}$$

5-1 $\frac{2}{3}$와 $\frac{1}{9}$을 두 분모의 곱을 공통분모로 하여 통분하시오.

$$\frac{2}{3}=\frac{2\times9}{3\times\square}=\frac{\square}{\square}$$

$$\frac{1}{9}=\frac{1\times\square}{9\times3}=\frac{\square}{\square}$$

• **풀이** • 3과 ❶ [ ] 의 곱인 ❷ [ ] 을 공통분모로 하여 통분합니다.

답 ❶ 9 ❷ 27

5-2 $\frac{3}{8}$과 $\frac{7}{10}$을 두 분모의 곱을 공통분모로 하여 통분하시오.

$$\frac{3}{8}=\frac{3\times\square}{8\times10}=\frac{\square}{\square}$$

$$\frac{7}{10}=\frac{7\times8}{10\times\square}=\frac{\square}{\square}$$

6-1 □ 안에 알맞은 수를 써넣고 ○ 안에 >, =, <를 알맞게 써넣으시오.

$$\frac{5}{6}=\frac{5\times\square}{6\times3}=\frac{\square}{18}$$

$$\frac{4}{9}=\frac{4\times\square}{9\times2}=\frac{\square}{18}$$

➡ $\frac{5}{6}$ ○ $\frac{4}{9}$

• **풀이** • 6과 ❶ [ ] 의 최소공배수인 ❷ [ ] 을 공통분모로 하여 통분한 후 분자의 크기를 비교합니다.

답 ❶ 9 ❷ 18

6-2 □ 안에 알맞은 수를 써넣고 ○ 안에 >, =, <를 알맞게 써넣으시오.

$$\frac{7}{9}=\frac{7\times\square}{9\times4}=\frac{\square}{36}$$

$$\frac{5}{12}=\frac{5\times\square}{12\times3}=\frac{\square}{36}$$

➡ $\frac{7}{9}$ ○ $\frac{5}{12}$

예제 1 약수와 배수의 관계 알아보기

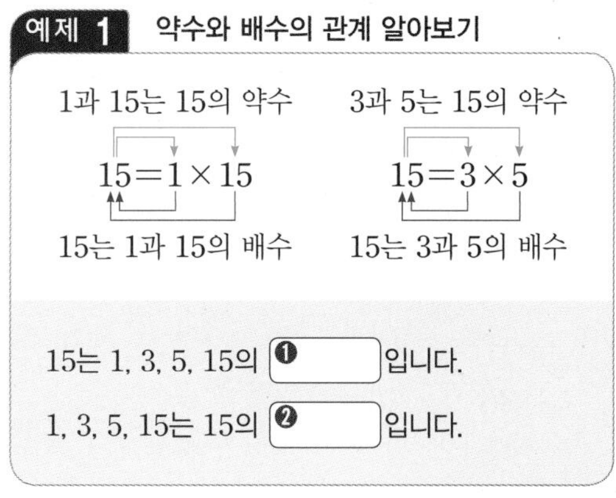

15는 1, 3, 5, 15의 ❶ ☐ 입니다.

1, 3, 5, 15는 15의 ❷ ☐ 입니다.

[답] ❶ 배수 ❷ 약수

1 35를 두 수의 곱으로 나타내고 약수와 배수의 관계를 써 보시오.

35=1×☐ 35=5×☐

35는 1, 5, ☐, ☐의 배수이고, 1, 5, ☐, ☐은/는 35의 약수입니다.

예제 2 최대공약수 구하기

2) 30 42
3) 15 21
   5 7

2×3=6 ➡ 30과 42의 최대공약수

30과 42의 최대공약수는 두 수를 나눈 공약수들의 곱이므로 ❶ ☐ × ❷ ☐ 입니다.

[답] ❶ 2 ❷ 3

2 12와 28의 최대공약수를 구하려고 합니다. ☐ 안에 알맞은 수를 써넣으시오.

2) 12 28
☐) ☐ ☐
   ☐ ☐

➡ 12와 28의 최대공약수:
☐×☐=☐

먼저 12와 28을 공약수로 나누어요.

예제 3 최소공배수 구하기

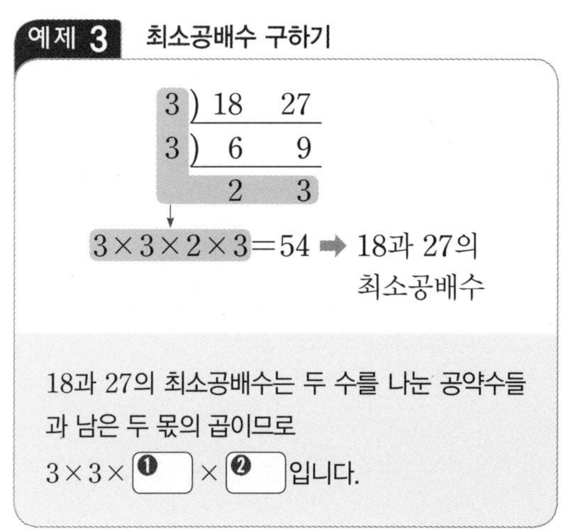

[답] ❶ 2 ❷ 3

3 20과 30의 최소공배수를 구하려고 합니다. ☐ 안에 알맞은 수를 써넣으시오.

2) 20 30
☐) ☐ ☐
   ☐ ☐

➡ 20과 30의 최소공배수:
2×☐×☐×☐=☐

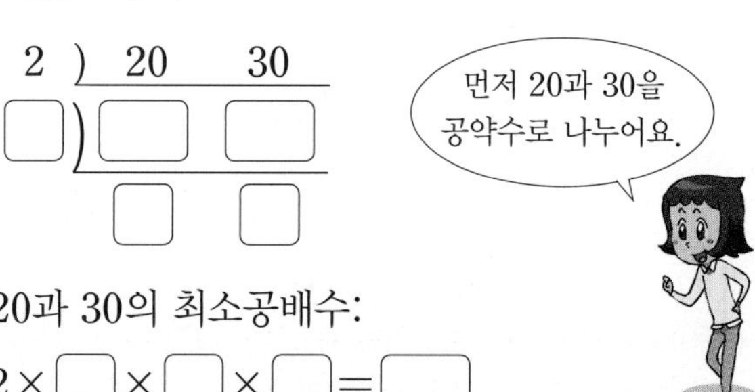

▶정답 및 풀이 11쪽

예제 4 크기가 같은 분수 만들기

- $\frac{1}{7}=\frac{1\times2}{7\times2}=\frac{1\times3}{7\times3}=\frac{1\times4}{7\times4}$

  ➡ $\frac{1}{7}=\frac{2}{14}=\frac{3}{21}=\frac{4}{28}$

- $\frac{8}{32}=\frac{8\div2}{32\div2}=\frac{8\div4}{32\div4}=\frac{8\div8}{32\div8}$

  ➡ $\frac{8}{32}=\frac{4}{16}=\frac{2}{8}=\frac{1}{4}$

분모와 분자에 각각 ❶ ☐이 아닌 같은 수를 곱하거나 분모와 분자를 각각 ❷ ☐이 아닌 같은 수로 나누면 크기가 같은 분수가 됩니다.

[답] ❶ 0 ❷ 0

4 ☐ 안에 알맞은 수를 써넣어 크기가 같은 분수를 만들어 보시오.

(1) $\frac{2}{5}=\frac{\square}{10}=\frac{6}{\square}=\frac{\square}{20}$

(2) $\frac{16}{24}=\frac{8}{\square}=\frac{\square}{6}=\frac{2}{\square}$

분모와 분자에 0이 아닌 같은 수를 곱하거나 분모와 분자를 0이 아닌 같은 수로 나누어요.

2 주

예제 5 통분하기

방법 1

$\left(\frac{1}{6}, \frac{7}{9}\right)$ ➡ $\left(\frac{1\times9}{6\times9}, \frac{7\times6}{9\times6}\right)$ ➡ $\left(\frac{9}{54}, \frac{42}{54}\right)$

방법 2

$\left(\frac{1}{6}, \frac{7}{9}\right)$ ➡ $\left(\frac{1\times3}{6\times3}, \frac{7\times2}{9\times2}\right)$ ➡ $\left(\frac{3}{18}, \frac{14}{18}\right)$

방법 1은 두 분모의 곱인 ❶ ☐를 공통분모로, 방법 2는 두 분모의 최소공배수인 ❷ ☐을 공통분모로 하여 통분한 것입니다.

[답] ❶ 54 ❷ 18

5 $\frac{7}{8}$과 $\frac{5}{12}$를 두 가지 방법으로 통분하시오.

(1) 두 분모의 곱을 공통분모로 하여 통분하기

$\left(\frac{7}{8}, \frac{5}{12}\right)$ ➡ $\left(\frac{\square}{96}, \frac{\square}{96}\right)$

(2) 두 분모의 최소공배수를 공통분모로 하여 통분하기

$\left(\frac{7}{8}, \frac{5}{12}\right)$ ➡ $\left(\frac{\square}{24}, \frac{\square}{24}\right)$

예제 6 분수의 크기 비교

$\left(\frac{3}{4}, \frac{5}{7}\right)$ ➡ $\left(\frac{3\times7}{4\times7}, \frac{5\times4}{7\times4}\right)$ ➡ $\left(\frac{21}{28}, \frac{20}{28}\right)$

$\frac{21}{28}>\frac{20}{28}$이므로 $\frac{3}{4}>\frac{5}{7}$입니다.

4와 7의 곱인 ❶ ☐을 공통분모로 하여 통분한 후 ❷ ☐의 크기를 비교합니다.

[답] ❶ 28 ❷ 분자

6 두 분수의 크기를 비교하여 ○ 안에 >, =, <를 알맞게 써넣으시오.

(1) $\frac{5}{6}$ ○ $\frac{2}{3}$

(2) $\frac{7}{10}$ ○ $\frac{4}{15}$

전략 1 약수의 개수 비교하기

[관련 단원] 약수와 배수

예 약수의 개수가 더 많은 수 찾기

12 25

12와 25를 각각 나누어떨어지게 하는 수를 알아봐요.

(1) 12의 약수: 1, 2, 3, 4, 6, 12 ➡ ❶ 개

(2) 25의 약수: 1, 5, 25 ➡ ❷ 개

(3) 약수의 개수가 더 많은 수 찾기

약수의 개수를 비교하면 6 > 3이므로 약수의 개수가 더 많은 수는 ❸ 입니다.

답 ❶ 6 ❷ 3 ❸ 12

필수 예제 01

약수의 개수가 더 많은 수를 구하시오.

18 21

(1) 18의 약수는 모두 몇 개입니까? (　　　)

(2) 21의 약수는 모두 몇 개입니까? (　　　)

(3) 약수의 개수가 더 많은 수는 어느 것입니까? (　　　)

풀이 | (1) 18의 약수: 1, 2, 3, 6, 9, 18 ➡ 6개

(2) 21의 약수: 1, 3, 7, 21 ➡ 4개

(3) 약수의 개수를 비교하면 6 > 4이므로 약수의 개수가 더 많은 수는 18입니다.

확인 1-1

약수의 개수가 더 많은 수를 구하시오.

27 36

(　　　)

확인 1-2

약수의 개수가 더 많은 수를 구하시오.

32 49

(　　　)

전략 2 ■번째 배수 구하기

[관련 단원] 약수와 배수

예 어떤 수의 배수를 가장 작은 수부터 차례로 쓴 것을 보고 8번째 수 구하기

4, 8, 12, 16, 20……

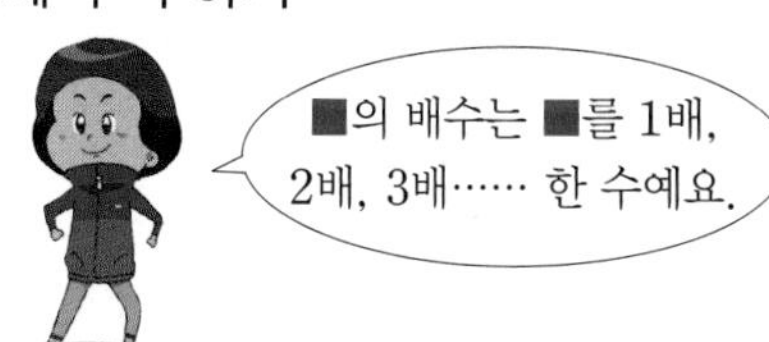

(1) 어떤 수의 배수인지 알아보기

$4\times1=4$, $4\times2=8$, $4\times3=12$, $4\times4=16$, $4\times5=20$……이므로 ❶ [　] 의 배수입니다.

(2) 8번째 수 구하기

8번째 수는 $4\times$ ❷ [　] $=$ ❸ [　] 입니다.

답 ❶ 4 ❷ 8 ❸ 32

필수 예제 02

어떤 수의 배수를 가장 작은 수부터 차례로 쓴 것입니다. 9번째 수를 구하시오.

7, 14, 21, 28, 35……

(1) 어떤 수의 배수입니까? (　　　　　)

(2) 9번째 수는 얼마입니까? (　　　　　)

풀이 | (1) $7\times1=7$, $7\times2=14$, $7\times3=21$, $7\times4=28$, $7\times5=35$……이므로 7의 배수입니다.
(2) 9번째 수는 $7\times9=63$입니다.

확인 2-1

어떤 수의 배수를 가장 작은 수부터 차례로 쓴 것입니다. 11번째 수를 구하시오.

8, 16, 24, 32, 40……

(　　　　　)

확인 2-2

어떤 수의 배수를 가장 작은 수부터 차례로 쓴 것입니다. 14번째 수를 구하시오.

10, 20, 30, 40, 50……

(　　　　　)

2 주

전략 3 크기가 같은 분수 구하기

[관련 단원] **약분과 통분**

예 $\frac{3}{4}$과 크기가 같은 분수 중에서 분모가 10보다 크고 20보다 작은 분수 모두 구하기

(1) $\frac{3}{4}$과 크기가 같은 분수 알아보기

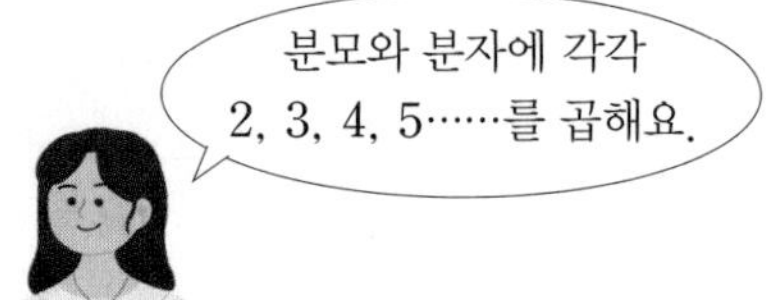

$\frac{3}{4}=\frac{6}{8}=\frac{9}{12}=\frac{❶\square}{16}=\frac{❷\square}{20}$……

(2) $\frac{3}{4}$과 크기가 같은 분수 중에서 분모가 10보다 크고 20보다 작은 분수 모두 구하기

$\frac{3}{4}$과 크기가 같은 분수 중에서 분모가 10보다 크고 20보다 작은 분수는 $\frac{9}{12}$, $\frac{❸\square}{16}$입니다.

답 ❶ 12 ❷ 15 ❸ 12

필수 예제 03

주어진 분수와 크기가 같은 분수 중에서 분모가 20보다 크고 30보다 작은 분수를 모두 구하시오.

$\frac{2}{7}$

( )

풀이 | $\frac{2}{7}$와 크기가 같은 분수는 $\frac{2}{7}=\frac{4}{14}=\frac{6}{21}=\frac{8}{28}=\frac{10}{35}$……입니다.

이 중에서 분모가 20보다 크고 30보다 작은 분수는 $\frac{6}{21}$, $\frac{8}{28}$입니다.

확인 3-1

주어진 분수와 크기가 같은 분수 중에서 분모가 20보다 크고 40보다 작은 분수를 모두 구하시오.

$\frac{5}{8}$

( )

확인 3-2

주어진 분수와 크기가 같은 분수 중에서 분모가 40보다 크고 60보다 작은 분수를 모두 구하시오.

$\frac{6}{11}$

( )

▶정답 및 풀이 11쪽

전략 4 기약분수의 개수 구하기

[관련 단원] 약분과 통분

예 분모가 6인 진분수 중에서 기약분수의 개수 구하기

(1) 분모가 6인 진분수 알아보기

분모가 6인 진분수는 $\frac{1}{6}$, $\frac{2}{6}$, $\frac{3}{6}$, $\frac{4}{6}$, $\frac{❶\square}{6}$입니다.

(2) 분모가 6인 진분수 중에서 기약분수의 개수 구하기

분모가 6인 진분수 중에서 기약분수는 $\frac{1}{6}$, $\frac{❷\square}{6}$로 모두 ❸☐개입니다.

진분수는 분자가 분모보다 작은 분수예요.

답 ❶ 5 ❷ 5 ❸ 2

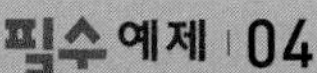

태서가 말하는 분수 중에서 기약분수는 모두 몇 개인지 구하시오.

(1) 분모가 8인 진분수를 모두 써 보시오.

( )

(2) 분모가 8인 진분수 중에서 기약분수는 모두 몇 개입니까?

( )

풀이 | (1) 분모가 8인 진분수는 $\frac{1}{8}$, $\frac{2}{8}$, $\frac{3}{8}$, $\frac{4}{8}$, $\frac{5}{8}$, $\frac{6}{8}$, $\frac{7}{8}$입니다.

(2) 분모가 8인 진분수 중에서 기약분수는 $\frac{1}{8}$, $\frac{3}{8}$, $\frac{5}{8}$, $\frac{7}{8}$로 모두 4개입니다.

확인 4-1

혜리가 말하는 분수 중에서 기약분수는 모두 몇 개입니까?

( )

확인 4-2

동규가 말하는 분수 중에서 기약분수는 모두 몇 개입니까?

( )

2주

필수 체크 전략 ❷

[관련 단원] **약수와 배수**

1 42를 어떤 수로 나누면 나누어떨어집니다. 어떤 수가 될 수 있는 수를 모두 구하시오.

( )

Tip

42÷1=42, 42÷2=21, 42÷3=14, 42÷6=7, 42÷7=6, 42÷14=3, 42÷❶ =2, 42÷❷ =1

답 ❶ 21 ❷ 42

[관련 단원] **약수와 배수**

2 기차역에서 놀이공원으로 가는 버스가 오전 9시부터 14분 간격으로 출발합니다. 오전 9시부터 오전 10시까지 버스는 몇 번 출발합니까?

( )

Tip

버스가 14분 간격으로 출발하므로 분이 14의 배수일 때 출발합니다.

9시, 9시 14분, 9시 28분, 9시 ❶ 분, 9시 ❷ 분……

답 ❶ 42 ❷ 56

[관련 단원] **약수와 배수**

3 조건을 만족하는 수를 모두 구하시오.

- 64의 약수도 되고 80의 약수도 됩니다.
- 10보다 작습니다.

( )

Tip

64의 약수: 1, 2, 4, ❶ , 16, 32, 64

80의 약수: 1, 2, 4, 5, ❷ , 10, ❸ , 20, 40, 80

답 ❶ 8 ❷ 8 ❸ 16

▶정답 및 풀이 12쪽

[관련 단원] **약분과 통분**

4 $\frac{16}{30}$과 크기가 같은 분수를 모두 찾아 ○표 하시오.

$\frac{5}{10}$ $\frac{8}{15}$ $\frac{34}{60}$ $\frac{48}{90}$

분모와 분자에 각각 0이 아닌 같은 수를 곱하면 크기가 같은 분수가 돼.

분모와 분자를 각각 0이 아닌 같은 수로 나누어도 크기가 같은 분수가 돼.

Tip

$\frac{16}{30}$의 분모와 분자를 각각 2로 나누면 분모는 ❶ ☐가 되고, 분모와 분자에 각각 3을 곱하면 분모는 ❷ ☐이 됩니다.

답 ❶ 15 ❷ 90

[관련 단원] **약분과 통분**

5 ❶송희네 반 학생 27명 중에서 안경을 쓴 학생은 18명입니다. 안경을 쓴 학생은 전체의 몇 분의 몇인지 ❷기약분수로 나타내어 보시오.

(　　　　　　　　)

Tip

❶ 안경을 쓴 학생은 전체의 $\frac{❶☐}{27}$입니다.

❷ ❶에서 구한 분수를 분모와 분자의 ❷ ☐로 나누어 기약분수로 나타냅니다.

답 ❶ 18 ❷ 최대공약수

[관련 단원] **약분과 통분**

6 ❷어떤 분수의 분자에 4를 더한 후 ❶8로 약분하였더니 $\frac{2}{3}$가 되었습니다. 어떤 분수를 구하시오.

(　　　　　　　　)

Tip

❶ 8로 약분하기 전의 분수는 $\frac{2\times❶☐}{3\times8}$입니다.

❷ ❶에서 구한 분수의 분자에서 ❷ ☐를 빼서 어떤 분수를 구합니다.

답 ❶ 8 ❷ 4

2 주

전략 1 두 수를 모두 나누어떨어지게 하는 수 중에서 가장 큰 수 구하기

[관련 단원] 약수와 배수

예 16과 20을 모두 나누어떨어지게 하는 수 중에서 가장 큰 수 구하기

(1) 16과 20을 모두 나누어떨어지게 하는 수 알아보기

16과 20을 모두 나누어떨어지게 하는 수는 16과 20의 ❶ ☐ 입니다.

(2) 16의 20의 공약수 구하기

16의 약수: 1, 2, 4, 8, 16

20의 약수: 1, 2, 4, 5, 10, 20

➡ 16과 20의 공약수: 1, 2, ❷ ☐

16의 약수도 되고 20의 약수도 되는 수를 찾아봐요.

(3) 16과 20을 모두 나누어떨어지게 하는 수 중에서 가장 큰 수 구하기

16과 20을 모두 나누어떨어지게 하는 수 중에서 가장 큰 수는 16과 20의 최대공약수이므로 ❸ ☐ 입니다.

답 ❶ 공약수 ❷ 4 ❸ 4

필수 예제 01

두 수를 어떤 수로 나누면 모두 나누어떨어집니다. 어떤 수 중에서 가장 큰 수를 구하시오.

30 24

(1) 30과 24의 공약수를 모두 구하시오. ( )

(2) 어떤 수 중에서 가장 큰 수를 구하시오. ( )

풀이 | (1) 30의 약수: 1, 2, 3, 5, 6, 10, 15, 30

24의 약수: 1, 2, 3, 4, 6, 8, 12, 24

➡ 30과 24의 공약수: 1, 2, 3, 6

(2) 어떤 수 중에서 가장 큰 수는 30과 24의 최대공약수이므로 6입니다.

확인 1-1

두 수를 어떤 수로 나누면 모두 나누어떨어집니다. 어떤 수 중에서 가장 큰 수를 구하시오.

28 35

( )

확인 1-2

두 수를 어떤 수로 나누면 모두 나누어떨어집니다. 어떤 수 중에서 가장 큰 수를 구하시오.

40 56

( )

▶정답 및 풀이 13쪽

전략 2 ■의 배수이면서 ▲의 배수인 수의 개수 구하기

[관련 단원] 약수와 배수

예 1부터 100까지의 수 중에서 3의 배수이면서 5의 배수인 수의 개수 구하기

(1) 3의 배수이면서 5의 배수인 수 알아보기

3의 배수이면서 5의 배수인 수는 3과 5의 ❶ ☐ 입니다.

(2) 3과 5의 공배수 구하기

3과 5의 공배수는 3과 5의 최소공배수인 ❷ ☐ 의 배수와 같습니다.

(3) 1부터 100까지의 수 중에서 3의 배수이면서 5의 배수인 수의 개수 구하기

1부터 100까지의 수 중에서 15의 배수는 15, 30, 45, 60, 75, ❸ ☐ 으로 모두 ❹ ☐ 개입니다.

공배수는 최소공배수를 이용해서 구하면 편리해요.

답 ❶ 공배수 ❷ 15 ❸ 90 ❹ 6

필수 예제 02

1부터 100까지의 수 중에서 2의 배수이면서 7의 배수인 수는 모두 몇 개인지 구하시오.

(1) 2와 7의 공배수를 구하려고 합니다. ☐ 안에 알맞은 수를 써넣으시오.

2와 7의 공배수는 2와 7의 최소공배수인 ☐ 의 배수와 같습니다.

(2) 1부터 100까지의 수 중에서 2의 배수이면서 7의 배수인 수는 모두 몇 개입니까?

( )

풀이 | (1) 2의 배수이면서 7의 배수인 수는 2와 7의 공배수입니다.
2와 7의 공배수는 2와 7의 최소공배수인 14의 배수와 같습니다.
(2) 1부터 100까지의 수 중에서 14의 배수는 14, 28, 42, 56, 70, 84, 98로 모두 7개입니다.

확인 2-1

1부터 100까지의 수 중에서 4의 배수이면서 6의 배수인 수는 모두 몇 개입니까?

( )

확인 2-2

1부터 100까지의 수 중에서 8의 배수이면서 12의 배수인 수는 모두 몇 개입니까?

( )

전략 3 조건에 맞는 공통분모 구하기

[관련 단원] 약분과 통분

예 두 분수를 통분할 때 공통분모가 될 수 있는 수 중에서 100보다 작은 수 모두 구하기

$\frac{1}{6}$ $\frac{3}{14}$

(1) 공통분모가 될 수 있는 수 알아보기
공통분모가 될 수 있는 수는 6과 14의 공배수이므로 6과 14의 최소공배수인 ❶ [ ]의 배수와 같습니다.

(2) 공통분모가 될 수 있는 수 중에서 100보다 작은 수 모두 구하기
42의 배수는 42, ❷ [ ], 126……이므로 이 중에서 100보다 작은 수는 42, ❸ [ ]입니다.

답 ❶ 42 ❷ 84 ❸ 84

필수 예제 03

두 분수를 통분할 때 공통분모가 될 수 있는 수 중에서 100보다 작은 수를 모두 구하시오.

$\frac{9}{10}$ $\frac{1}{8}$

( )

풀이 | 공통분모가 될 수 있는 수는 10과 8의 최소공배수인 40의 배수이므로 40, 80, 120……입니다.
이 중에서 100보다 작은 수는 40, 80입니다.

확인 3-1

두 분수를 통분할 때 공통분모가 될 수 있는 수 중에서 100보다 작은 수를 모두 구하시오.

$\frac{2}{9}$ $\frac{4}{15}$

( )

확인 3-2

두 분수를 통분할 때 공통분모가 될 수 있는 수 중에서 100보다 작은 수를 모두 구하시오.

$\frac{5}{12}$ $\frac{7}{18}$

( )

▶정답 및 풀이 13쪽

전략 4 더 먼 곳 구하기

[관련 단원] **약분과 통분**

예 학교와 서점 중에서 혜리네 집에서 더 먼 곳 구하기

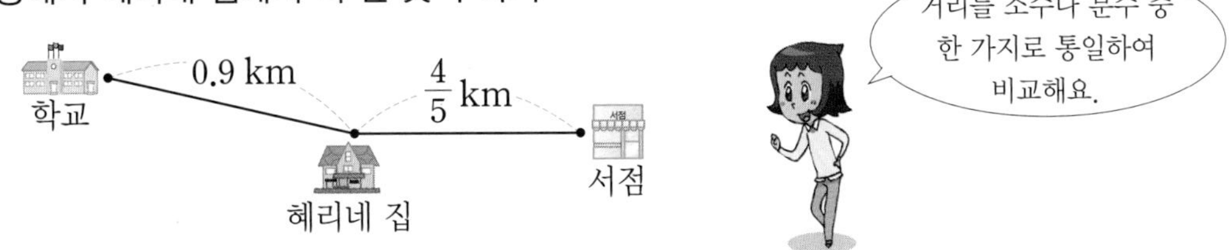

(1) 혜리네 집에서 서점까지의 거리를 소수로 나타내기: $\frac{4}{5}=\frac{8}{10}=$ ❶ ☐ (km)

(2) 학교와 서점 중에서 혜리네 집에서 더 먼 곳 구하기

0.9 ❷ ◯ $\frac{4}{5}$이므로 혜리네 집에서 더 먼 곳은 ❸ ☐ 입니다.

답 ❶ 0.8 ❷ > ❸ 학교

필수 예제 04

소방서와 우체국 중에서 민아네 집에서 더 먼 곳은 어디인지 구하시오.

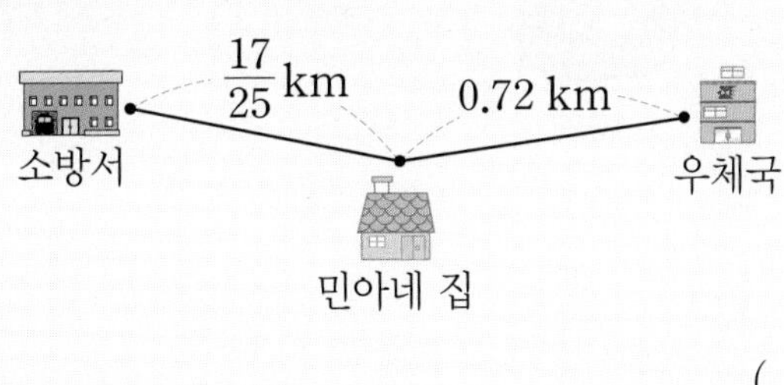

( )

풀이 | 민아네 집에서 소방서까지의 거리를 소수로 나타내면 $\frac{17}{25}=\frac{68}{100}=0.68$ (km)입니다.

따라서 $\frac{17}{25}<0.72$이므로 민아네 집에서 더 먼 곳은 우체국입니다.

확인 4-1

병원과 은행 중에서 상규네 집에서 더 먼 곳은 어디입니까?

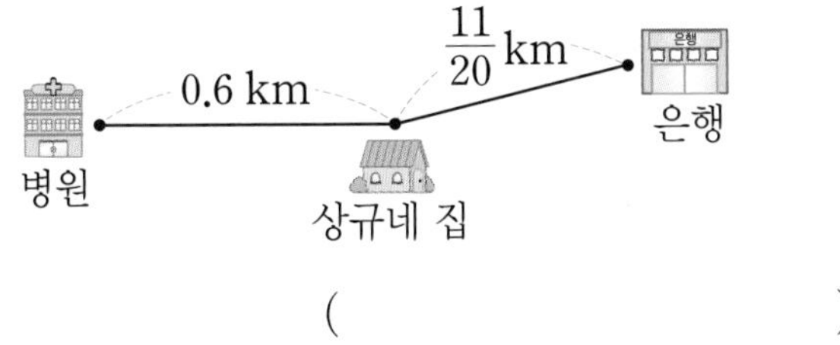

( )

확인 4-2

시청과 경찰서 중에서 태서네 집에서 더 먼 곳은 어디입니까?

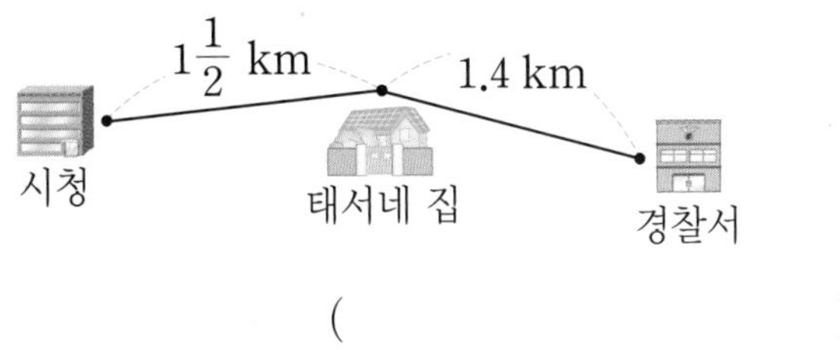

( )

2 주

필수 체크 전략 ❷

[관련 단원] 약수와 배수

1 어떤 두 수의 최소공배수는 17입니다. 두 수의 공배수를 가장 작은 수부터 차례로 5개 써 보시오.

(　　　　　　　　　　　　　　　　)

> **Tip**
> 어떤 두 수의 공배수는 두 수의 ❶[　　　　]의 배수와 같습니다.
> ➡ 17을 1배 한 수는 ❷[　　], 17을 2배 한 수는 ❸[　　], 17을 3배 한 수는 ❹[　　]……입니다.
>
> 답 ❶ 최소공배수 ❷ 17 ❸ 34 ❹ 51

[관련 단원] 약수와 배수

2 ❶ 빵 24개와 우유 40개를 최대한 많은 사람에게 남김없이 똑같이 나누어 주려고 합니다. ❷ 한 명이 빵과 우유를 각각 몇 개씩 받을 수 있습니까?

24개　　40개

빵 (　　　　　　　　　　)

우유 (　　　　　　　　　　)

> **Tip**
> ❶ 나누어 줄 수 있는 최대 사람 수는 24와 40의 ❶[　　　　]입니다.
> ❷ (한 사람이 받을 수 있는 빵의 수)
> =(❷[　　]의 수)÷(사람 수)
> (한 사람이 받을 수 있는 우유의 수)
> =(❸[　　]의 수)÷(사람 수)
>
> 답 ❶ 최대공약수 ❷ 빵 ❸ 우유

[관련 단원] 약수와 배수

3 ❶ 어느 회사에서 ㉮ 기계는 28일마다, ㉯ 기계는 70일마다 안전 검사를 합니다. ❷ 오늘 두 기계를 동시에 안전 검사를 했다면 바로 다음번에 두 기계를 동시에 안전 검사를 하는 날은 며칠 후입니까?

(　　　　　　　　　　)

> **Tip**
> ❶ 두 기계는 28과 70의 ❶[　　　　]인 날마다 동시에 안전 검사를 합니다.
> ❷ 바로 다음번에 두 기계를 동시에 안전 검사를 하는 날은 28과 70의 ❷[　　　　]를 구합니다.
>
> 답 ❶ 공배수 ❷ 최소공배수

▶정답 및 풀이 14쪽

[관련 단원] **약분과 통분**

4 분수를 통분하려고 합니다. 공통분모가 될 수 있는 수 중에서 가장 작은 수를 공통분모로 하여 통분하시오.

$\frac{9}{10}$ $\frac{11}{25}$

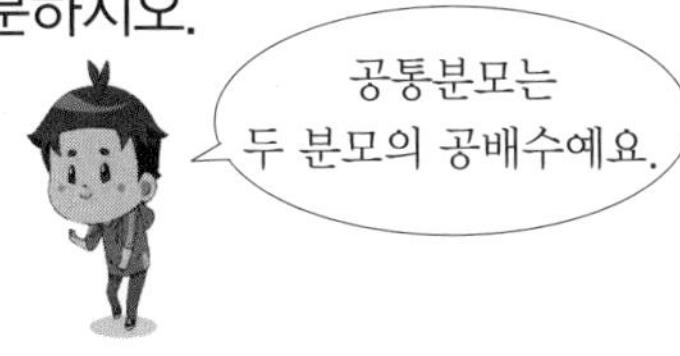

(,)

Tip

$\frac{9}{10}$와 $\frac{11}{25}$의 공통분모가 될 수 있는 수 중에서 가장 작은 수는 ❶ □과 ❷ □의 최소공배수입니다.

답 ❶ 10 ❷ 25

[관련 단원] **약분과 통분**

5 □ 안에 들어갈 수 있는 자연수는 모두 몇 개입니까?

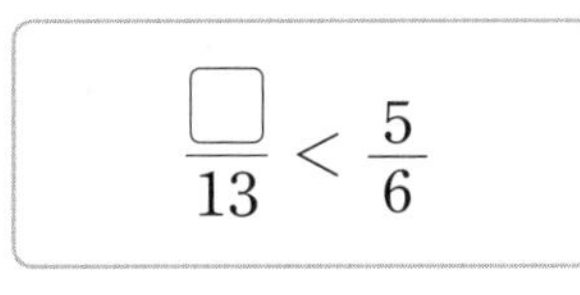

$\frac{\square}{13} < \frac{5}{6}$

( )

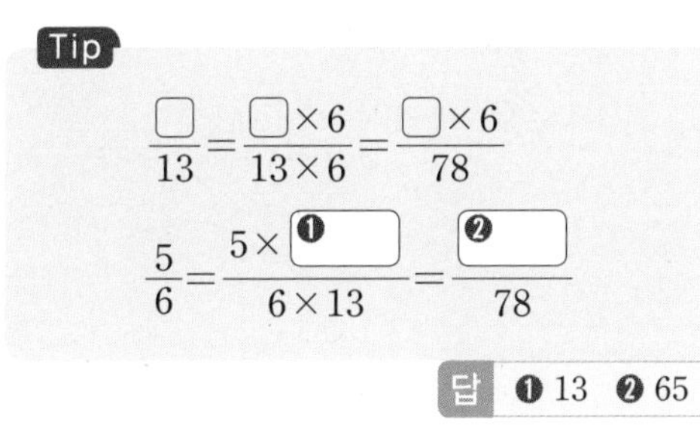

Tip

$\frac{\square}{13} = \frac{\square \times 6}{13 \times 6} = \frac{\square \times 6}{78}$

$\frac{5}{6} = \frac{5 \times ❶\square}{6 \times 13} = \frac{❷\square}{78}$

답 ❶ 13 ❷ 65

[관련 단원] **약분과 통분**

6 소민, 다혜, 준표가 캔 감자의 양입니다. 감자를 가장 많이 캔 사람은 누구입니까?

이름	소민	다혜	준표
감자의 양(kg)	2.4	$2\frac{17}{50}$	$2\frac{3}{8}$

( )

Tip

$2\frac{17}{50} = 2\frac{❶\square}{100}$, $2\frac{3}{8} = 2\frac{❷\square}{1000}$임을 이용하여 소수로 나타낸 후 크기를 비교합니다.

답 ❶ 34 ❷ 375

2 주

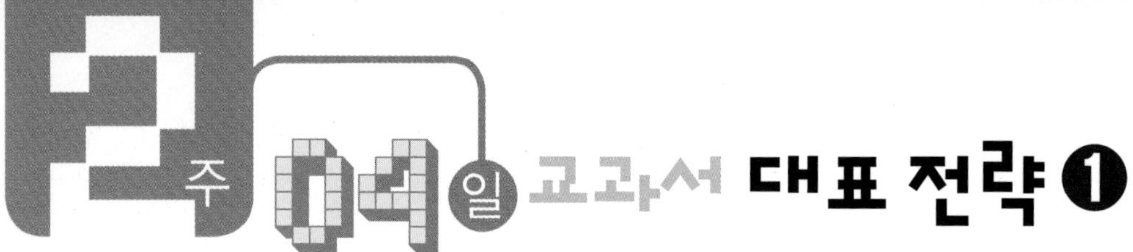

2주 04일 교과서 대표 전략 ❶

대표 예제 | 01

34의 약수 중에서 가장 작은 수와 가장 큰 수를 각각 구하시오.

가장 작은 수 (   )
가장 큰 수 (   )

개념가이드

34를 나누어떨어지게 하는 수를 알아봅니다.

34÷1=34, 34÷2=17, 34÷❶[   ]=2,

34÷❷[   ]=1

[답] ❶ 17 ❷ 34

대표 예제 | 02

18의 배수 중에서 200에 가장 가까운 수를 구하시오.

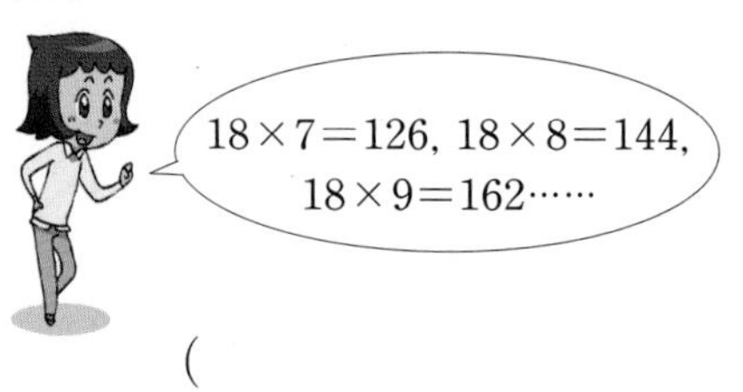

(   )

개념가이드

18을 1배 한 수는 18×1=❶[   ],

18을 2배 한 수는 18×2=❷[   ],

18을 3배 한 수는 18×3=❸[   ]……입니다.

[답] ❶ 18 ❷ 36 ❸ 54

대표 예제 | 03

두 수가 서로 약수와 배수의 관계인 것을 모두 찾아 기호를 써 보시오.

㉠ 9, 21	㉡ 3, 42
㉢ 57, 7	㉣ 60, 15

(   )

개념가이드

큰 수가 작은 수로 나누어떨어지는지 알아봅니다.

㉠ 21÷9=2…3　㉡ 42÷3=14

㉢ 57÷7=❶[   ]…❷[   ]　㉣ 60÷15=❸[   ]

[답] ❶ 8 ❷ 1 ❸ 4

대표 예제 | 04

어떤 두 수의 최대공약수가 52일 때 두 수의 공약수를 모두 구하시오.

(   )

개념가이드

두 수의 공약수는 두 수의 최대공약수의 ❶[   ]와 같으므로 52의 ❷[   ]를 구합니다.

[답] ❶ 약수 ❷ 약수

▶정답 및 풀이 14쪽

대표 예제 | 05

두 수의 최소공배수가 더 큰 것에 ○표 하시오.

24, 42	50, 30
( )	( )

개념가이드

2) 24 42
❶) 12 21
4 7

2) 50 30
❷) 25 15
5 3

[답] ❶ 3 ❷ 5

대표 예제 | 06

호두 36개와 땅콩 60개를 최대한 많은 봉지에 남김없이 똑같이 나누어 담으려고 합니다. 최대 몇 개의 봉지에 나누어 담을 수 있습니까?

(   )

개념가이드

최대로 나누어 담을 수 있는 봉지의 수는 36과 ❶ ___의 ❷ ___입니다.

[답] ❶ 60 ❷ 최대공약수

대표 예제 | 07

가로가 16 cm, 세로가 20 cm인 직사각형 모양의 종이를 겹치지 않게 늘어놓아 가장 작은 정사각형을 만들려고 합니다. 정사각형의 한 변의 길이를 몇 cm로 해야 합니까?

(   )

개념가이드

가장 작은 정사각형의 한 변의 길이는 ❶ ___과 20의 ❷ ___입니다.

[답] ❶ 16 ❷ 최소공배수

대표 예제 | 08

1부터 100까지의 수 중에서 4로도 나누어떨어지고 6으로도 나누어떨어지는 수는 모두 몇 개입니까?

(   )

개념가이드

4로도 나누어떨어지고 6으로도 나누어떨어지는 수는 4와 ❶ ___의 ❷ ___입니다.

[답] ❶ 6 ❷ 공배수

2 주

대표 예제 | 09

크기가 같은 분수끼리 짝 지은 것을 찾아 기호를 써 보시오.

㉠ $\frac{2}{3}$, $\frac{8}{15}$ ㉡ $\frac{4}{7}$, $\frac{16}{21}$ ㉢ $\frac{54}{66}$, $\frac{9}{11}$

(   )

개념가이드

분모와 분자에 각각 ❶ ☐이 아닌 같은 수를 곱하거나 분모와 분자를 각각 ❷ ☐이 아닌 같은 수로 나누면 크기가 같은 분수가 됩니다.

[답] ❶ 0 ❷ 0

대표 예제 | 10

$\frac{42}{78}$를 약분하여 나타낼 수 있는 분수 중에서 분모가 13인 분수를 써 보시오.

(   )

개념가이드

78÷❶ ☐ =13이므로 분모와 분자를 각각 ❷ ☐으로 나누어야 합니다.

[답] ❶ 6 ❷ 6

대표 예제 | 11

진분수 $\frac{\square}{12}$가 기약분수라고 할 때 ☐ 안에 들어갈 수 있는 수를 모두 써 보시오.

(   )

개념가이드

$\frac{\square}{12}$가 진분수이므로 분자는 1부터 ❶ ☐까지의 수가 될 수 있고, 기약분수이므로 ☐와 12의 공약수는 ❷ ☐뿐이어야 합니다.

[답] ❶ 11 ❷ 1

대표 예제 | 12

$\frac{5}{6}$와 $\frac{8}{15}$을 100에 가장 가까운 수를 공통분모로 하여 통분하시오.

두 분모의 공배수를 공통분모로
하여 통분할 수 있어요.

(,   )

개념가이드

공통분모가 될 수 있는 수는 ❶ ☐과 15의 ❷ ☐입니다.

[답] ❶ 6 ❷ 공배수

▶정답 및 풀이 14쪽

대표 예제 | 13 |

어떤 두 기약분수를 통분하였더니 다음과 같았습니다. 통분하기 전의 두 분수를 구하시오.

$\frac{28}{48}$　$\frac{15}{48}$

(　　　　　,　　　　　)

개념가이드

통분한 분수를 기약분수로 나타내면 통분하기 전의 분수가 되므로 $\frac{28}{48}$은 분모와 분자를 각각 ❶ ☐로 나누고, $\frac{15}{48}$는 분모와 분자를 각각 ❷ ☐으로 나눕니다.

[답] ❶ 4 ❷ 3

대표 예제 | 14 |

$\frac{5}{8}$보다 크고 $\frac{7}{10}$보다 작은 분수 중에서 분모가 40인 분수를 모두 구하시오.

(　　　　　　　　　　)

개념가이드

분모가 40인 분수를 만들려면 $\frac{5}{8}$의 분모와 분자에 각각 ❶ ☐를 곱하고 $\frac{7}{10}$의 분모와 분자에 각각 ❷ ☐를 곱합니다.

[답] ❶ 5 ❷ 4

대표 예제 | 15 |

세 분수의 크기를 비교하여 큰 분수부터 차례로 써 보시오.

$\frac{2}{9}$　$\frac{1}{4}$　$\frac{3}{14}$

(　　　　　　　　　　)

개념가이드

$\frac{2}{9}$와 $\frac{1}{4}$, $\frac{1}{4}$과 ❶ ☐, $\frac{2}{9}$와 ❷ ☐의 크기를 각각 비교해 봅니다.

[답] ❶ $\frac{3}{14}$ ❷ $\frac{3}{14}$

대표 예제 | 16 |

빨간색 털실은 $1\frac{2}{5}$ m, 파란색 털실은 $1\frac{7}{18}$ m, 노란색 털실은 1.6 m 있습니다. 길이가 가장 짧은 털실은 어느 것입니까?

(　　　　　　　　　　)

개념가이드

1.6을 분모가 10인 분수로 나타내면 1.6=❶ ☐ $\frac{❷ ☐}{10}$입니다.

[답] ❶ 1 ❷ 6

2주

1 63의 모든 약수의 합을 구하시오.

( )

Tip

63의 약수는 63을 나누어떨어지게 하는 수입니다.

$63 \div 1 = 63$, $63 \div 3 = 21$, $63 \div$ ❶ $= 9$,

$63 \div$ ❷ $= 7$, $63 \div 21 = 3$, $63 \div 63 = 1$

답 ❶ 7 ❷ 9

2 9와 6의 공배수 중에서 50보다 작은 수는 모두 몇 개입니까?

( )

Tip

9의 배수: 9, 18, 27, ❶ , 45, 54……

6의 배수: 6, 12, 18, 24, 30, ❷ , 42, 48, 54……

답 ❶ 36 ❷ 36

3 ㉠과 ㉡의 최대공약수가 5일 때 ㉠과 ㉡에 알맞은 수를 각각 구하시오.

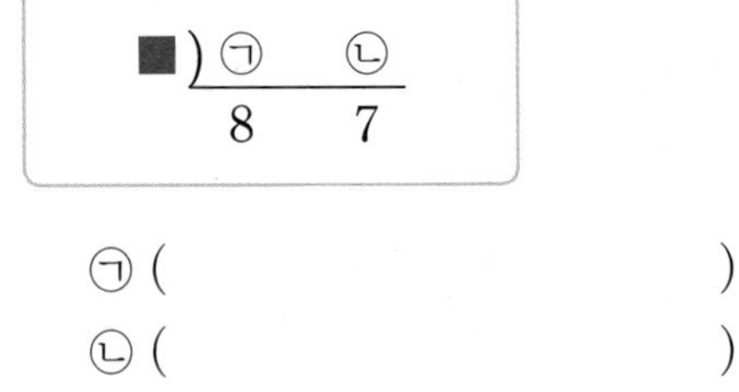

㉠ ( )

㉡ ( )

Tip

㉠과 ㉡의 최대공약수가 5이므로 ■=5입니다.

➡ ㉠=■×❶ , ㉡=■×❷

답 ❶ 8 ❷ 7

4 가로가 70 cm, 세로가 42 cm인 직사각형 모양의 종이를 똑같은 크기의 정사각형 모양으로 남김없이 자르려고 합니다. 될 수 있는 대로 크게 만들 때 정사각형의 한 변의 길이를 몇 cm로 해야 합니까?

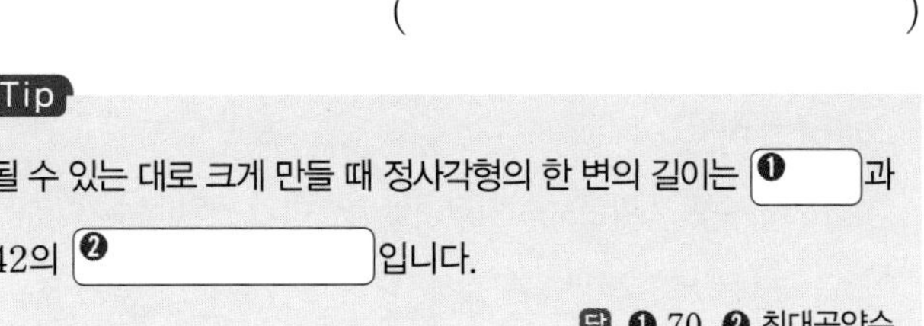

( )

Tip

될 수 있는 대로 크게 만들 때 정사각형의 한 변의 길이는 ❶ 과 42의 ❷ 입니다.

답 ❶ 70 ❷ 최대공약수

5 12로 나누어도 3이 남고 16으로 나누어도 3이 남는 두 자리 수 중에서 가장 작은 수를 구하시오.

( )

Tip

구하려는 수는 12와 16의 ❶ 보다 ❷ 큰 수입니다.

답 ❶ 최소공배수 ❷ 3

▶정답 및 풀이 16쪽

6 주어진 수 카드 중 2장을 골라 $\frac{4}{17}$와 크기가 같은 분수를 만들어 보시오.

➡ $\frac{4}{17}=\frac{\square}{\square}$

Tip

$\frac{4}{17}=\frac{4\times2}{17\times2}=\frac{8}{❶\square}$, $\frac{4}{17}=\frac{4\times3}{17\times3}=\frac{❷\square}{51}$ ......

답 ❶ 34 ❷ 12

7 분모와 분자의 합이 95이고 약분하면 $\frac{9}{10}$가 되는 분수를 구하시오.

(　　　　　　　　　)

Tip

$\frac{9}{10}$의 분모와 분자의 합은 $10+9=$ ❶☐입니다.

분모와 분자의 합이 95가 되려면 $\frac{9}{10}$의 분모와 분자에 각각 $95\div19=$ ❷☐를 곱합니다.

답 ❶ 19 ❷ 5

8 두 분수를 가장 작은 공통분모로 통분할 때 공통분모가 더 큰 것을 찾아 기호를 써 보시오.

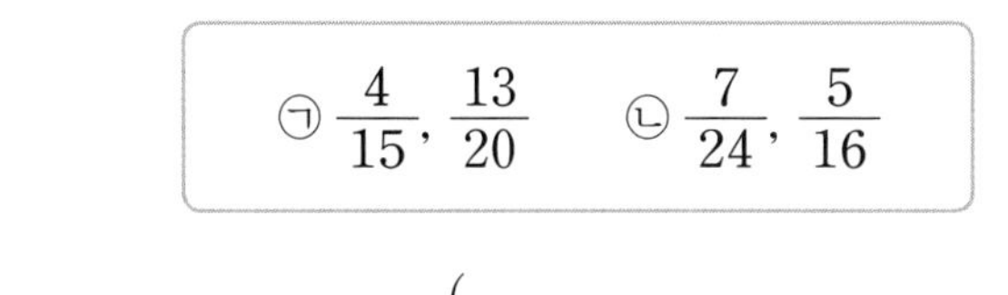

㉠ $\frac{4}{15}$, $\frac{13}{20}$　　㉡ $\frac{7}{24}$, $\frac{5}{16}$

(　　　　　　　　　)

Tip

공통분모가 될 수 있는 수는 두 분모의 ❶☐이므로 가장 작은 공통분모는 두 분모의 ❷☐입니다.

답 ❶ 공배수 ❷ 최소공배수

9 1부터 9까지의 수 중에서 ☐ 안에 들어갈 수 있는 수는 모두 몇 개입니까?

$\frac{\square}{25} < 0.2$

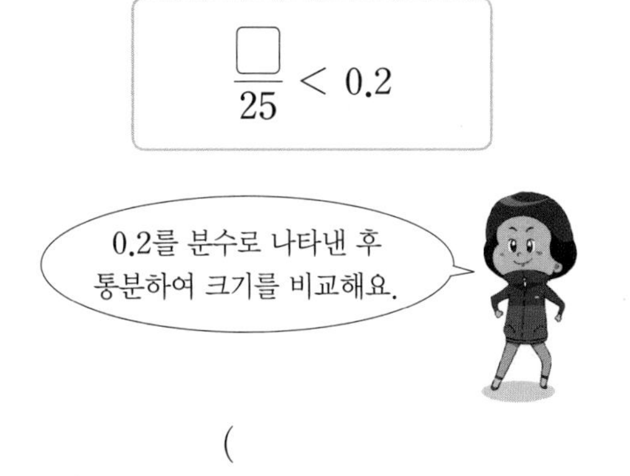

(　　　　　　　　　)

Tip

0.2를 분모가 10인 분수로 나타내면 $0.2=\frac{❶\square}{❷\square}$입니다.

답 ❶ 2 ❷ 10

누구나 만점 전략

01 14의 약수를 모두 구하시오.

( )

02 수 배열표를 보고 5의 배수에 모두 ○표 하시오.

1	2	3	4	5	6	7	8	9	10
11	12	13	14	15	16	17	18	19	20
21	22	23	24	25	26	27	28	29	30

03 두 수의 공약수를 모두 구하시오.

27 45

( )

04 빈칸에 알맞은 수를 써넣으시오.

두 수	최대공약수	최소공배수
36, 54		

먼저 두 수를 공약수로 나누어 보세요.

05 다은이는 6일에 한 번씩, 범진이는 4일에 한 번씩 도서관에 갑니다. 3월 1일에 두 사람이 도서관에서 만났다면 바로 다음번에 두 사람이 도서관에서 만나는 날은 몇 월 며칠입니까?

( )

▶정답 및 풀이 17쪽

06 분수만큼 색칠하고 크기가 같은 분수에 ○표 하시오.

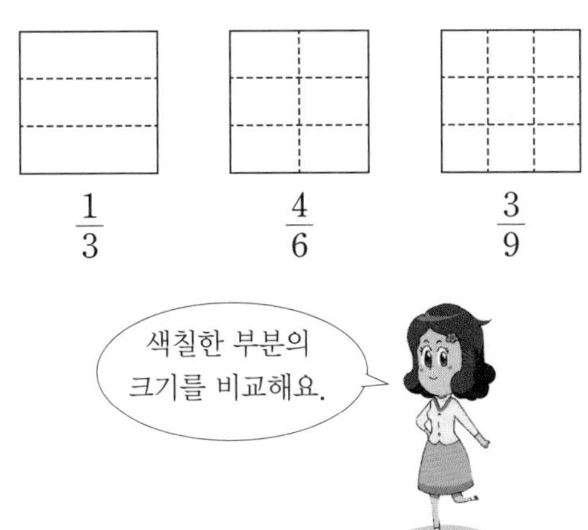

07 $\frac{32}{68}$를 기약분수로 나타내어 보시오.

분모와 분자를 0이 아닌 같은 수로 나누어 공약수가 1뿐인 분수로 나타내어요.

(   )

08 두 분모의 최소공배수를 공통분모로 하여 통분하시오.

$\left(\frac{7}{16}, \frac{9}{20}\right)$ ➡ (,   )

09 두 분수의 크기를 비교하여 더 큰 분수를 위의 □ 안에 써넣으시오.

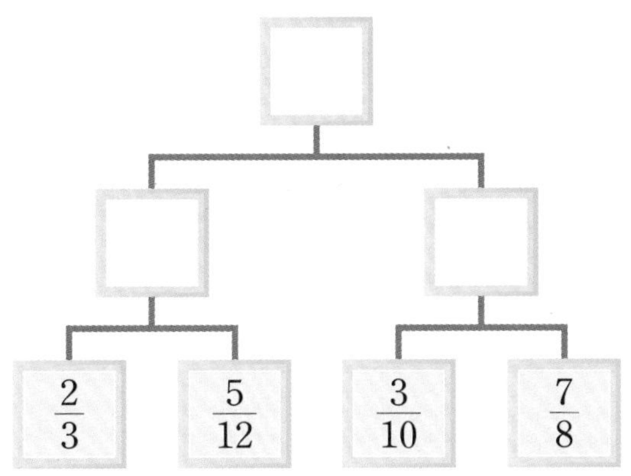

10 책을 승찬이는 0.5시간 동안 읽고 애라는 $\frac{3}{5}$시간 동안 읽었습니다. 누가 책을 더 오래 읽었습니까?

(   )

2주

문제 해결

1 터미널에서 수영장으로 가는 버스가 오전 10시부터 12분 간격으로 출발합니다. 오전 10시부터 오전 11시까지 버스는 몇 번 출발합니까?

( )

▶정답 및 풀이 18쪽

2 창의 융합 □ 안에 알맞은 수를 써넣어 크기가 같은 분수를 만들어 보시오.

$$\frac{1}{4}=\frac{2}{\square}=\frac{3}{\square}=\frac{\square}{16}=\frac{\square}{20}$$

2주 창의·융합·코딩 전략 ❷

코딩

1 다음은 어떤 수의 배수만큼 이동하기 위한 코드입니다. 이 코드를 실행하면 이동 방향으로 얼마만큼 움직이게 됩니까?

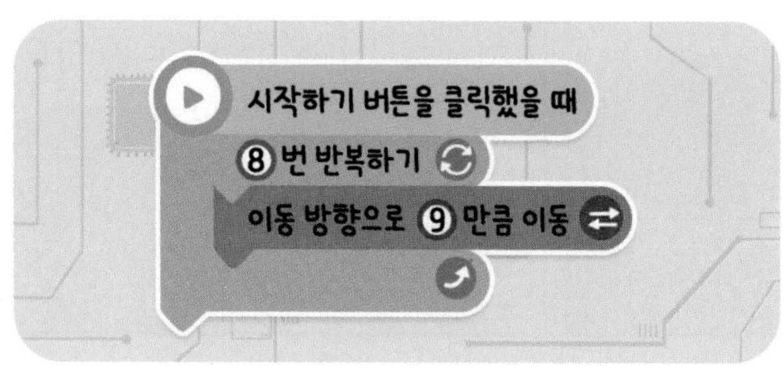

( )

Tip

이동 방향으로 ❶ 만큼 ❷ 번 반복하여 움직이는 코드입니다.

[답] ❶ 9 ❷ 8

창의 융합

2 우리 조상들은 연도를 나타낼 때 10일을 뜻하는 십간과 12종류의 동물을 뜻하는 십이지를 순서대로 하나씩 짝을 지어 갑자년, 을축년, 병인년……으로 해마다 이름을 붙이고 그 해에 태어난 사람의 띠를 정해 왔습니다. 임술년은 몇 년마다 반복되는지 구하시오.

십간(十干)	갑	을	병	정	무	기	경	신	임	계

십이지(十二支)	자	축	인	묘	진	사	오	미	신	유	술	해
	쥐	소	호랑이	토끼	용	뱀	말	양	원숭이	닭	개	돼지

( )

Tip

십간은 ❶ 년마다 반복되고 십이지는 ❷ 년마다 반복됩니다.

[답] ❶ 10 ❷ 12

▶정답 및 풀이 18쪽

3 경석이와 재영이의 알람 시계가 울리는 시각입니다. 두 사람의 알람 시계가 오전 6시에 처음으로 동시에 울렸다면 네 번째로 동시에 울리는 시각은 언제인지 구하려고 합니다. 물음에 답하시오.

알람 시계가 울리는 시각

순서	경석이의 알람 시계	재영이의 알람 시계
첫 번째	오전 6시	오전 6시
두 번째	오전 6시 30분	오전 6시 45분
세 번째	오전 7시	오전 7시 30분
네 번째	오전 7시 30분	오전 8시 15분
⋮	⋮	⋮

(1) 경석이와 재영이의 알람 시계는 몇 분마다 동시에 울립니까?

( )

(2) 두 사람의 알람 시계가 네 번째로 동시에 울리는 시각은 오전 몇 시 몇 분입니까?

오전 ( )

Tip

경석이의 알람 시계는 ❶ ☐ 분마다 울리고 재영이의 알람 시계는 ❷ ☐ 분마다 울립니다.

[답] ❶ 30 ❷ 45

4 화살표를 따라 이동하면서 크기가 같은 분수를 만들려고 합니다. 규칙에 따라 크기가 같은 분수를 만들어 보시오.

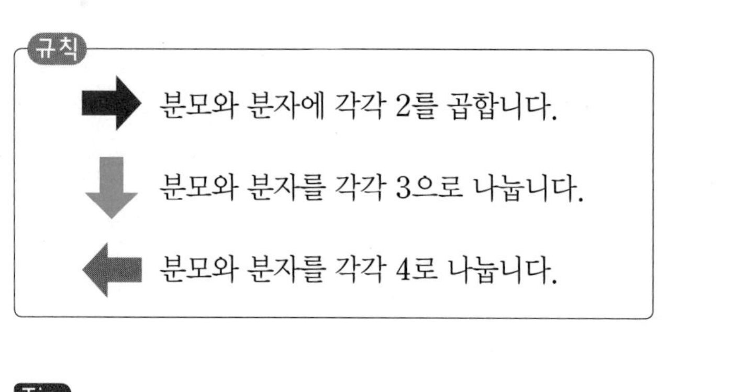

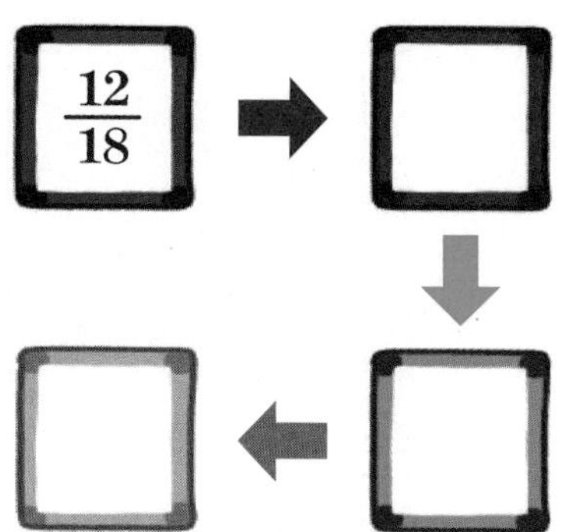

Tip

$\frac{12}{18}$의 분모와 분자에 각각 2를 곱한 다음 분모와 분자를 각각 ❶ ☐으로 나누고 다시 분모와 분자를 각각 ❷ ☐로 나눕니다.

[답] ❶ 3 ❷ 4

창의 융합

5 고대 이집트인들은 $\frac{1}{2}$을 제외한 분자가 1인 분수를 나타낼 때, 수 위에 ⬭를 그려서 나타냈다고 합니다. 고대 이집트인들의 분수 표기법을 보고 (1/4 기호) 과 (1/10 기호) 을 두 분모의 최소공배수를 공통분모로 하여 통분하시오.

고대 이집트인들의 분수 표기법

(기호)	(기호)	(기호)	(기호)	(기호)	(기호)	(기호)	(기호)	(기호)
$\frac{1}{2}$	$\frac{1}{3}$	$\frac{1}{4}$	$\frac{1}{5}$	$\frac{1}{6}$	$\frac{1}{7}$	$\frac{1}{8}$	$\frac{1}{9}$	$\frac{1}{10}$

((1/4 기호) , (1/10 기호)) ➡ (　　　,　　　)

Tip

(1/4 기호)은 $\frac{1}{❶\ ☐}$이고 (1/10 기호)은 $\frac{1}{❷\ ☐}$입니다. ➡ 두 분모의 최소공배수를 공통분모로 하여 통분합니다.

[답] ❶ 4 ❷ 10

▶정답 및 풀이 18쪽

6 하은이네 학교 5학년 학생들이 현장 체험 학습 장소로 가고 싶은 장소를 조사하여 나타낸 것입니다. 물음에 답하시오.

가고 싶은 장소

박물관	동물원	미술관	놀이 공원
32명	56명	14명	18명

(1) 하은이네 학교 5학년 학생은 모두 몇 명입니까?

( )

(2) 동물원에 가고 싶은 학생 수는 전체 학생 수의 몇 분의 몇인지 기약분수로 나타내어 보시오.

( )

(3) 놀이 공원에 가고 싶은 학생 수는 전체 학생 수의 몇 분의 몇인지 기약분수로 나타내어 보시오.

( )

Tip

전체 학생 수는 $32+56+14+18=$ ❶ (명)이고, 동물원에 가고 싶은 학생 수는 ❷ 명, 놀이 공원에 가고 싶은 학생 수는 ❸ 명입니다.

[답] ❶ 120 ❷ 56 ❸ 18

2 주

분수의 덧셈과 뺄셈, 다각형의 둘레와 넓이

학습할 내용

❶ 분모가 다른 진분수, 대분수의 덧셈
❷ 분모가 다른 진분수, 대분수의 뺄셈
❸ 정다각형, 사각형의 둘레
❹ 직사각형, 평행사변형, 삼각형, 마름모, 사다리꼴의 넓이

3주 04일 개념 돌파 전략 ❶

개념 1 분모가 다른 분수의 덧셈

[관련 단원] **분수의 덧셈과 뺄셈**

○ 진분수의 덧셈

방법1 두 분모의 곱을 공통분모로 하여 통분한 후 계산하기

$$\frac{3}{8}+\frac{5}{6}=\frac{3\times6}{8\times6}+\frac{5\times8}{6\times8}=\frac{18}{48}+\frac{40}{48}=\frac{58}{48}=1\frac{10}{48}=1\frac{5}{24}$$

방법2 두 분모의 최소공배수를 공통분모로 하여 통분한 후 계산하기

$$\frac{3}{8}+\frac{5}{6}=\frac{3\times3}{8\times3}+\frac{5\times4}{6\times4}=\frac{9}{24}+\frac{20}{24}=\frac{29}{24}=1\frac{5}{24}$$

○ 대분수의 덧셈

방법1 자연수는 자연수끼리, 분수는 분수끼리 계산하기

$$1\frac{1}{2}+1\frac{3}{5}=1\frac{5}{10}+1\frac{6}{10}=(1+1)+\left(\frac{5}{10}+\frac{6}{10}\right)=2+1\frac{1}{10}=3\frac{1}{10}$$

방법2 대분수를 가분수로 나타내어 계산하기

$$1\frac{1}{2}+1\frac{3}{5}=\frac{3}{2}+\frac{8}{5}=\frac{15}{10}+\frac{16}{10}=\frac{31}{10}=3\frac{1}{10}$$

• 분모가 다른 진분수의 덧셈을 할 때는 두 분수를 통분한 다음 ❶ [ ] 끼리 더합니다.

• 분모가 다른 대분수의 덧셈을 할 때는 두 분수를 통분한 다음 자연수는 자연수끼리, 분수는 분수끼리 더하거나 대분수를 ❷ [ ] 로 나타내어 계산합니다.

답 ❶ 분자 ❷ 가분수

개념 2 분모가 다른 분수의 뺄셈

[관련 단원] **분수의 덧셈과 뺄셈**

○ 진분수의 뺄셈

방법1 두 분모의 곱을 공통분모로 하여 계산하기

$$\frac{3}{4}-\frac{1}{6}=\frac{3\times6}{4\times6}-\frac{1\times4}{6\times4}=\frac{18}{24}-\frac{4}{24}=\frac{14}{24}=\frac{7}{12}$$

방법2 두 분모의 최소공배수를 공통분모로 하여 계산하기

$$\frac{3}{4}-\frac{1}{6}=\frac{3\times3}{4\times3}-\frac{1\times2}{6\times2}=\frac{9}{12}-\frac{2}{12}=\frac{7}{12}$$

자신에게 편한 방법으로 통분해요.

○ 대분수의 뺄셈

방법1 자연수는 자연수끼리, 분수는 분수끼리 계산하기

$$4\frac{1}{4}-1\frac{5}{8}=4\frac{2}{8}-1\frac{5}{8}=3\frac{10}{8}-1\frac{5}{8}=(3-1)+\left(\frac{10}{8}-\frac{5}{8}\right)=2\frac{5}{8}$$

자연수 부분에서 1을 받아내림하기

방법2 대분수를 가분수로 나타내어 계산하기

$$4\frac{1}{4}-1\frac{5}{8}=\frac{17}{4}-\frac{13}{8}=\frac{34}{8}-\frac{13}{8}=\frac{21}{8}=2\frac{5}{8}$$

• 분모가 다른 진분수의 뺄셈을 할 때는 두 분수를 통분한 다음 ❶ [ ] 끼리 뺍니다.

• 분모가 다른 대분수의 뺄셈을 할 때는 두 분수를 통분한 다음 자연수는 자연수끼리, 분수는 분수끼리 빼거나 대분수를 ❷ [ ] 로 나타내어 계산합니다.

답 ❶ 분자 ❷ 가분수

개념 기초 확인

▶정답 및 풀이 19쪽

1-1 □ 안에 알맞은 수를 써넣으시오.

$$\frac{1}{3}+\frac{2}{7}=\frac{1\times\square}{3\times7}+\frac{2\times\square}{7\times3}$$
$$=\frac{\square}{21}+\frac{\square}{21}=\frac{\square}{21}$$

• **풀이** • 두 분모의 곱인 ❶ □ 을 공통분모로 하여 통분한 다음 ❷ □ 끼리 더합니다.

답 ❶ 21 ❷ 분자

1-2 □ 안에 알맞은 수를 써넣으시오.

$$\frac{4}{9}+\frac{1}{2}=\frac{4\times\square}{9\times2}+\frac{1\times\square}{2\times9}$$
$$=\frac{\square}{18}+\frac{\square}{18}=\frac{\square}{18}$$

2-1 □ 안에 알맞은 수를 써넣으시오.

$$\frac{1}{4}-\frac{3}{14}=\frac{1\times\square}{4\times7}-\frac{3\times\square}{14\times2}$$
$$=\frac{\square}{28}-\frac{\square}{28}=\frac{\square}{28}$$

• **풀이** • 두 분모의 최소공배수인 ❶ □ 을 공통분모로 하여 통분한 다음 ❷ □ 끼리 뺍니다.

답 ❶ 28 ❷ 분자

2-2 □ 안에 알맞은 수를 써넣으시오.

$$\frac{7}{8}-\frac{5}{6}=\frac{7\times\square}{8\times3}-\frac{5\times\square}{6\times4}$$
$$=\frac{\square}{24}-\frac{\square}{24}=\frac{\square}{24}$$

3-1 □ 안에 알맞은 수를 써넣으시오.

$$3\frac{1}{2}-1\frac{3}{7}=3\frac{7}{14}-1\frac{\square}{14}$$
$$=(3-\square)+\left(\frac{7}{14}-\frac{\square}{14}\right)$$
$$=\square+\frac{\square}{14}=\square\frac{\square}{14}$$

• **풀이** • 두 분수를 통분한 다음 자연수는 ❶ □ 끼리, 분수는 ❷ □ 끼리 계산합니다.

답 ❶ 자연수 ❷ 분수

3-2 □ 안에 알맞은 수를 써넣으시오.

$$4\frac{2}{3}-2\frac{1}{5}=4\frac{10}{15}-2\frac{\square}{15}$$
$$=(4-\square)+\left(\frac{10}{15}-\frac{\square}{15}\right)$$
$$=\square+\frac{\square}{15}=\square\frac{\square}{15}$$

개념 3 정다각형, 사각형의 둘레

[관련 단원] 다각형의 둘레와 넓이

● 정다각형의 둘레

(정다각형의 둘레)=(한 변의 길이)×(변의 수)

● 사각형의 둘레

(직사각형의 둘레)=((가로)+(세로))×2
(평행사변형의 둘레)=((한 변의 길이)+(다른 한 변의 길이))×2
(마름모의 둘레)=(한 변의 길이)×4

• (정다각형의 둘레)
=(한 변의 길이)×(❶ ☐)

• (직사각형의 둘레)
=((가로)+(세로))×❷ ☐

• (마름모의 둘레)
=(한 변의 길이)×❸ ☐

답 ❶ 변의 수 ❷ 2 ❸ 4

개념 4 직사각형, 정사각형의 넓이

[관련 단원] 다각형의 둘레와 넓이

● 1 cm^2(**1 제곱센티미터**): 한 변의 길이가 1 cm인 정사각형의 넓이

● 직사각형, 정사각형의 넓이

(직사각형의 넓이)=(가로)×(세로)
(정사각형의 넓이)=(한 변의 길이)×(한 변의 길이)

● 1 m^2(**1 제곱미터**): 한 변의 길이가 1 m인 정사각형의 넓이
1 km^2(**1 제곱킬로미터**): 한 변의 길이가 1 km인 정사각형의 넓이

1 m^2=10000 cm^2　　1 km^2=1000000 m^2

• (직사각형의 넓이)
=(가로)×(❶ ☐)

• (정사각형의 넓이)
=(한 변의 길이)
×(❷ ☐)

답 ❶ 세로 ❷ 한 변의 길이

개념 5 평행사변형, 삼각형, 마름모, 사다리꼴의 넓이

[관련 단원] 다각형의 둘레와 넓이

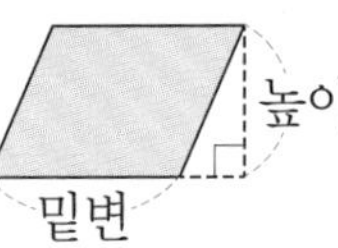

(평행사변형의 넓이)
=(밑변의 길이)×(높이)

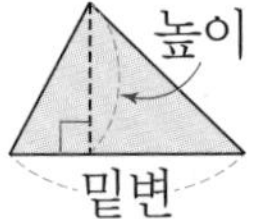

(삼각형의 넓이)
=(밑변의 길이)×(높이)÷2

(마름모의 넓이)
=(한 대각선의 길이)×(다른 대각선의 길이)÷2

윗변
높이
아랫변

(사다리꼴의 넓이)
=((윗변의 길이)+(아랫변의 길이))×(높이)÷2

• (평행사변형의 넓이)
=(밑변의 길이)×(❶ ☐)

• (삼각형의 넓이)
=(밑변의 길이)×(높이)÷❷ ☐

• (마름모의 넓이)
=(한 대각선의 길이)
×(다른 대각선의 길이)÷❸ ☐

• (사다리꼴의 넓이)
=((윗변의 길이)+(아랫변의 길이))
×(높이)÷❹ ☐

답 ❶ 높이 ❷ 2 ❸ 2 ❹ 2

개념 기초 확인

▶정답 및 풀이 19쪽

4-1 마름모의 둘레를 구하시오.

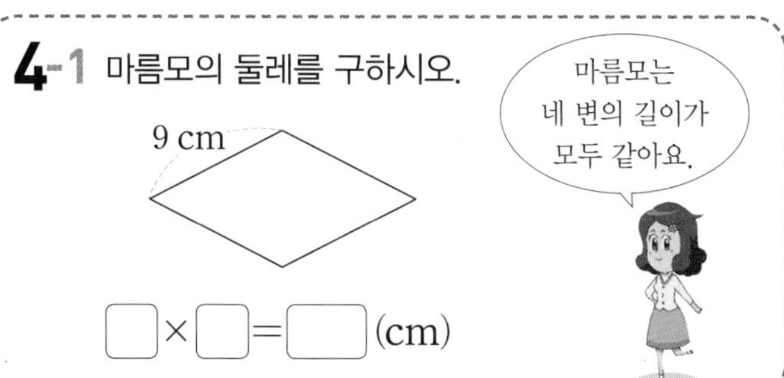

□×□=□(cm)

• **풀이** • (마름모의 둘레)=(한 변의 길이)× ❶□

=9×❷□=❸□(cm)

답 ❶ 4 ❷ 4 ❸ 36

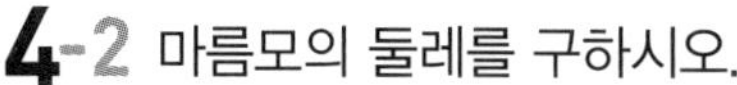

4-2 마름모의 둘레를 구하시오.

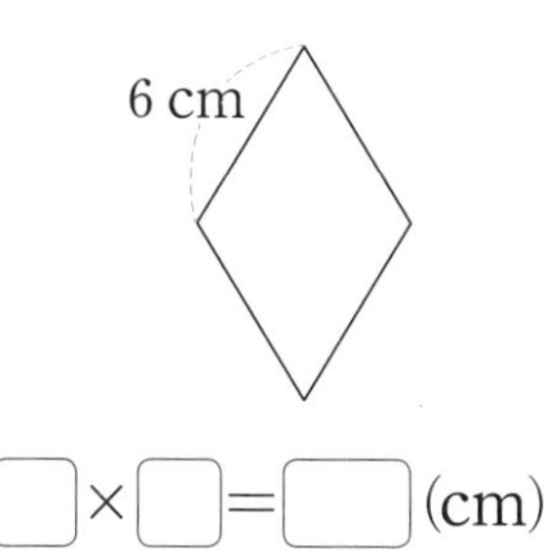

□×□=□(cm)

5-1 직사각형의 넓이를 구하시오.

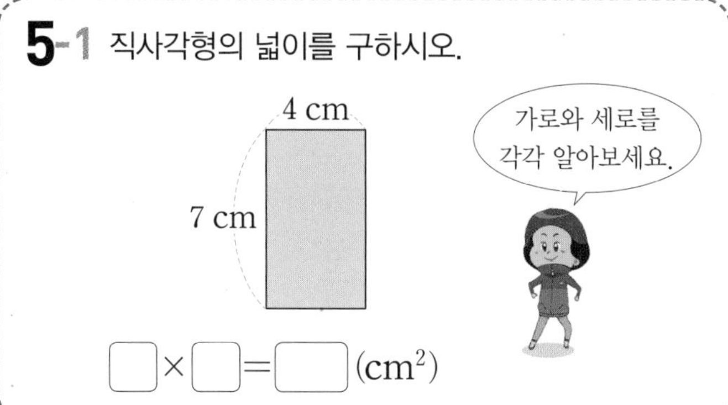

□×□=□(cm^2)

• **풀이** • (직사각형의 넓이)=(❶□)×(세로)

=❷□×7=❸□(cm^2)

답 ❶ 가로 ❷ 4 ❸ 28

5-2 직사각형의 넓이를 구하시오.

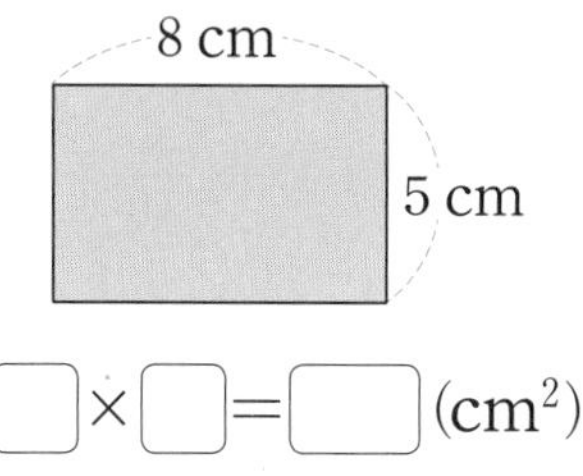

□×□=□(cm^2)

6-1 삼각형의 넓이를 구하시오.

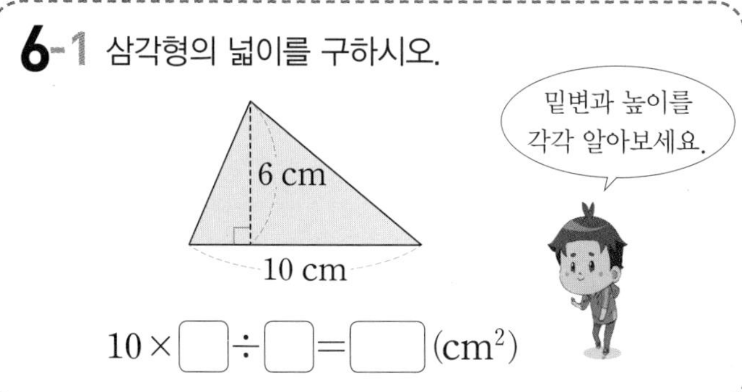

10×□÷□=□(cm^2)

• **풀이** • (삼각형의 넓이)=(밑변의 길이)×(높이)÷❶□

=10×6÷❷□=❸□(cm^2)

답 ❶ 2 ❷ 2 ❸ 30

6-2 삼각형의 넓이를 구하시오.

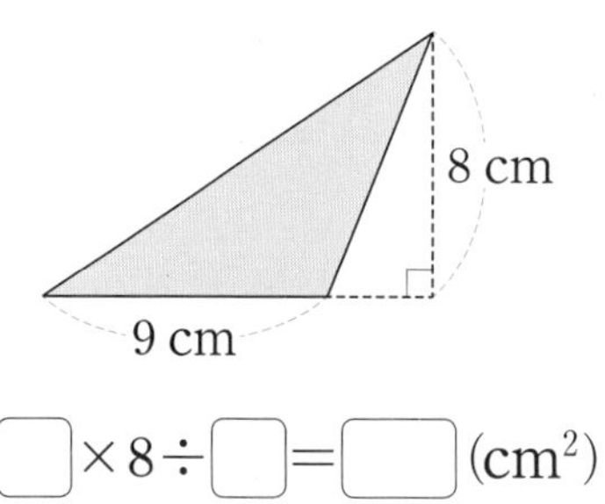

□×8÷□=□(cm^2)

개념 돌파 전략 ❷

예제 1 분모가 다른 진분수의 덧셈

$$\frac{1}{2}+\frac{7}{8}=\frac{4}{8}+\frac{7}{8}$$
$$=\frac{11}{8}=1\frac{3}{8}$$

두 분모의 ❶ ☐ 를 공통분모로 하여 ❷ ☐ 한 후 계산합니다.

[답] ❶ 최소공배수 ❷ 통분

1 ☐ 안에 알맞은 수를 써넣으시오.

(1) $\frac{2}{3}+\frac{4}{7}=\frac{\square}{21}+\frac{\square}{21}=\frac{\square}{21}=\square$

(2) $\frac{5}{6}+\frac{2}{9}=\frac{\square}{18}+\frac{\square}{18}=\frac{\square}{18}=\square$

예제 2 분모가 다른 대분수의 덧셈

$$2\frac{4}{5}+1\frac{3}{10}=2\frac{8}{10}+1\frac{3}{10}$$
$$=(2+1)+\left(\frac{8}{10}+\frac{3}{10}\right)$$
$$=3+1\frac{1}{10}=4\frac{1}{10}$$

두 분수를 통분한 다음 자연수는 ❶ ☐ 끼리, 분수는 ❷ ☐ 끼리 계산합니다.

[답] ❶ 자연수 ❷ 분수

2 보기 와 같은 방법으로 계산해 보시오.

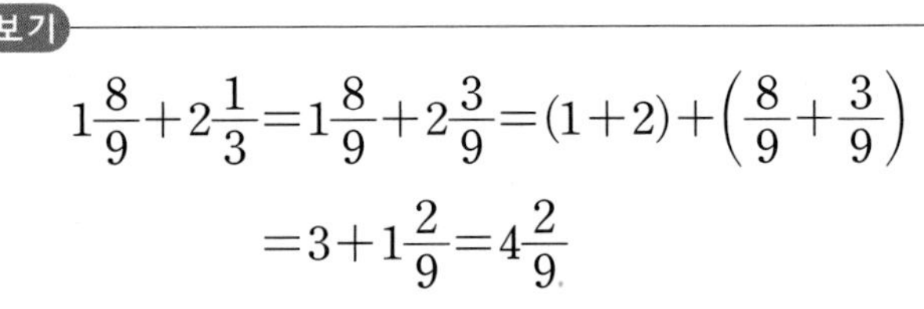

보기

$$1\frac{8}{9}+2\frac{1}{3}=1\frac{8}{9}+2\frac{3}{9}=(1+2)+\left(\frac{8}{9}+\frac{3}{9}\right)$$
$$=3+1\frac{2}{9}=4\frac{2}{9}$$

$2\frac{3}{4}+2\frac{7}{8}$

예제 3 분모가 다른 대분수의 뺄셈

$$4\frac{1}{12}-2\frac{5}{6}=4\frac{1}{12}-2\frac{10}{12}$$
$$=3\frac{13}{12}-2\frac{10}{12}$$
$$=1\frac{3}{12}=1\frac{1}{4}$$

두 분수를 통분한 다음 ❶ ☐ 부분끼리 뺄 수 없으면 자연수 부분에서 ❷ ☐ 을 받아내림하여 계산합니다.

[답] ❶ 분수 ❷ 1

3 계산해 보시오.

(1) $3\frac{2}{5}-1\frac{2}{7}$

(2) $5\frac{1}{6}-2\frac{5}{8}$

두 분모의 곱이나
최소공배수로 통분하여
계산해요.

▶정답 및 풀이 19쪽

예제 4 정다각형의 둘레

정다각형	한 변의 길이(cm)	변의 수 (개)	둘레(cm)
정삼각형	3	3	$3\times3=9$
정사각형	3	4	$3\times4=12$
정오각형	3	5	$3\times5=15$

(정다각형의 둘레)
=(한 ❶ [ ] 의 길이)×(❷ [ ] 의 수)

[답] ❶ 변 ❷ 변

4 정육각형의 둘레를 구하시오.

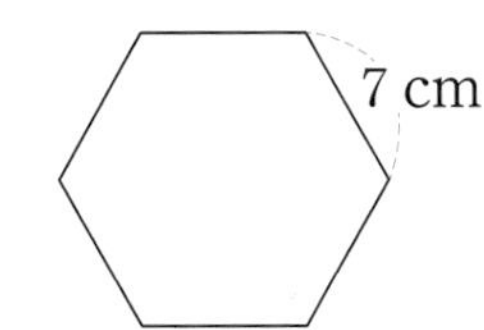

(   )

예제 5 1 m^2와 1 km^2 알아보기

- 1 m^2: 한 변의 길이가 1 m인 정사각형의 넓이 ➡ $1\text{ m}^2=10000\text{ cm}^2$
- 1 km^2: 한 변의 길이가 1 km인 정사각형의 넓이 ➡ $1\text{ km}^2=1000000\text{ m}^2$

1 m^2는 1 cm^2의 ❶ [ ] 배이고
1 km^2는 1 m^2의 ❷ [ ] 배입니다.

[답] ❶ 10000 ❷ 1000000

5 □ 안에 알맞은 수를 써넣으시오.

(1) $2\text{ m}^2=$ □ cm^2

(2) $70000\text{ cm}^2=$ □ m^2

(3) $5\text{ km}^2=$ □ m^2

(4) $9000000\text{ m}^2=$ □ km^2

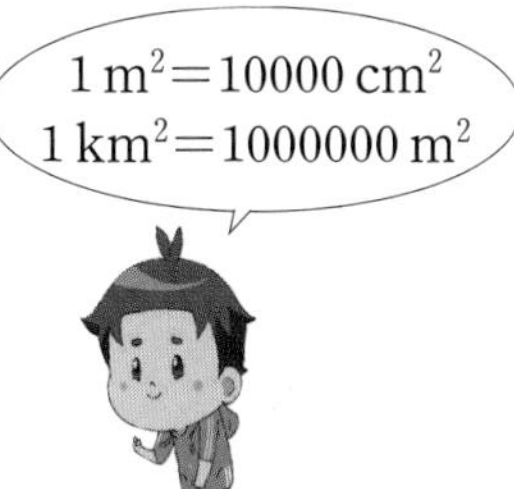

3 주

예제 6 사다리꼴의 넓이 알아보기

윗변
높이
아랫변

밑변: 평행한 두 변
높이: 두 밑변 사이의 거리

(사다리꼴의 넓이)
=((윗변의 길이)+(❶ [ ] 의 길이))
×(❷ [ ])÷2

[답] ❶ 아랫변 ❷ 높이

6 사다리꼴의 넓이를 구하시오.

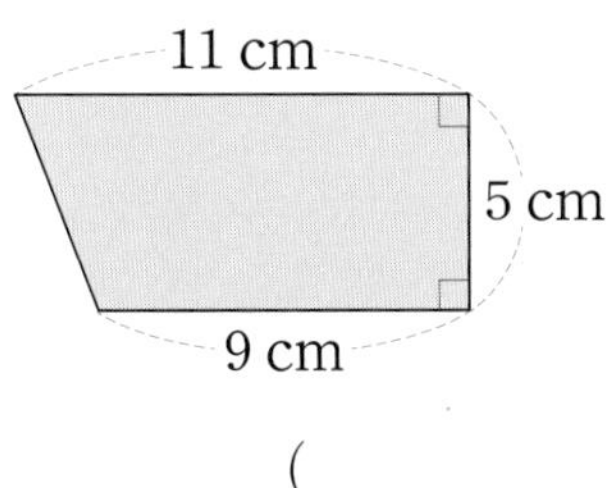

(   )

전략 1 ■보다 ▲ 큰 수 구하기

[관련 단원] **분수의 덧셈과 뺄셈**

예 다음이 나타내는 수 구하기

$\frac{1}{2}$보다 $\frac{2}{5}$ 큰 수

(1) $\frac{1}{2}$보다 $\frac{2}{5}$ 큰 수를 식으로 나타내기: $\frac{1}{2}+\frac{2}{5}$

(2) $\frac{1}{2}$보다 $\frac{2}{5}$ 큰 수 구하기

$\frac{1}{2}+\frac{2}{5}=\frac{5}{10}+\frac{❶\square}{10}=\frac{❷\square}{10}$

답 ❶ 4 ❷ 9

필수 예제 01

다음이 나타내는 수를 구하시오.

$\frac{3}{8}$보다 $\frac{1}{7}$ 큰 수

(　　　　　　　　)

풀이 | $\frac{3}{8}$보다 $\frac{1}{7}$ 큰 수: $\frac{3}{8}+\frac{1}{7}$

➡ $\frac{3}{8}+\frac{1}{7}=\frac{21}{56}+\frac{8}{56}=\frac{29}{56}$

확인 1-1

다음이 나타내는 수를 구하시오.

$\frac{2}{3}$보다 $\frac{4}{15}$ 큰 수

(　　　　　　　　)

확인 1-2

다음이 나타내는 수를 구하시오.

$\frac{7}{9}$보다 $\frac{5}{12}$ 큰 수

(　　　　　　　　)

▶정답 및 풀이 20쪽

전략 2 수직선에서 □ 안에 알맞은 수 구하기

[관련 단원] **분수의 덧셈과 뺄셈**

예 수직선에서 ■에 알맞은 수 구하기

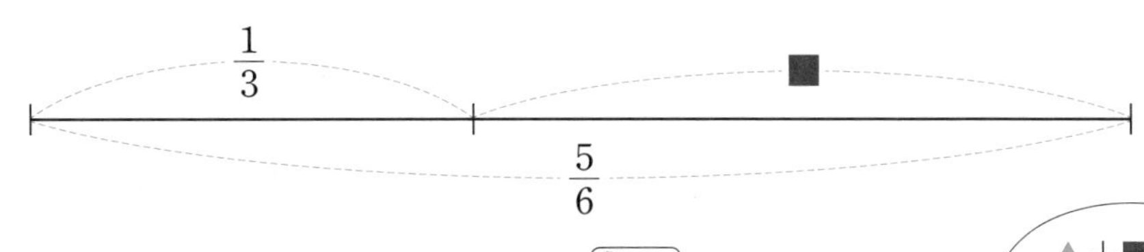

(1) 수직선을 보고 덧셈식으로 나타내기: $\frac{1}{3}$+■= ❶

(2) ■에 알맞은 수 구하기

$\frac{1}{3}$+■=$\frac{5}{6}$ ➡ ■=$\frac{5}{6}-\frac{1}{3}=\frac{5}{6}-\frac{2}{6}=\frac{❷}{6}=\frac{❸}{2}$

답 ❶ $\frac{5}{6}$ ❷ 3 ❸ 1

필수 예제 02

수직선에서 □ 안에 알맞은 수를 구하시오.

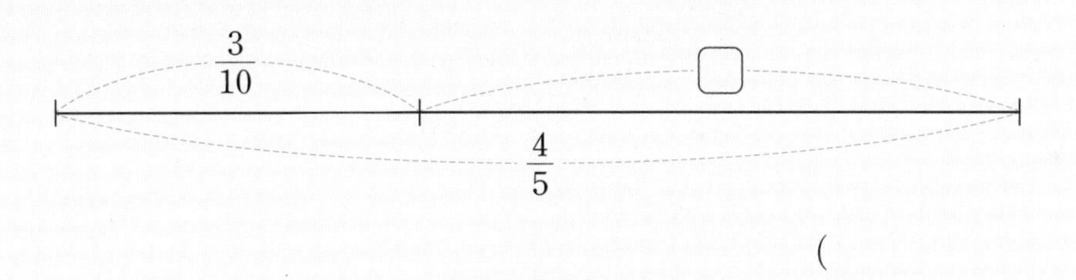

( )

풀이 | $\frac{3}{10}+□=\frac{4}{5}$

➡ $□=\frac{4}{5}-\frac{3}{10}=\frac{8}{10}-\frac{3}{10}=\frac{5}{10}=\frac{1}{2}$

확인 2-1

수직선에서 □ 안에 알맞은 수를 구하시오.

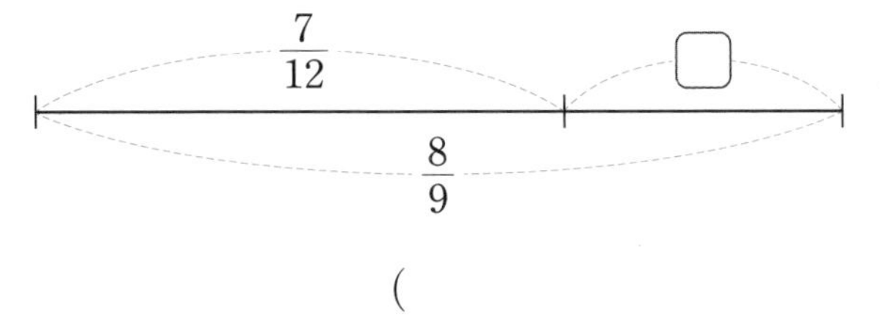

( )

확인 2-2

수직선에서 □ 안에 알맞은 수를 구하시오.

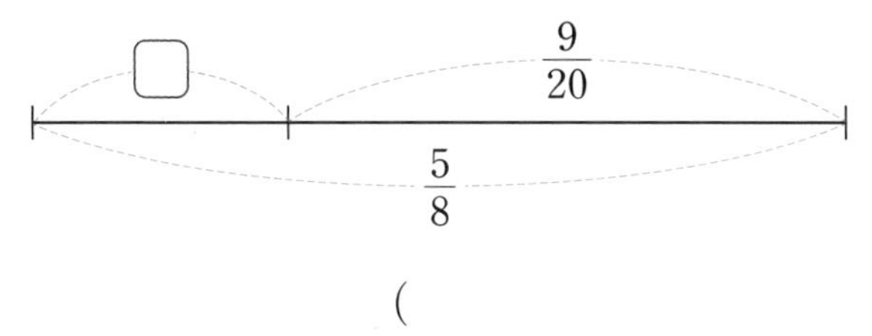

( )

전략 3 평행사변형의 둘레를 알 때 변의 길이 구하기

[관련 단원] 다각형의 둘레와 넓이

예 평행사변형의 둘레가 26 cm일 때 ■에 알맞은 수 구하기

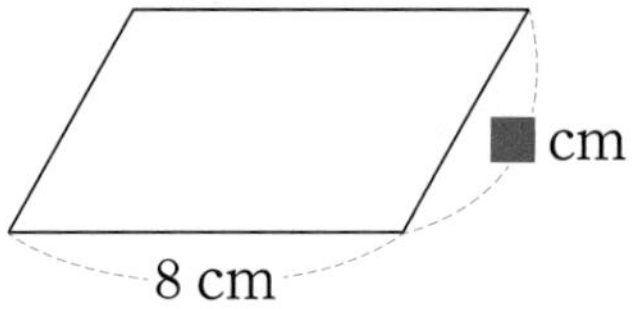

(평행사변형의 둘레)
=((한 변의 길이)+(다른 한 변의 길이))×2

(1) 평행사변형의 둘레를 구하는 식 만들기: (8+■)×❶ ☐ =26

(2) ■에 알맞은 수 구하기

(8+■)×2=26 ➡ 8+■=❷ ☐ , ■=❸ ☐

답 ❶ 2 ❷ 13 ❸ 5

필수 예제 03

평행사변형의 둘레가 34 cm일 때 ☐ 안에 알맞은 수를 구하시오.

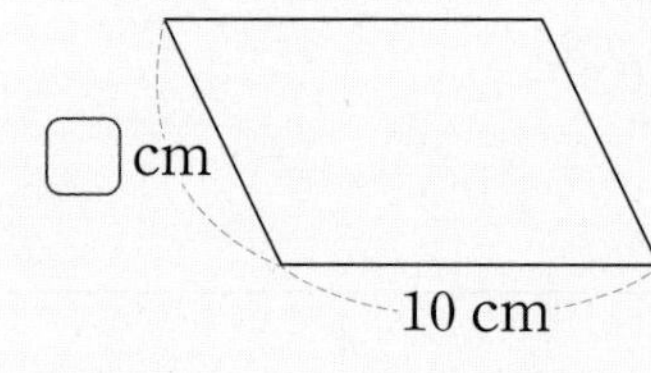

(　　　　　　　　)

풀이 | 평행사변형의 둘레를 구하는 식은 (10+☐)×2=34입니다.
(10+☐)×2=34 ➡ 10+☐=17, ☐=7

확인 3-1

평행사변형의 둘레가 36 cm일 때 ☐ 안에 알맞은 수를 구하시오.

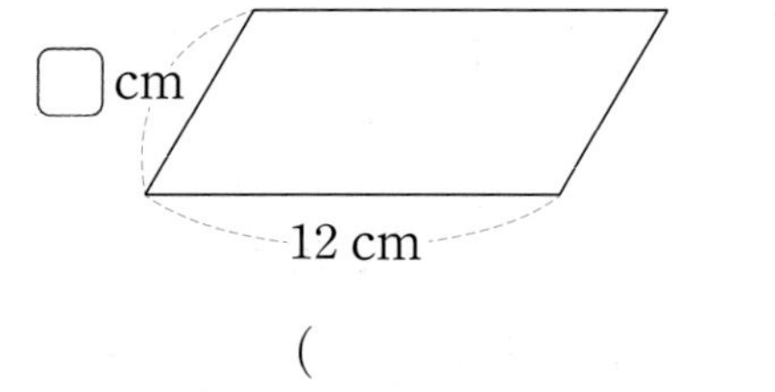

(　　　　　　　　)

확인 3-2

평행사변형의 둘레가 48 cm일 때 ☐ 안에 알맞은 수를 구하시오.

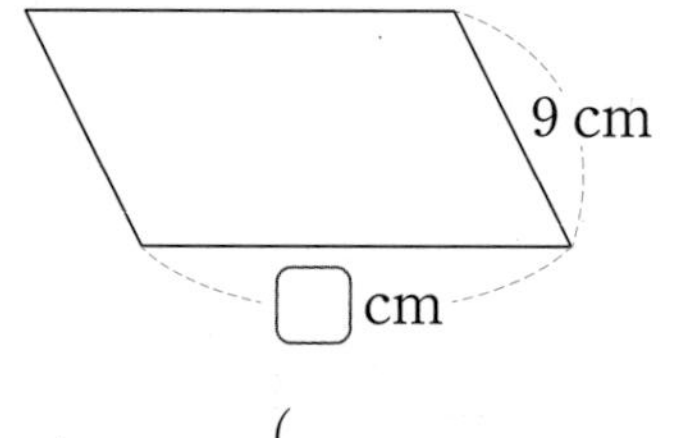

(　　　　　　　　)

▶정답 및 풀이 20쪽

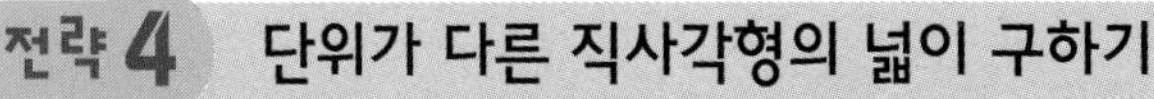

전략 4 단위가 다른 직사각형의 넓이 구하기

[관련 단원] 다각형의 둘레와 넓이

예 직사각형의 넓이는 몇 m^2인지 구하기

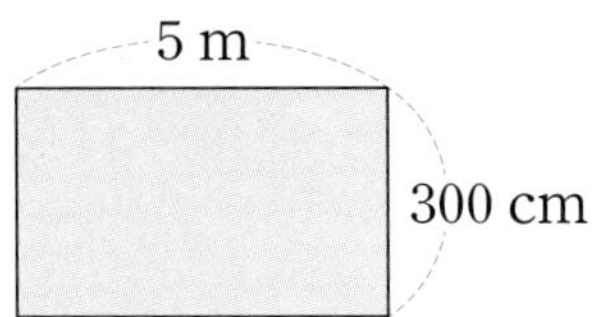

(1) cm를 m 단위로 나타내기

100 cm=1 m이므로 300 cm=❶[ ] m입니다.

(2) 직사각형의 넓이는 몇 m^2인지 구하기

(직사각형의 넓이)=5×❷[ ]=❸[ ] (m^2)

답 ❶ 3 ❷ 3 ❸ 15

필수 예제 | 04 |

직사각형의 넓이는 몇 m^2인지 구하시오.

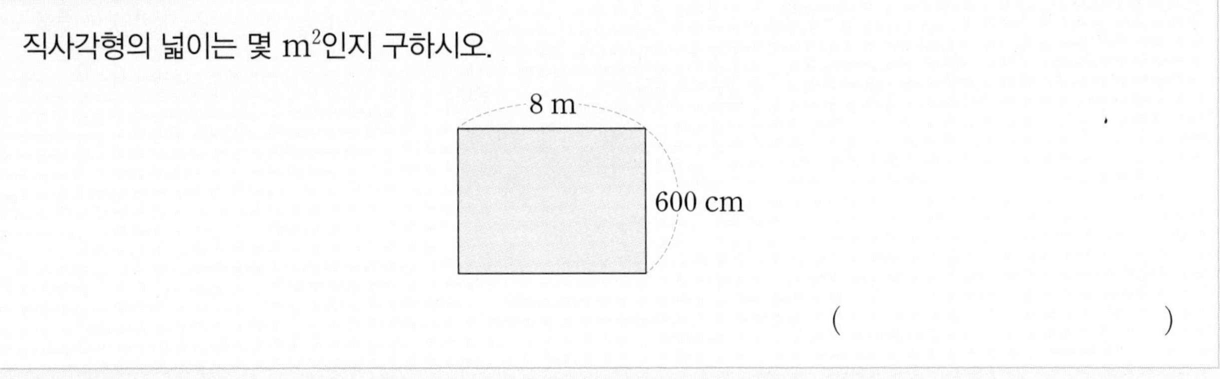

(   )

풀이 | 600 cm=6 m

➡ (직사각형의 넓이)=8×6=48 (m^2)

확인 4-1

직사각형의 넓이는 몇 m^2인지 구하시오.

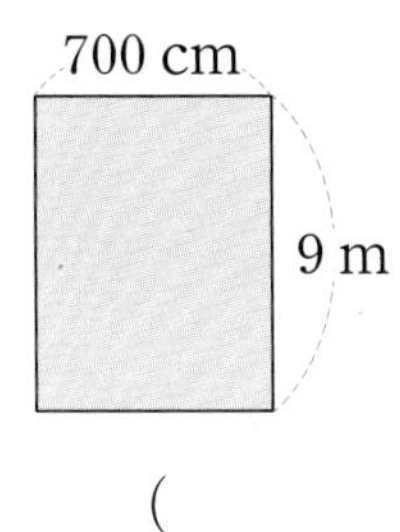

(   )

확인 4-2

직사각형의 넓이는 몇 m^2인지 구하시오.

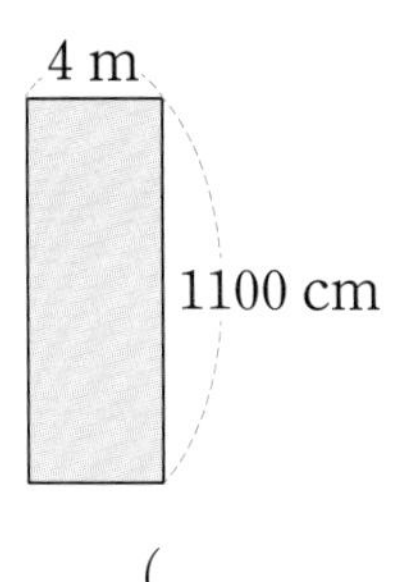

(   )

[관련 단원] **분수의 덧셈과 뺄셈**

1 계산 결과를 찾아 이어 보시오.

$\frac{2}{5}+\frac{1}{6}$ •

$\frac{3}{10}+\frac{1}{14}$ •

• $\frac{14}{15}$

• $\frac{17}{30}$

• $\frac{13}{35}$

Tip

$\frac{2}{5}+\frac{1}{6}=\frac{12}{30}+\frac{❶\square}{30}$

$\frac{3}{10}+\frac{1}{14}=\frac{21}{70}+\frac{❷\square}{70}$

답 ❶ 5 ❷ 5

[관련 단원] **분수의 덧셈과 뺄셈**

2 계산에서 틀린 곳을 찾아 바르게 계산해 보시오.

$$5\frac{1}{3}-2\frac{4}{9}=5\frac{3}{9}-2\frac{4}{9}=5\frac{12}{9}-2\frac{4}{9}$$
$$=(5-2)+\left(\frac{12}{9}-\frac{4}{9}\right)=3\frac{8}{9}$$

$5\frac{1}{3}-2\frac{4}{9}$

Tip

$5\frac{1}{3}-2\frac{4}{9}=5\frac{3}{9}-2\frac{4}{9}$에서 $\frac{3}{9}-\frac{4}{9}$를 계산할 수 없으므로 자연수 부분에서 ❶☐을 받아 ❷☐하여 계산합니다.

답 ❶ 1 ❷ 내림

[관련 단원] **분수의 덧셈과 뺄셈**

3 소정이네 집에서 병원을 거쳐 은행까지 가는 거리는 몇 km입니까?

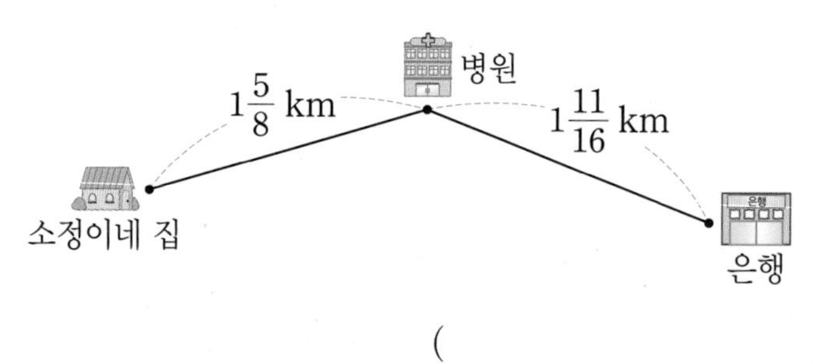

( )

Tip

소정이네 집에서 병원까지의 거리 ❶☐ km와 병원에서 은행까지의 거리 ❷☐ km를 더합니다.

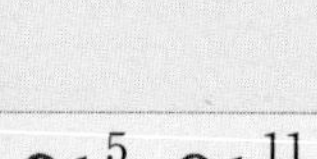

▶정답 및 풀이 20쪽

[관련 단원] **다각형의 둘레와 넓이**

4 ❶ 정삼각형의 둘레가 15 cm일 때 ❷ □ 안에 알맞은 수를 써넣으시오.

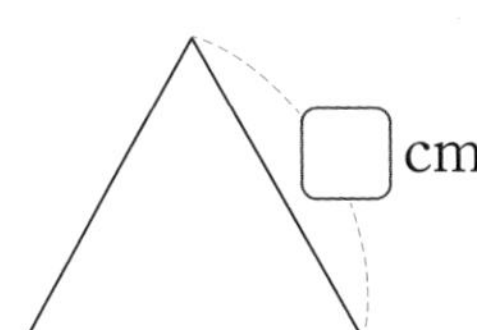

정삼각형은 세 변의 길이가 모두 같아요.

Tip
❶ (정삼각형의 둘레)
=(한 변의 길이)×❶□
❷ (한 변의 길이)
=(정삼각형의 둘레)÷❷□

답 ❶ 3 ❷ 3

[관련 단원] **다각형의 둘레와 넓이**

5 단위를 바르게 나타낸 것은 어느 것입니까? (　　　　　)

① $6\ m^2 = 600\ cm^2$
② $3\ km^2 = 3000\ m^2$
③ $50000\ cm^2 = 50\ m^2$
④ $8000000\ m^2 = 8\ km^2$
⑤ $1400000\ m^2 = 14\ km^2$

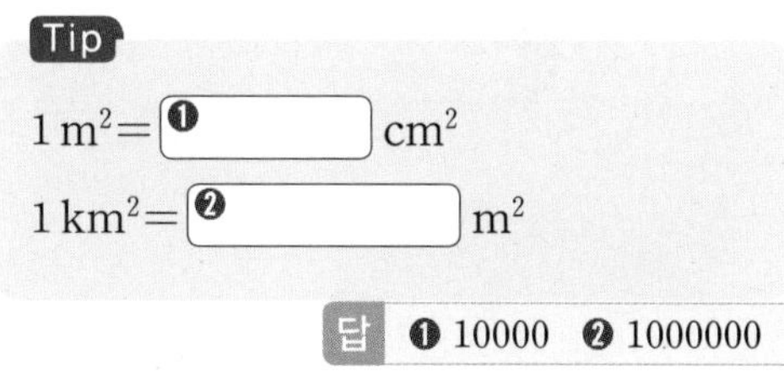

답 ❶ 10000 ❷ 1000000

[관련 단원] **다각형의 둘레와 넓이**

6 평행사변형의 넓이가 다른 하나를 찾아 기호를 써 보시오.

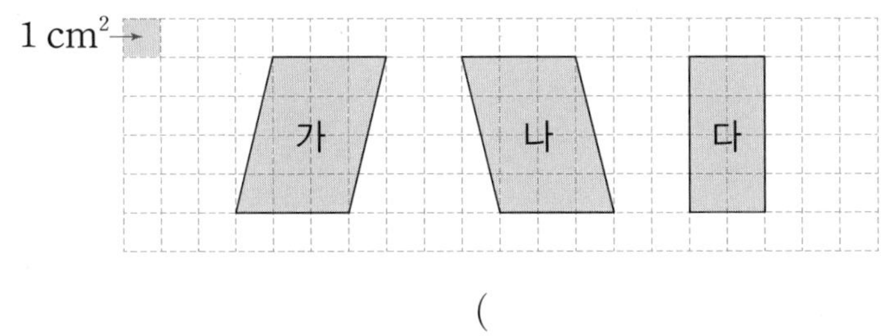

(　　　　　　　　　　)

Tip
가: 밑변의 길이 3 cm, 높이 4 cm
나: 밑변의 길이 3 cm, 높이 ❶□ cm
다: 밑변의 길이 ❷□ cm, 높이 4 cm

답 ❶ 4 ❷ 2

3주

전략 1 가장 큰 수와 가장 작은 수의 차 구하기

[관련 단원] 분수의 덧셈과 뺄셈

예 가장 큰 수와 가장 작은 수의 차 구하기

$1\frac{4}{9}$ $5\frac{1}{2}$ $3\frac{6}{7}$

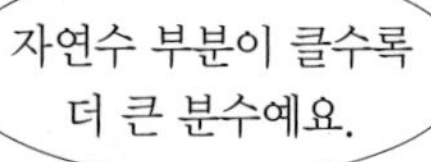

(1) 세 수의 크기 비교하기

$5\frac{1}{2}>3\frac{6}{7}>1\frac{4}{9}$이므로 가장 큰 수는 $5\frac{1}{2}$, 가장 작은 수는 ❶ [ ] 입니다.

(2) 가장 큰 수와 가장 작은 수의 차 구하기

$5\frac{1}{2}-1\frac{4}{9}=5\frac{9}{18}-1\frac{❷\square}{18}=4\frac{❸\square}{18}$

답 ❶ $1\frac{4}{9}$ ❷ 8 ❸ 1

필수 예제 01

가장 큰 수와 가장 작은 수의 차를 구하시오.

$4\frac{1}{3}$ $3\frac{5}{8}$ $1\frac{3}{4}$

( )

풀이 | $4\frac{1}{3}>3\frac{5}{8}>1\frac{3}{4}$이므로 가장 큰 수는 $4\frac{1}{3}$, 가장 작은 수는 $1\frac{3}{4}$입니다.

➡ $4\frac{1}{3}-1\frac{3}{4}=4\frac{4}{12}-1\frac{9}{12}=3\frac{16}{12}-1\frac{9}{12}=2\frac{7}{12}$

확인 1-1

가장 큰 수와 가장 작은 수의 차를 구하시오.

$3\frac{5}{6}$ $2\frac{2}{5}$ $5\frac{4}{7}$

( )

확인 1-2

가장 큰 수와 가장 작은 수의 차를 구하시오.

$4\frac{3}{10}$ $6\frac{1}{8}$ $3\frac{7}{9}$

( )

전략 2 □ 안에 들어갈 수 있는 수 구하기

[관련 단원] 분수의 덧셈과 뺄셈

예 ■에 알맞은 자연수 구하기

$$1\frac{7}{9}+1\frac{2}{3}>3\frac{■}{9}$$

(1) $1\frac{7}{9}+1\frac{2}{3}$ 계산하기

$1\frac{7}{9}+1\frac{2}{3}=1\frac{7}{9}+1\frac{6}{9}=2+\frac{13}{9}=2+1\frac{4}{9}=3\frac{❶\square}{9}$

(2) ■에 알맞은 자연수 구하기

$3\frac{4}{9}>3\frac{■}{9}$에서 $4>$■이므로 ■에 알맞은 자연수는 1, ❷□, ❸□입니다.

답 ❶ 4 ❷ 2 ❸ 3

필수 예제 02

□ 안에 들어갈 수 있는 자연수를 모두 구하시오.

$$3\frac{3}{5}+1\frac{4}{7}>5\frac{\square}{35}$$

( )

풀이 | $3\frac{3}{5}+1\frac{4}{7}=3\frac{21}{35}+1\frac{20}{35}=4+\frac{41}{35}=4+1\frac{6}{35}=5\frac{6}{35}$

➡ $5\frac{6}{35}>5\frac{\square}{35}$에서 $6>\square$이므로 □ 안에 들어갈 수 있는 자연수는 1, 2, 3, 4, 5입니다.

확인 2-1

□ 안에 들어갈 수 있는 자연수를 모두 구하시오.

$$1\frac{5}{6}+2\frac{3}{4}>4\frac{\square}{12}$$

( )

확인 2-2

□ 안에 들어갈 수 있는 자연수를 모두 구하시오.

$$6\frac{\square}{40}<1\frac{5}{8}+4\frac{9}{20}$$

( )

3주

전략 3 넓이 비교하기

[관련 단원] 다각형의 둘레와 넓이

예 넓이가 더 넓은 것의 기호 쓰기

㉠ $6\ km^2$ ㉡ $4000000\ m^2$

$1\ km^2=1000000\ m^2$

(1) $4000000\ m^2$를 km^2로 나타내기

$1000000\ m^2=1\ km^2$이므로 $4000000\ m^2=$ ❶ km^2입니다.

(2) 넓이가 더 넓은 것의 기호 쓰기

$6\ km^2$ ❷ ○ $4\ km^2$이므로 넓이가 더 넓은 것의 기호는 ❸ 입니다.

답 ❶ 4 ❷ > ❸ ㉠

필수 예제 03

넓이가 더 넓은 것의 기호를 써 보시오.

㉠ $3\ km^2$ ㉡ $800000\ m^2$

(1) $800000\ m^2$를 km^2로 나타내어 보시오.

$800000\ m^2=$ □ km^2

(2) 넓이가 더 넓은 것의 기호를 써 보시오.

( )

풀이 | (1) $800000\ m^2=0.8\ km^2$

(2) $3\ km^2>0.8\ km^2$이므로 넓이가 더 넓은 것은 ㉠입니다.

확인 3-1

넓이가 더 넓은 것의 기호를 써 보시오.

㉠ $11000000\ m^2$

㉡ $7\ km^2$

( )

확인 3-2

넓이가 더 넓은 것의 기호를 써 보시오.

㉠ $29\ km^2$

㉡ $50000000\ m^2$

( )

▶정답 및 풀이 21쪽

전략 4 삼각형의 넓이를 알 때 높이 또는 밑변의 길이 구하기

[관련 단원] 다각형의 둘레와 넓이

예 삼각형의 넓이가 40 cm²일 때 ■에 알맞은 수 구하기

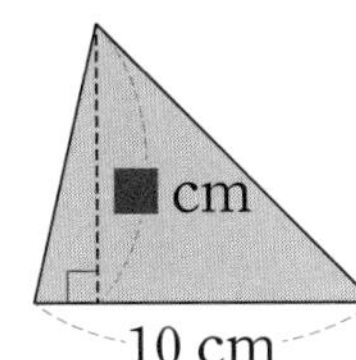

넓이: 40 cm²

(삼각형의 넓이)
=(밑변의 길이)×(높이)÷2

(1) 삼각형의 넓이를 구하는 식 만들기: 10×■÷❶☐=40

(2) ■에 알맞은 수 구하기

10×■÷2=40 ➡ 10×■=❷☐, ■=❸☐

필수 예제 04

삼각형의 넓이가 21 cm²일 때 ☐ 안에 알맞은 수를 써넣으시오.

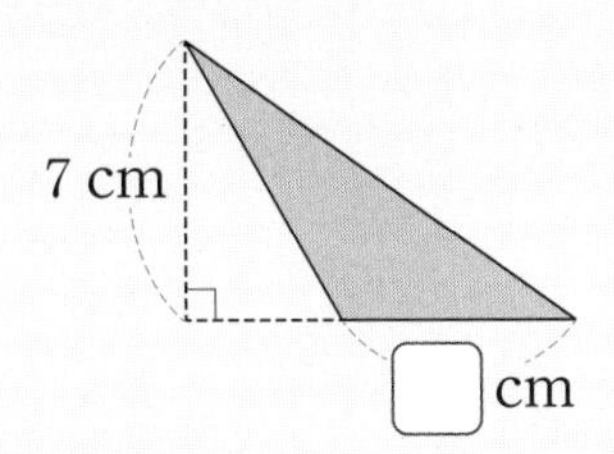

넓이: 21 cm²

풀이 | 삼각형의 넓이를 구하는 식은 ☐×7÷2=21입니다.
☐×7÷2=21 ➡ ☐×7=42, ☐=6

확인 4-1

삼각형의 넓이가 54 cm²일 때 ☐ 안에 알맞은 수를 써넣으시오.

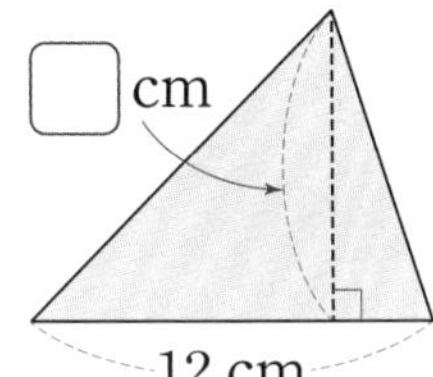

넓이: 54 cm²

확인 4-2

삼각형의 넓이가 77 cm²일 때 ☐ 안에 알맞은 수를 써넣으시오.

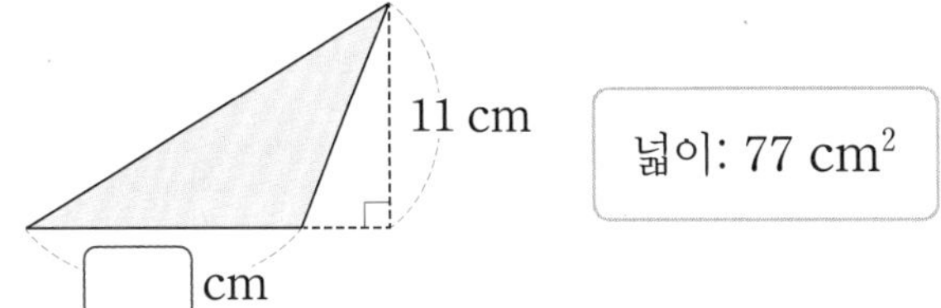

3주

3주 03일 필수 체크 전략 ❷

[관련 단원] **분수의 덧셈과 뺄셈**

1 계산 결과를 비교하여 ◯ 안에 >, =, <를 알맞게 써넣으시오.

$$\frac{1}{6}+\frac{5}{24} \bigcirc \frac{11}{12}-\frac{3}{8}$$

Tip

$\frac{1}{6}+\frac{5}{24}=\frac{❶\square}{24}+\frac{5}{24}$

$\frac{11}{12}-\frac{3}{8}=\frac{22}{24}-\frac{❷\square}{24}$

답 ❶ 4 ❷ 9

[관련 단원] **분수의 덧셈과 뺄셈**

2 3장의 수 카드를 한 번씩 모두 사용하여 만들 수 있는 가장 큰 대분수에서 $1\frac{9}{10}$를 뺀 값을 구하시오.

5 2 8

( )

Tip

가장 큰 대분수는 자연수 부분에 가장 큰 수를 놓아야 하므로 ❶$\square\frac{2}{5}$입니다.

➡ ❷$\square\frac{2}{5}-1\frac{9}{10}$를 계산합니다.

답 ❶ 8 ❷ 8

[관련 단원] **분수의 덧셈과 뺄셈**

3 ❶ 어머니께서 돼지고기와 쇠고기를 다음과 같이 사 오셨습니다. ❷ 저녁에 고기를 $2\frac{3}{4}$ kg 구워 먹었다면 남은 고기는 몇 kg입니까?

❶

돼지고기 $3\frac{1}{2}$ kg

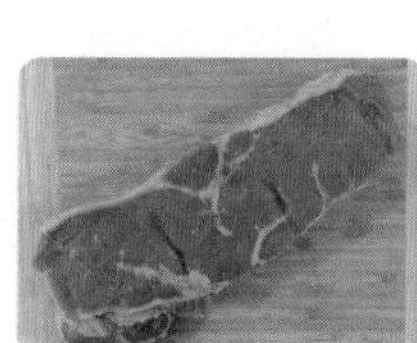

쇠고기 $1\frac{4}{5}$ kg

( )

Tip

❶ 어머니께서 사 오신 고기의 양은 $\left(3\frac{1}{2}+❶\square\right)$ kg입니다.

❷ 남은 고기의 양은 ❶에서 구한 고기의 양에서 ❷$\square$ kg을 뺍니다.

답 ❶ $1\frac{4}{5}$ ❷ $2\frac{3}{4}$

▶정답 및 풀이 22쪽

[관련 단원] **다각형의 둘레와 넓이**

4 직사각형 가와 마름모 나의 넓이의 차는 몇 cm^2인지 구하시오.

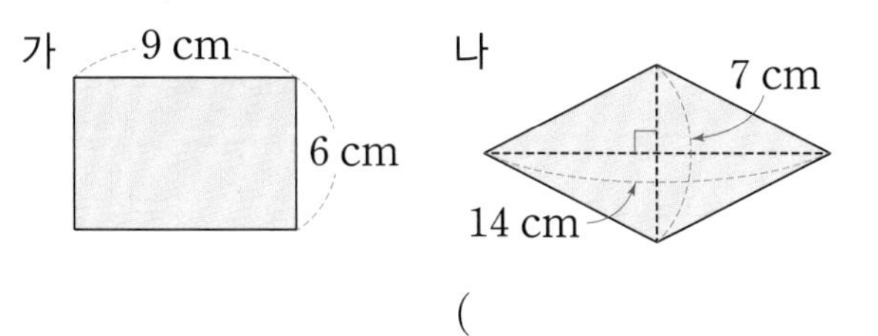

(   )

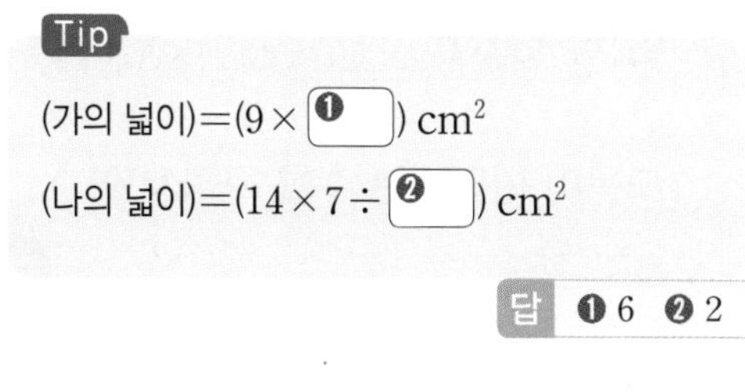

[관련 단원] **다각형의 둘레와 넓이**

5 ☐ 안에 알맞은 수를 써넣으시오.

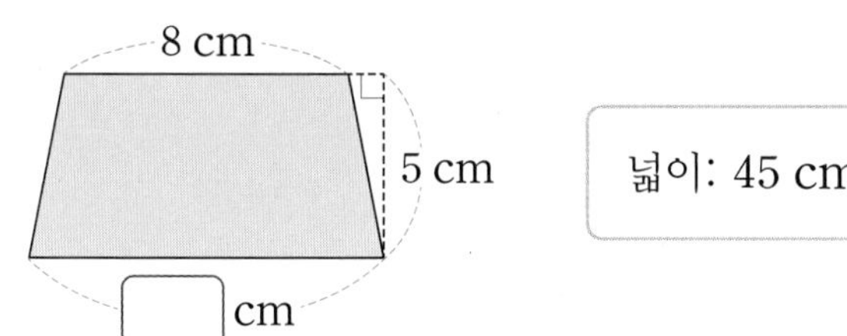

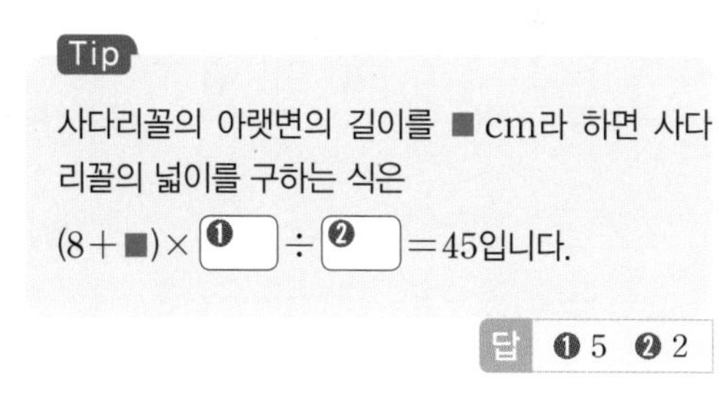

[관련 단원] **다각형의 둘레와 넓이**

6 둘레가 60 m인 정사각형이 있습니다. 이 정사각형의 넓이는 몇 m^2인지 구하시오.

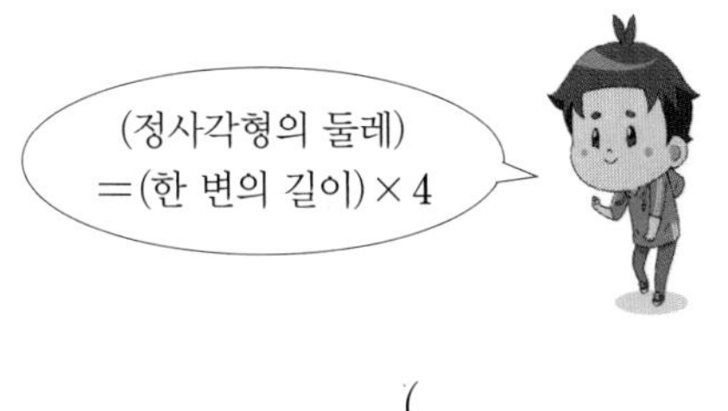

(   )

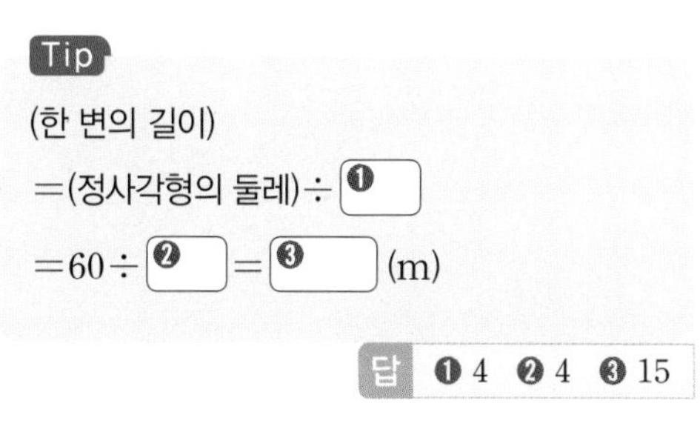

3주

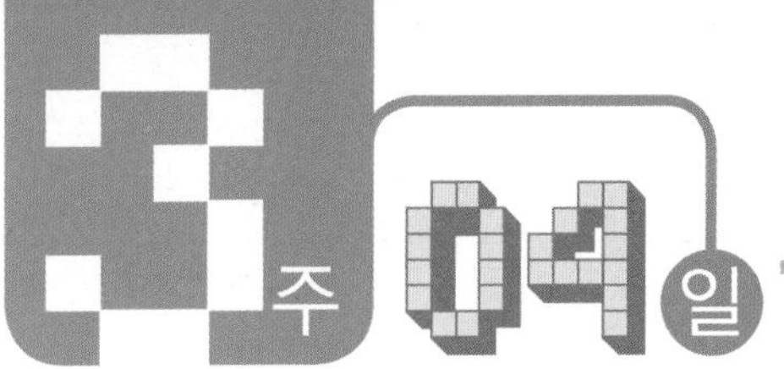

교과서 대표 전략 ❶

대표 예제 01

다음이 나타내는 수를 구하시오.

$\frac{5}{6}$보다 $\frac{7}{9}$ 작은 수

■보다 ▲ 작은 수 ➡ ■−▲

(　　　　　　)

개념가이드

$\frac{5}{6}$보다 $\frac{7}{9}$ 작은 수는 ❶□ − ❷□로 계산합니다.

[답] ❶ $\frac{5}{6}$ ❷ $\frac{7}{9}$

대표 예제 02

계산 결과가 1보다 큰 것에 ○표 하시오.

$\frac{5}{8}+\frac{1}{2}$　　$\frac{4}{7}+\frac{2}{5}$

(　　　　)　(　　　　)

개념가이드

$\frac{5}{8}+\frac{1}{2}=\frac{5}{8}+\frac{❶}{8}$, $\frac{4}{7}+\frac{2}{5}=\frac{❷}{35}+\frac{❸}{35}$

[답] ❶ 4 ❷ 20 ❸ 14

대표 예제 03

□ 안에 알맞은 수를 써넣으시오.

$1\frac{2}{3}+\square=4\frac{5}{12}$

개념가이드

$1\frac{2}{3}+■=4\frac{5}{12}$에서 덧셈과 뺄셈의 관계를 이용하면

❶□ − ❷□ = ■입니다.

[답] ❶ $4\frac{5}{12}$ ❷ $1\frac{2}{3}$

대표 예제 04

냉장고에 우유가 $3\frac{7}{15}$ L 있고 주스가 $1\frac{1}{6}$ L 있습니다. 냉장고에 있는 우유와 주스는 모두 몇 L입니까?

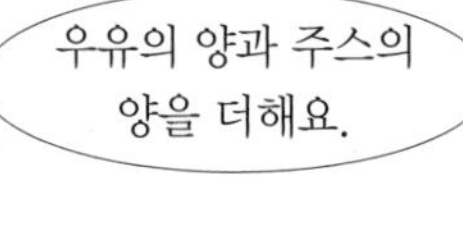

(　　　　　　)

개념가이드

냉장고에 있는 우유와 주스의 양은

(❶□ + ❷□) L입니다.

[답] ❶ $3\frac{7}{15}$ ❷ $1\frac{1}{6}$

▶정답 및 풀이 23쪽

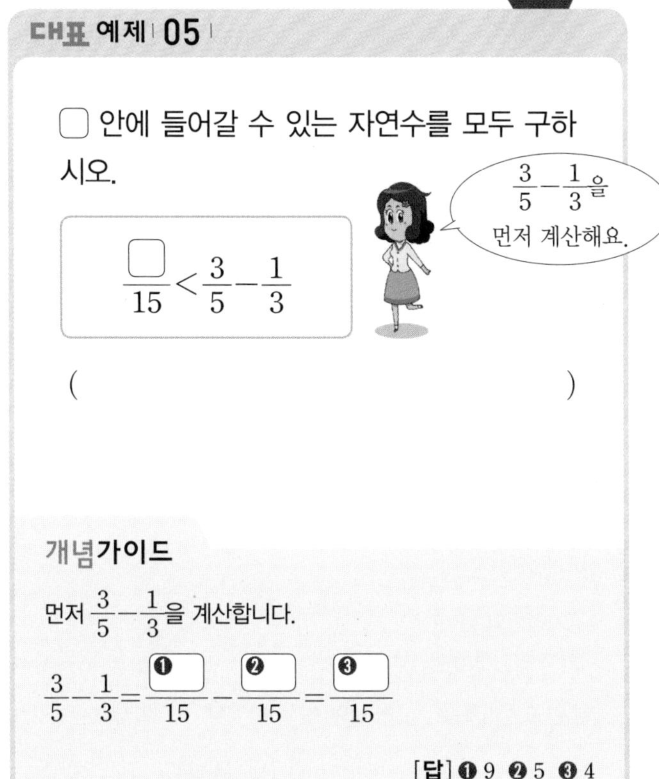

대표 예제 | 05 |

□ 안에 들어갈 수 있는 자연수를 모두 구하시오.

$$\frac{\square}{15} < \frac{3}{5} - \frac{1}{3}$$

(　　　　　　　　　　)

개념가이드

먼저 $\frac{3}{5}-\frac{1}{3}$을 계산합니다.

$\frac{3}{5}-\frac{1}{3}=\frac{❶}{15}-\frac{❷}{15}=\frac{❸}{15}$

[답] ❶ 9 ❷ 5 ❸ 4

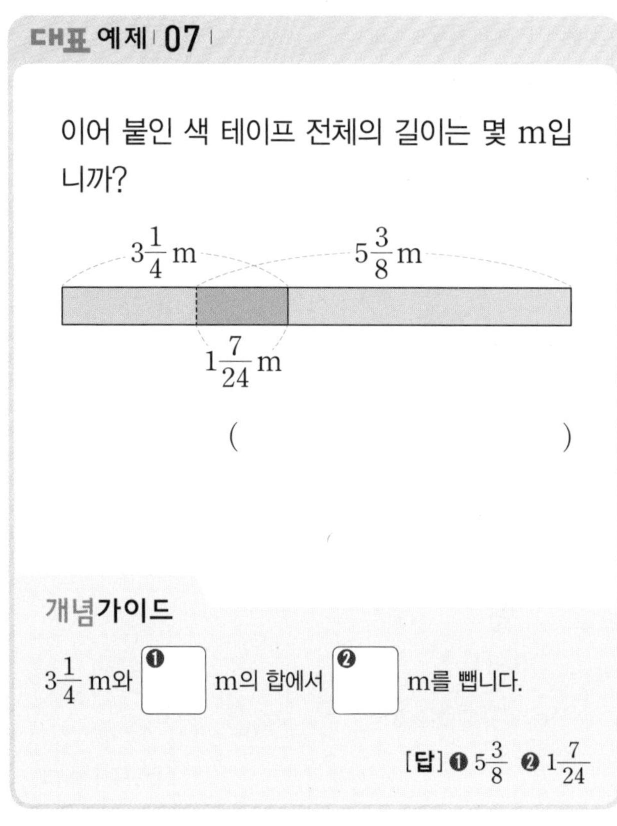

대표 예제 | 07 |

이어 붙인 색 테이프 전체의 길이는 몇 m입니까?

(　　　　　　　　　　)

개념가이드

$3\frac{1}{4}$ m와 ❶ m의 합에서 ❷ m를 뺍니다.

[답] ❶ $5\frac{3}{8}$ ❷ $1\frac{7}{24}$

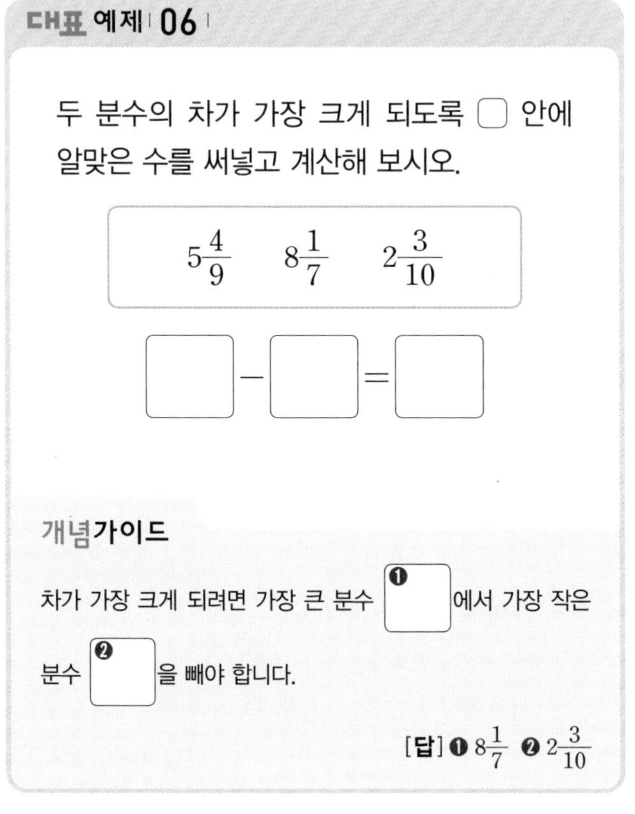

대표 예제 | 06 |

두 분수의 차가 가장 크게 되도록 □ 안에 알맞은 수를 써넣고 계산해 보시오.

$5\frac{4}{9}$　　$8\frac{1}{7}$　　$2\frac{3}{10}$

□ − □ = □

개념가이드

차가 가장 크게 되려면 가장 큰 분수 ❶ 에서 가장 작은 분수 ❷ 을 빼야 합니다.

[답] ❶ $8\frac{1}{7}$ ❷ $2\frac{3}{10}$

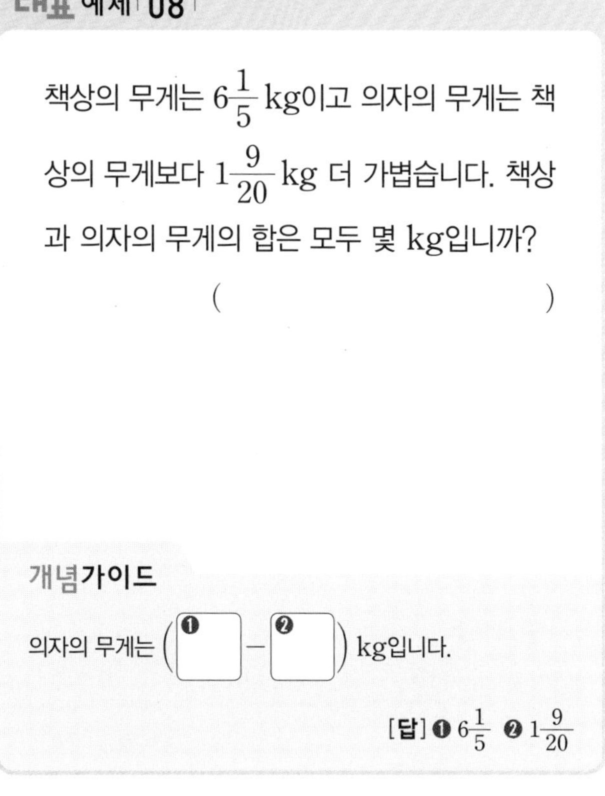

대표 예제 | 08 |

책상의 무게는 $6\frac{1}{5}$ kg이고 의자의 무게는 책상의 무게보다 $1\frac{9}{20}$ kg 더 가볍습니다. 책상과 의자의 무게의 합은 모두 몇 kg입니까?

(　　　　　　　　　　)

개념가이드

의자의 무게는 (❶ − ❷) kg입니다.

[답] ❶ $6\frac{1}{5}$ ❷ $1\frac{9}{20}$

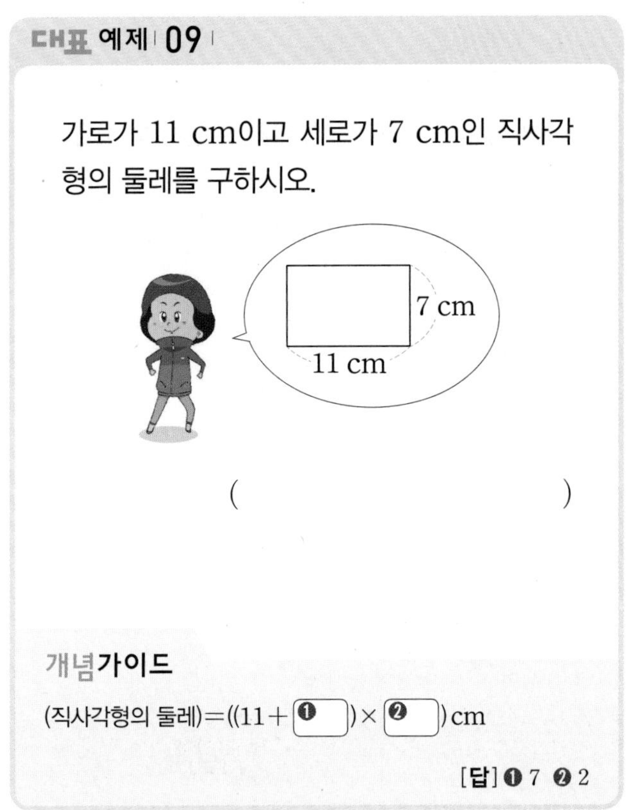

대표 예제 | 09 |

가로가 11 cm이고 세로가 7 cm인 직사각형의 둘레를 구하시오.

(　　　　　　　　　　)

개념가이드

(직사각형의 둘레)=((11+❶ ☐)×❷ ☐) cm

[답] ❶ 7 ❷ 2

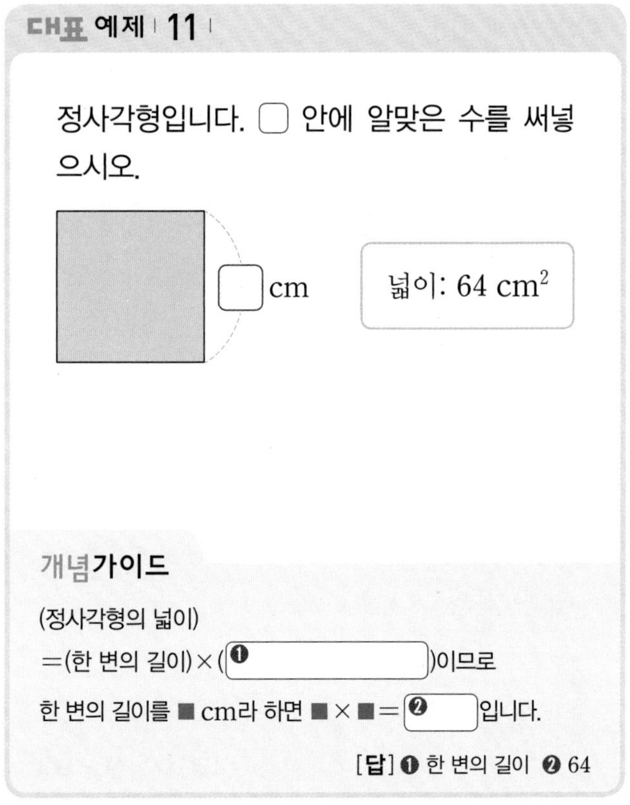

대표 예제 | 11 |

정사각형입니다. ☐ 안에 알맞은 수를 써넣으시오.

개념가이드

(정사각형의 넓이)

=(한 변의 길이)×(❶ ☐)이므로

한 변의 길이를 ■ cm라 하면 ■×■=❷ ☐입니다.

[답] ❶ 한 변의 길이 ❷ 64

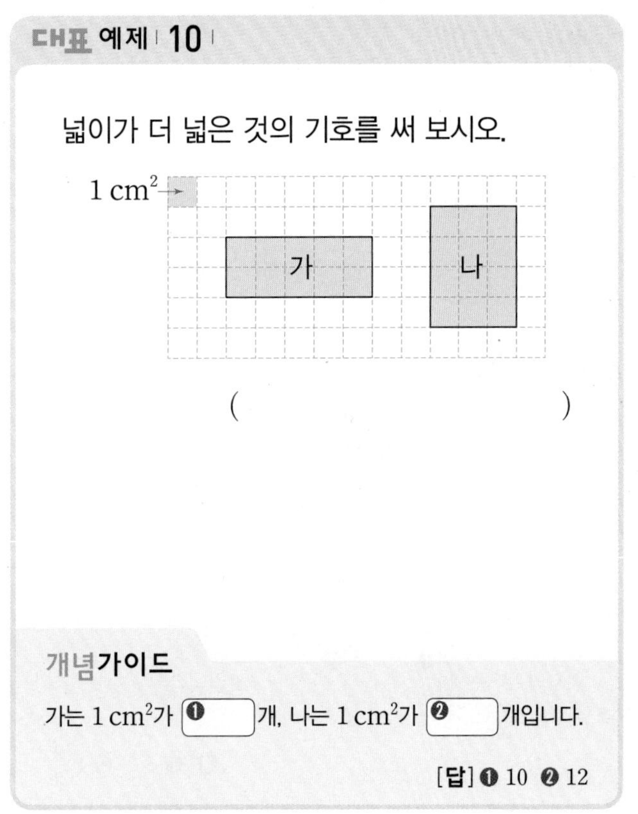

대표 예제 | 10 |

넓이가 더 넓은 것의 기호를 써 보시오.

(　　　　　　　　　　)

개념가이드

가는 1 cm^2가 ❶ ☐개, 나는 1 cm^2가 ❷ ☐개입니다.

[답] ❶ 10 ❷ 12

대표 예제 | 12 |

둘레가 90 cm인 정다각형의 한 변의 길이는 15 cm입니다. 이 정다각형의 이름을 써 보시오.

(　　　　　　　　　　)

개념가이드

(한 변의 길이)×(변의 수)=(정다각형의 둘레)이므로

❶ ☐×(변의 수)=❷ ☐입니다.

[답] ❶ 15 ❷ 90

▶정답 및 풀이 23쪽

대표 예제 13

마름모 가와 사다리꼴 나 중에서 넓이가 더 넓은 것의 기호를 써 보시오.

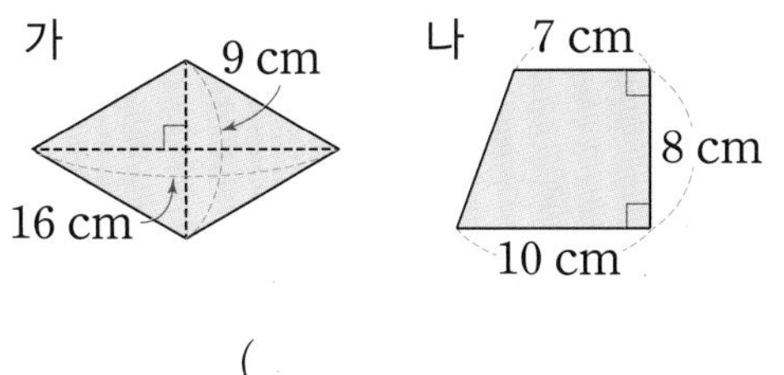

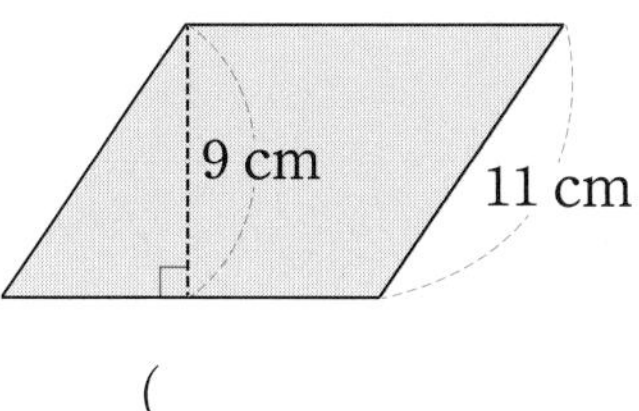

(　　　　　　　　　　)

개념가이드

(가의 넓이)$=(16\times9\div$ ❶ $)$ cm^2

(나의 넓이)$=((7+10)\times$ ❷ $\div$ ❸ $)$ cm^2

[답] ❶ 2 ❷ 8 ❸ 2

대표 예제 15

평행사변형의 넓이는 117 cm^2입니다. 이 평행사변형의 둘레를 구하시오.

9 cm
11 cm

(　　　　　　　　　　)

개념가이드

밑변의 길이를 ■cm라 하면 높이가 9 cm, 넓이가 117 cm^2이므로 평행사변형의 넓이를 구하는 식은

■$\times$ ❶ $=$ ❷ 입니다.

[답] ❶ 9 ❷ 117

대표 예제 14

주어진 마름모와 넓이가 같고 모양이 다른 마름모를 1개 그려 보시오.

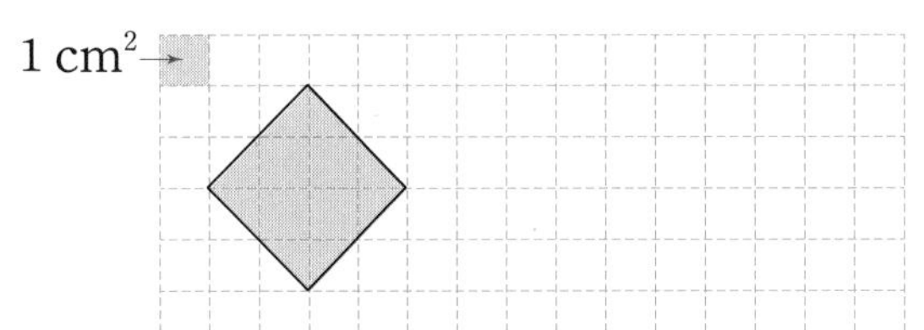

개념가이드

(마름모의 넓이)$=4\times$ ❶ $\div2=$ ❷ (cm^2)

(한 대각선의 길이)$\times$(다른 대각선의 길이)$\div2=$ ❸ 이므로 두 대각선의 길이의 곱이 ❹ 인 마름모를 그립니다.

[답] ❶ 4 ❷ 8 ❸ 8 ❹ 16

대표 예제 16

▢ 안에 알맞은 수를 써넣으시오.

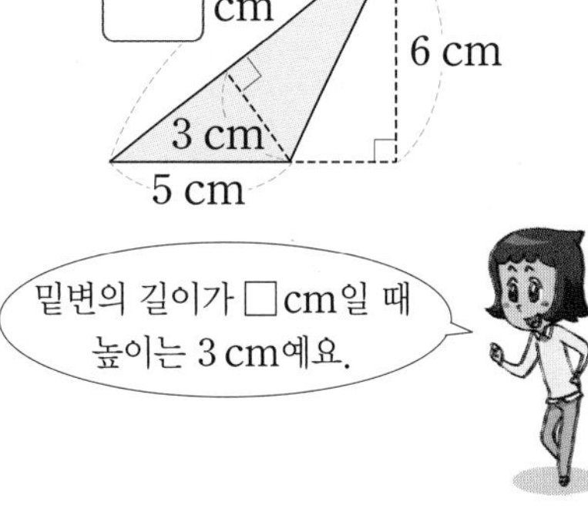

밑변의 길이가 □cm일 때 높이는 3 cm예요.

개념가이드

삼각형의 밑변의 길이가 5 cm일 때 높이는 ❶ cm이므로 넓이는 $(5\times$ ❷ $\div2)$ cm^2입니다.

[답] ❶ 6 ❷ 6

3 주

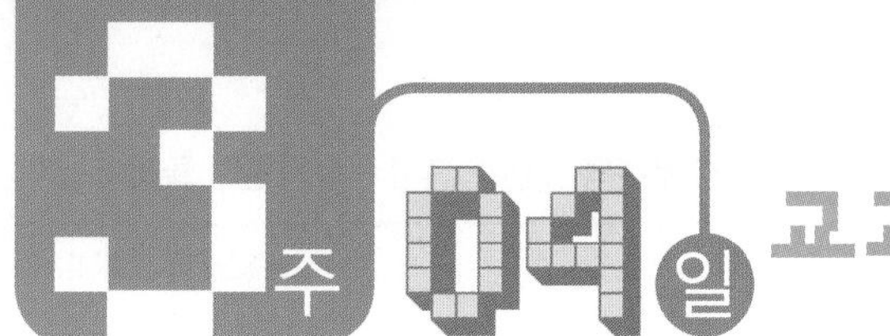

교과서 대표 전략 ❷

1 두 분수의 차를 구하시오.

$\frac{3}{4}$ $\frac{6}{7}$

(　　　　　　　　)

Tip

분자가 분모보다 1 작은 분수는 분모가 클수록 더 큰 분수이므로 $\frac{3}{4}$과 $\frac{6}{7}$의 차는 ❶ $\square$ − ❷ $\square$으로 계산합니다.

답 ❶ $\frac{6}{7}$ ❷ $\frac{3}{4}$

2 빈칸에 알맞은 수를 써넣으시오.

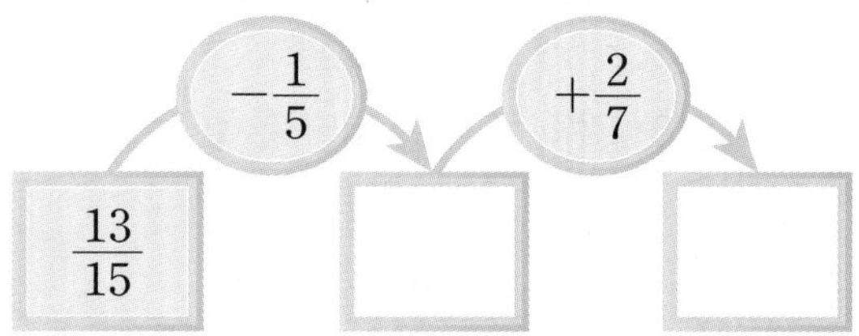

Tip

$\frac{13}{15}-$ ❶ $\square$을 계산한 다음 그 결과에 ❷ $\square$를 더합니다.

답 ❶ $\frac{1}{5}$ ❷ $\frac{2}{7}$

3 계산 결과가 더 큰 것의 기호를 써 보시오.

㉠ $1\frac{2}{3}+1\frac{9}{10}$　　㉡ $5\frac{1}{6}-1\frac{4}{5}$

(　　　　　　　　)

Tip

㉠ $1\frac{2}{3}+1\frac{9}{10}=1\frac{❶\square}{30}+1\frac{❷\square}{30}$

㉡ $5\frac{1}{6}-1\frac{4}{5}=5\frac{❸\square}{30}-1\frac{❹\square}{30}$

답 ❶ 20 ❷ 27 ❸ 5 ❹ 24

4 어떤 수에서 $2\frac{7}{18}$을 빼야 할 것을 잘못하여 더했더니 $5\frac{4}{9}$가 되었습니다. 바르게 계산하면 얼마입니까?

(　　　　　　　　)

Tip

어떤 수를 ■라 하면 잘못 계산한 식은 ■+ ❶ $\square$ = ❷ $\square$입니다.

답 ❶ $2\frac{7}{18}$ ❷ $5\frac{4}{9}$

▶정답 및 풀이 24쪽

5 둘레가 16 cm인 정사각형을 1개 그려 보시오.

Tip

(한 변의 길이) × 4 = (정사각형의 둘레)이므로

(한 변의 길이) × ❶ = ❷ 입니다.

답 ❶ 4 ❷ 16

6 직사각형의 넓이는 몇 km^2인지 구하시오.

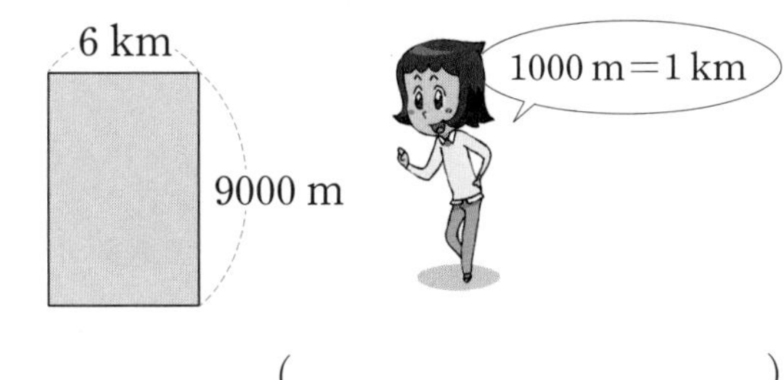

(　　　　　　　　　　)

Tip

9000 m = ❶ km이므로

직사각형의 넓이는 (6 × ❷) km^2입니다.

답 ❶ 9 ❷ 9

7 평행사변형 가와 사다리꼴 나의 넓이가 같을 때 □ 안에 알맞은 수를 써넣으시오.

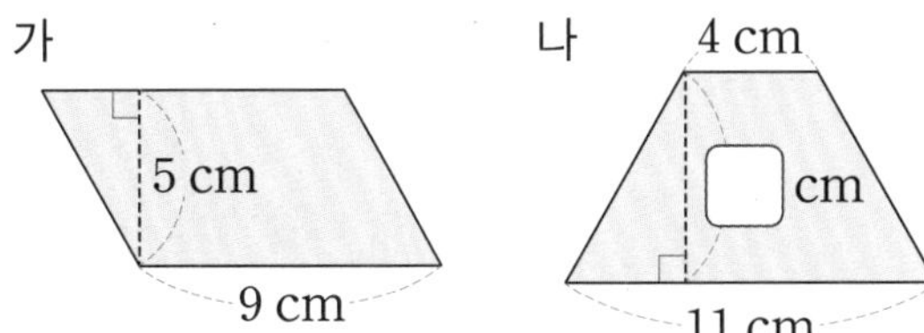

Tip

(가의 넓이) = (9 × ❶) cm^2

(나의 넓이) = ((4 + 11) × (높이) ÷ ❷) cm^2

답 ❶ 5 ❷ 2

8 색칠한 부분의 넓이를 구하시오.

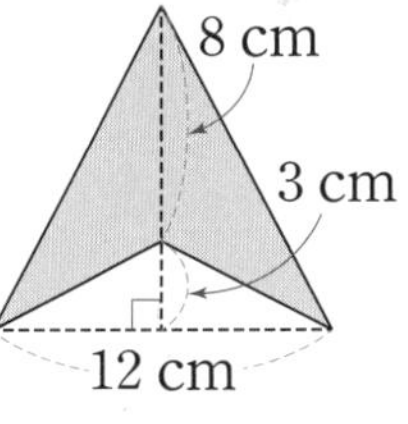

(　　　　　　　　　　)

Tip

색칠한 부분의 넓이는 큰 삼각형의 넓이에서 작은 삼각형의 넓이를 뺍니다.

(큰 삼각형의 넓이) = (12 × ❶ ÷ 2) cm^2

(작은 삼각형의 넓이) = (12 × ❷ ÷ 2) cm^2

답 ❶ 11 ❷ 3

3주

누구나 만점 전략

01 $\square$ 안에 알맞은 수를 써넣으시오.

(1) $\frac{1}{5}+\frac{1}{2}=\frac{\square}{10}+\frac{\square}{10}=\frac{\square}{10}$

(2) $\frac{5}{8}-\frac{1}{6}=\frac{\square}{24}-\frac{\square}{24}=\frac{\square}{24}$

02 $\square$ 안에 알맞은 수를 써넣으시오.

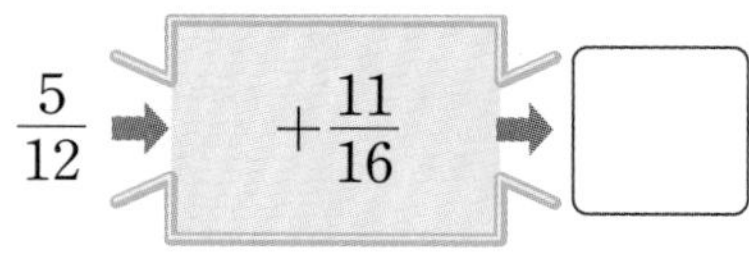

03 두 분수의 합과 차를 각각 구하시오.

$3\frac{7}{10}$　　$1\frac{3}{4}$

합 (　　　　　　　　)

차 (　　　　　　　　)

04 계산 결과가 더 큰 사람의 이름을 써 보시오.

(　　　　　　　　)

05 고구마를 도윤이는 $2\frac{3}{7}$ kg 캤고 선영이는 $5\frac{2}{3}$ kg 캤습니다. 누가 고구마를 몇 kg 더 많이 캤습니까?

(　　　　　　), (　　　　　　)

▶정답 및 풀이 25쪽

06 정칠각형의 둘레를 구하시오.

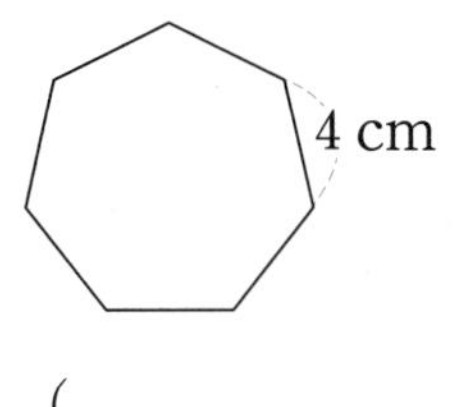

(   )

07 평행사변형의 넓이를 구하시오.

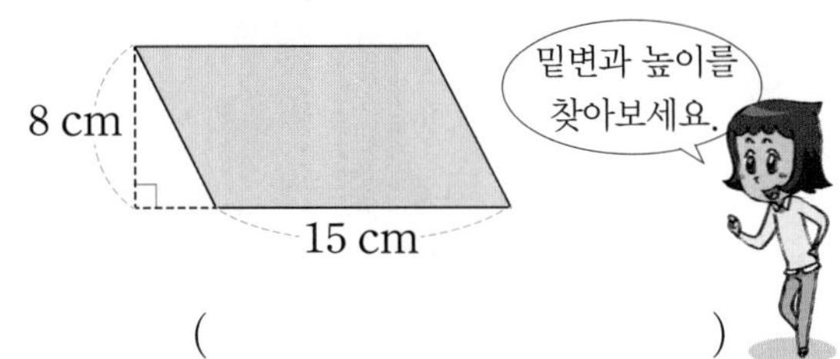

(   )

08 한 변의 길이가 6000 m인 정사각형 모양의 땅이 있습니다. 이 땅의 넓이는 몇 km^2인지 구하시오.

(   )

09 □ 안에 알맞은 수를 써넣으시오.

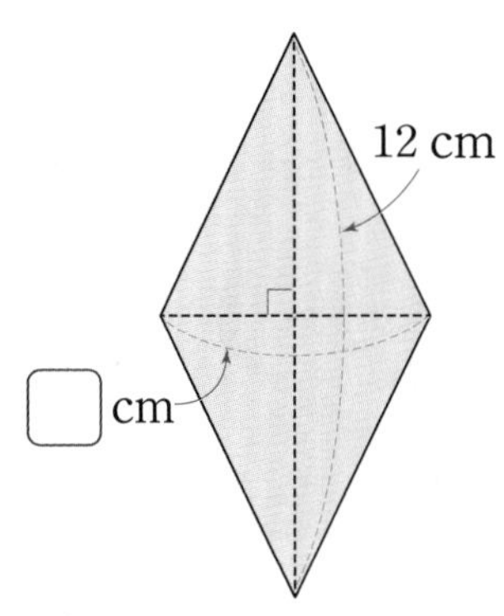

마름모의 넓이: $36\ cm^2$

10 다각형의 넓이를 구하시오.

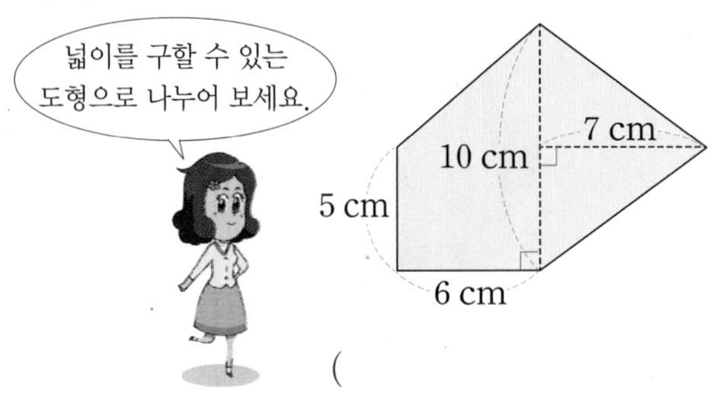

(   )

3 주

창의·융합·코딩 전략 ❶

1 위에서 잘못 계산한 부분을 찾아 바르게 계산해 보시오.

$\frac{2}{3}+\frac{1}{5}$

▶정답 및 풀이 26쪽

문제 해결

2 위의 정사각형 모양 어묵과 정오각형 모양 어묵 중 어떤 어묵의 둘레가 더 깁니까?

( )

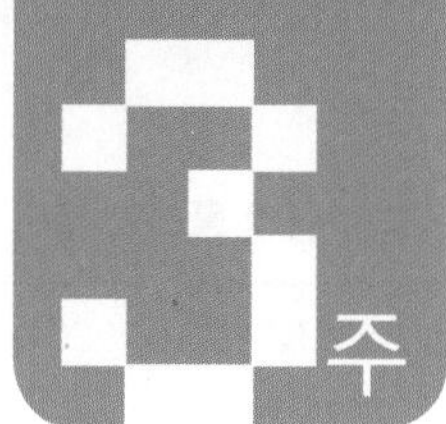

창의·융합·코딩 전략 ❷

1 다음은 음표에 따른 박자를 나타낸 것입니다. ♩. + ♪.는 몇 박자인지 구하시오.

음표	(2분음표)	(점 4분음표)	(4분음표)	(점 8분음표)	(8분음표)
박자	2박자	$1\frac{1}{2}$박자	1박자	$\frac{3}{4}$박자	$\frac{1}{2}$박자

(　　　　　　　　)

Tip

♩.는 $1\frac{1}{2}$박자이고 ♪.는 $\frac{3}{4}$박자입니다. ➡ $1\frac{1}{2}+\frac{3}{4}=1\frac{❶\square}{4}+\frac{❷\square}{4}$

[답] ❶ 2 ❷ 3

창의 융합

2 호루스의 눈은 모두 여섯 부분으로 구성되어 있는데 이 여섯 부분은 바빌로니아인과 이집트인들이 주로 사용하던 분자가 1인 분수를 나타냅니다. 다음을 보고 가장 큰 분수와 가장 작은 분수의 차를 구하시오.

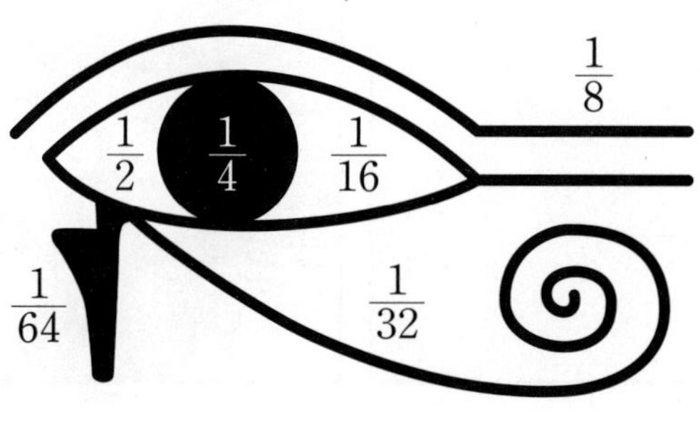

(　　　　　　　　)

Tip

분자가 1인 분수는 분모가 작을수록 큰 분수이므로 가장 큰 분수는 ❶ □, 가장 작은 분수는 ❷ □ 입니다.

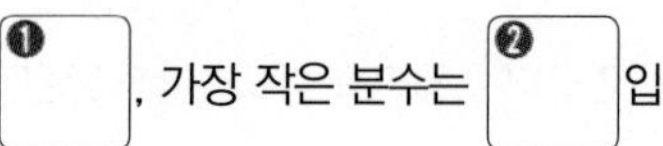

[답] ❶ $\frac{1}{2}$ ❷ $\frac{1}{64}$

▶정답 및 풀이 26쪽

문제 해결

3 다음을 보고 떡볶이를 만들려고 합니다. 떡볶이 2인분을 만들기 위해 필요한 고추장과 설탕의 양은 모두 몇 큰술인지 구하시오.

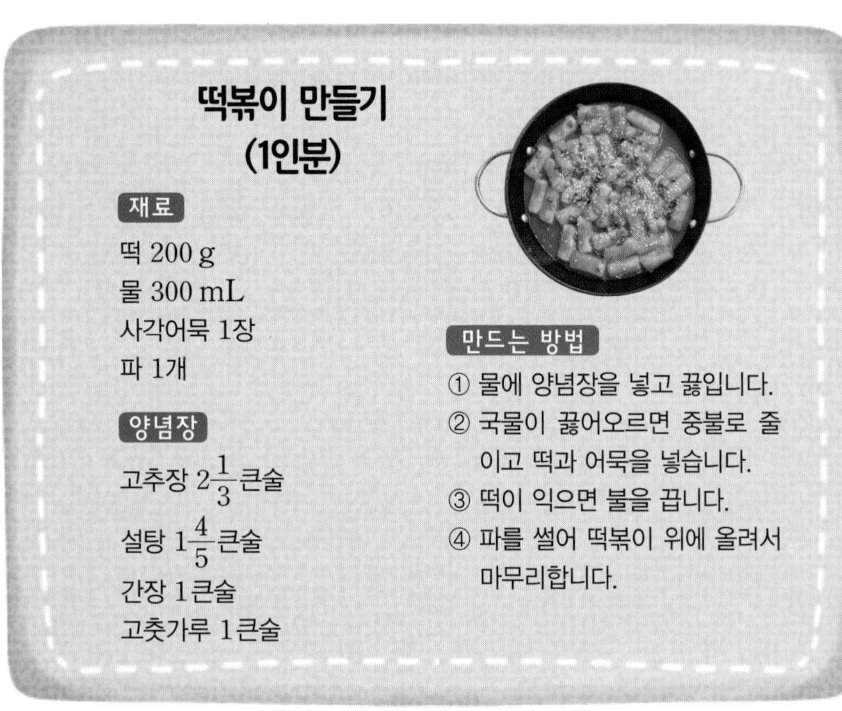

(1) 떡볶이 2인분을 만들기 위해 필요한 고추장의 양은 몇 큰술입니까?

( )

(2) 떡볶이 2인분을 만들기 위해 필요한 설탕의 양은 몇 큰술입니까?

( )

(3) 떡볶이 2인분을 만들기 위해 필요한 고추장과 설탕의 양은 모두 몇 큰술입니까?

( )

Tip

떡볶이 2인분을 만들기 위해 필요한 고추장의 양은 (❶ □ + ❷ □)큰술, 설탕의 양은 (❸ □ + ❹ □)큰술입니다.

[답] ❶ $2\frac{1}{3}$ ❷ $2\frac{1}{3}$ ❸ $1\frac{4}{5}$ ❹ $1\frac{4}{5}$

3주

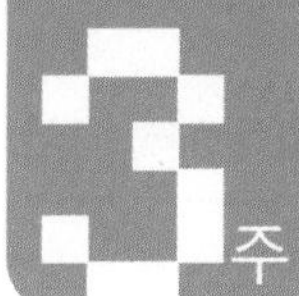

창의·융합·코딩 전략 ❷

창의 융합

4 블록 조각 맞추기 게임인 테트리스는 7가지 모양의 블록을 이용하여 가로를 빈틈없이 채우면 채워진 가로줄이 사라지면서 점수가 올라가는 게임입니다. 작은 정사각형 블록 조각 1개의 넓이가 1 cm^2일 때, 현재 블록 조각이 차지하는 부분의 넓이는 모두 몇 cm^2인지 구하시오.

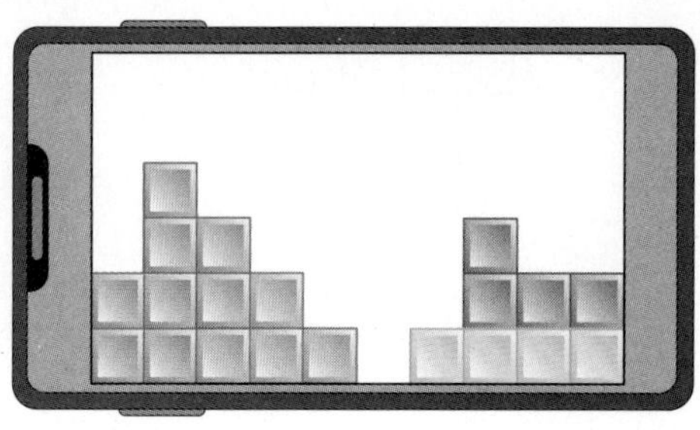

( )

Tip

넓이가 1 cm^2인 블록 조각이 왼쪽에는 12개, 오른쪽에는 ❶ 개 있으므로 모두 ❷ 개입니다.

[답] ❶ 8 ❷ 20

문제 해결

5 가로가 100 m, 세로가 60 m인 직사각형 모양의 축구 경기장입니다. 축구 경기장의 둘레와 넓이를 각각 구하시오.

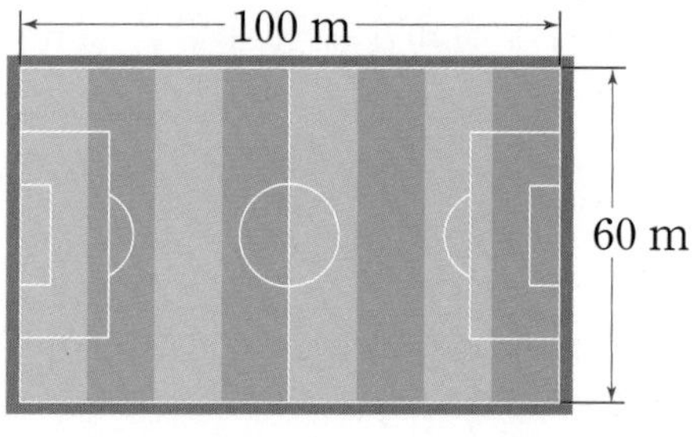

둘레 ( )

넓이 ( )

Tip

(직사각형의 둘레)=((가로)+(세로))×2이므로 축구 경기장의 둘레는 ((100+60)× ❶) m입니다.

(직사각형의 넓이)=(가로)×(세로)이므로 축구 경기장의 넓이는 (100× ❷) m^2입니다.

[답] ❶ 2 ❷ 60

▶정답 및 풀이 26쪽

6 문의 넓이가 쓰여 있는 열쇠를 찾아 이어 보시오.

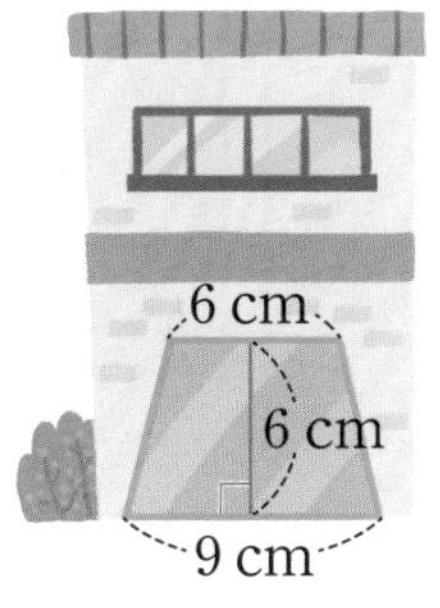

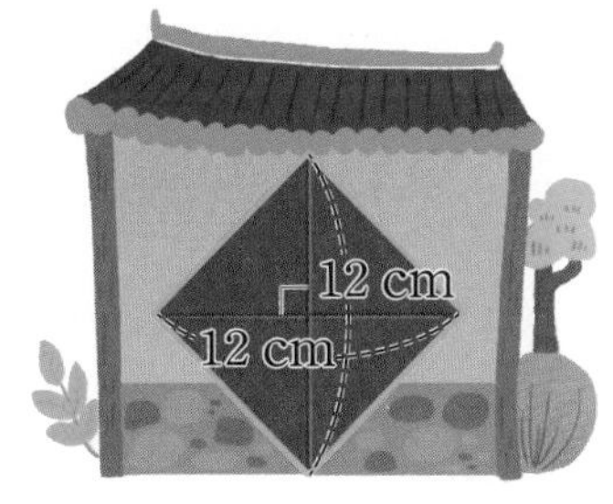

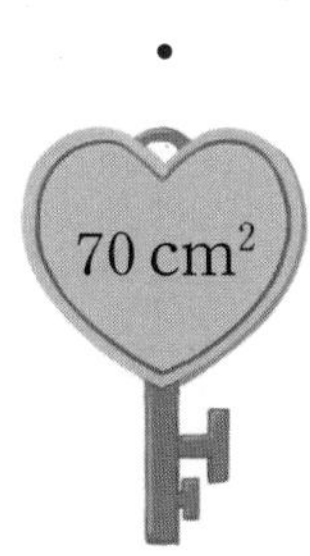

Tip

(평행사변형 모양 문의 넓이)$=(10\times$ ❶ $)\,\text{cm}^2$, (삼각형 모양 문의 넓이)$=(11\times 8\div$ ❷ $)\,\text{cm}^2$,

(사다리꼴 모양 문의 넓이)$=((6+9)\times$ ❸ $\div 2)\,\text{cm}^2$, (마름모 모양 문의 넓이)$=(12\times 12\div$ ❹ $)\,\text{cm}^2$

[답] ❶ 7 ❷ 2 ❸ 6 ❹ 2

12÷1=12 12÷2=6 12÷3=4

12÷4=3 12÷6=2 12÷12=1

➜ 12의 약수 : 1, 2, 3, 4, 6, 12

이렇게 어떤 수를 나누어떨어지게 하는 수를 그 수의 약수라고 하지.

그럼 약분은 알아?

이번에도 약분이라는 친구겠지.
무슨 소리야?

약분은 분모와 분자를 공약수로 나누어 간단한 분수로 만드는 것이잖아.

힝~ 이번에는 사람 이름이 아니었네.

$\frac{8}{12}$을 약분해 볼래?

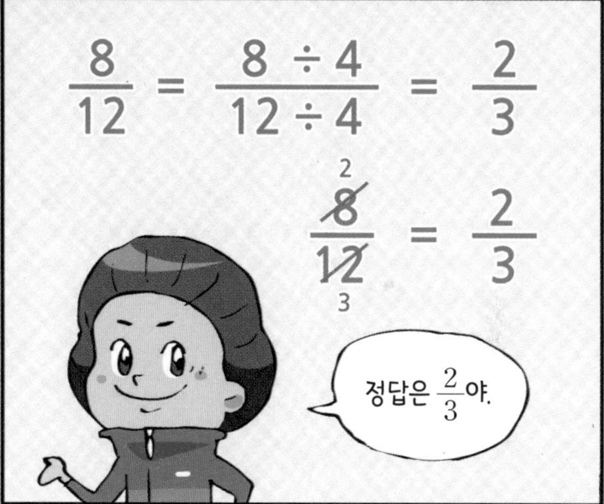
$\frac{8}{12} = \frac{8 \div 4}{12 \div 4} = \frac{2}{3}$
$\frac{\overset{2}{\cancel{8}}}{\underset{3}{\cancel{12}}} = \frac{2}{3}$
정답은 $\frac{2}{3}$야.

너 공부 열심히 했구나.
우쭐

사실 마음만 먹으면 나도 잘할 수 있다구.
그럼 $\frac{3}{10}$과 $\frac{2}{5}$ 중 어느 것이 더 클까?

약분 문제만 내 주면 안 되겠니?
으이구~ 약분만 잘하는 거였잖아.

신유형·신경향·서술형 전략

[관련 단원] **자연수의 혼합 계산**

1 열량은 음식을 먹었을 때 몸속에서 발생하는 에너지의 양입니다.
음식의 열량을 보고 물음에 답하시오.

음식의 열량

음식	우유 1컵	떡볶이 1인분	귤 1개	콜라 1캔	파이 6조각
열량(킬로칼로리)	124	750	39	148	1800

❶ 혜수가 점심에 먹은 음식의 열량은 몇 킬로칼로리인지 하나의 식으로 나타내어 구하시오.

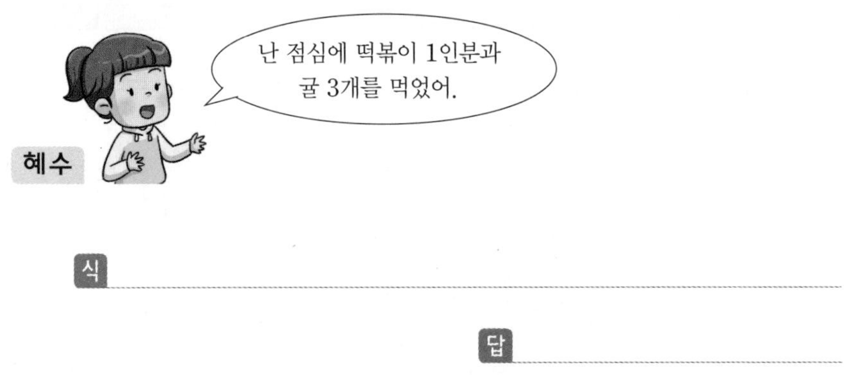

식 ______________________

답 ______________________

❷ 성재가 점심에 먹은 음식의 열량은 몇 킬로칼로리인지 하나의 식으로 나타내어 구하시오.

식 ______________________

답 ______________________

Tip

혜수가 점심에 먹은 음식의 열량은 $750+39\times$ ❶ [　], 성재가 점심에 먹은 음식의 열량은 ❷ [　] $\times 2+1800\div$ ❸ [　] 으로 구합니다.

[답] ❶ 3 ❷ 124 ❸ 6

▶정답 및 풀이 27쪽

[관련 단원] **규칙과 대응**

2 다음은 세계 여러 나라들의 같은 시간대 시각을 나타낸 것입니다. 영국 런던을 기준으로 ＋ 표시가 있는 곳은 런던 시각에 시간을 더하면 되고, － 표시가 있는 곳은 런던 시각에서 시간을 빼면 됩니다. 물음에 답하시오.

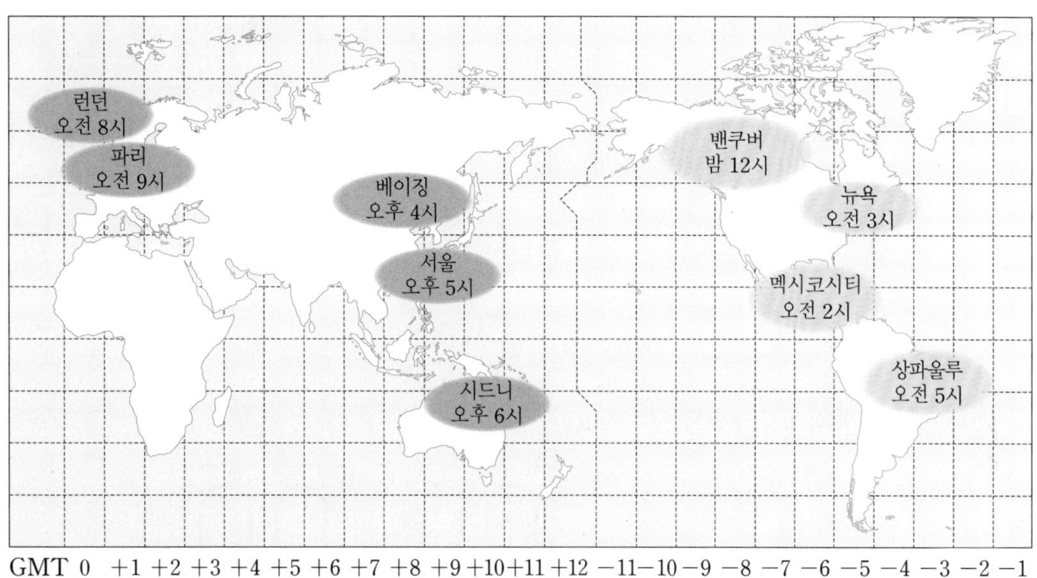

❶ 런던이 오전 2시일 때 베이징은 오전 몇 시입니까?

오전 (　　　　　　　　)

❷ 런던이 오후 7시일 때 뉴욕은 오후 몇 시입니까?

오후 (　　　　　　　　)

Tip

베이징의 시각은 런던의 시각보다 ❶ 　 시간 빠르고, 뉴욕의 시각은 런던의 시각보다 ❷ 　 시간 늦습니다.

[답] ❶ 8 ❷ 5

[관련 단원] **약수와 배수**

3 이집트 수는 사물의 모양을 본떠 만들었습니다.
보기와 같이 수를 나타낼 때 물음에 답하시오.

이집트 수

1	|	막대기
10	∩	말굽 형 멍에, 발뒤꿈치 모양
100	𓍢	나선, 돌돌 말린 밧줄

보기

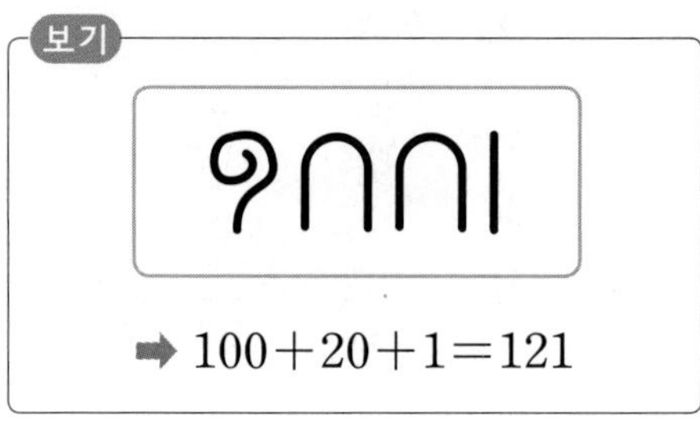

➡ 100+20+1=121

❶ 두 수의 최대공약수를 구하시오.

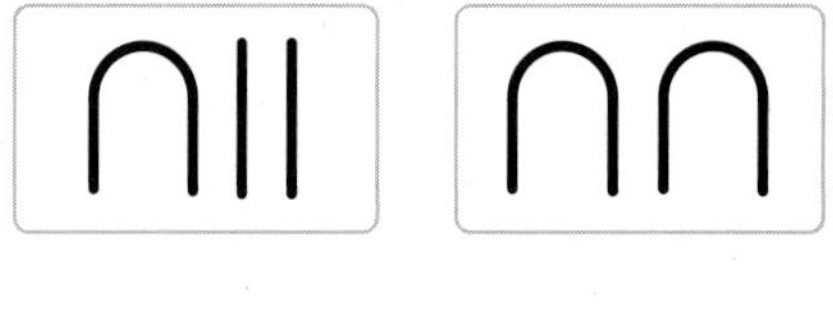

( )

❷ 두 수의 최소공배수를 구하시오.

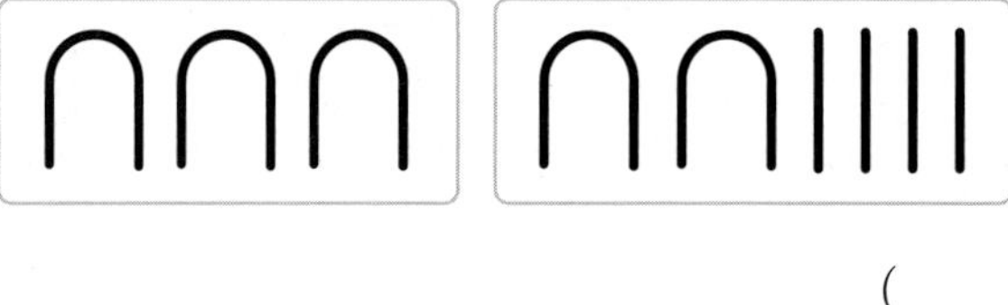

( )

Tip

∩||은 12, ∩∩은 ❶ [ ], ∩∩∩은 ❷ [ ], ∩∩||||은 ❸ [ ]를 나타냅니다.

[답] ❶ 20 ❷ 30 ❸ 24

▶정답 및 풀이 27쪽

[관련 단원] **약분과 통분**

4

각 음에는 고유한 진동수가 있습니다. 두 음의 진동수로 진분수를 만들어 기약분수로 나타내었을 때 분모와 분자가 모두 7보다 작으면 두 음은 잘 어울리는 음이라고 합니다. 물음에 답하시오.

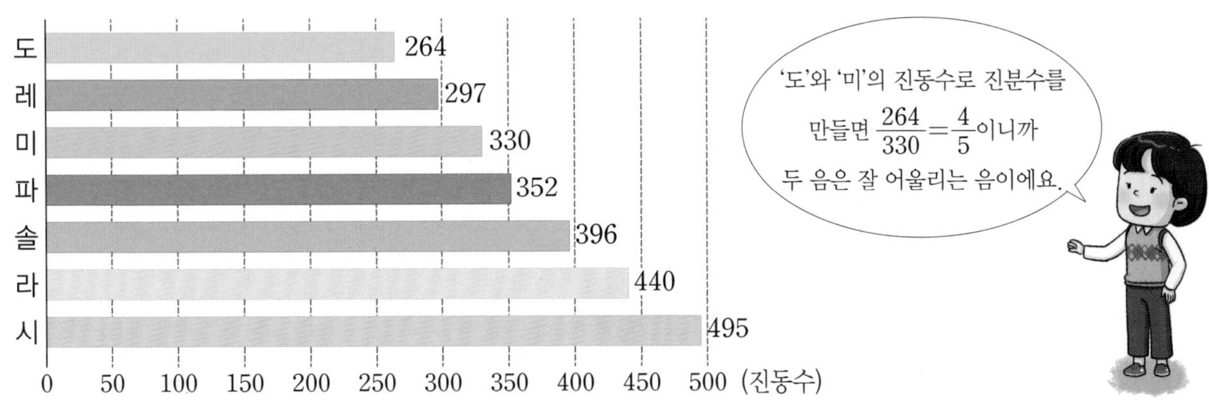

❶ '레'와 '솔'은 잘 어울리는 음인지, 잘 어울리는 음이 아닌지 알맞은 말에 ○표 하시오.

잘 어울리는 음입니다.	잘 어울리는 음이 아닙니다.
(　　　)	(　　　)

❷ '파'와 '시'는 잘 어울리는 음인지, 잘 어울리는 음이 아닌지 알맞은 말에 ○표 하시오.

잘 어울리는 음입니다.	잘 어울리는 음이 아닙니다.
(　　　)	(　　　)

Tip

'레'와 '솔'의 진동수로 진분수를 만들면 $\frac{❶\boxed{\quad}}{396}$, '파'와 '시'의 진동수로 진분수를 만들면 $\frac{❷\boxed{\quad}}{495}$입니다.

[답] ❶ 297 ❷ 352

[관련 단원] **분수의 덧셈과 뺄셈**

5 색의 혼합을 통해 여러 가지 다른 색을 만들 수 있는 세 가지 색을 색의 삼원색이라고 합니다. 인쇄를 할 때 쓰는 색의 삼원색은 시안(Cyan), 마젠타(Magenta), 옐로(Yellow)입니다. 다음과 같은 양의 물감이 있을 때 물음에 답하시오.

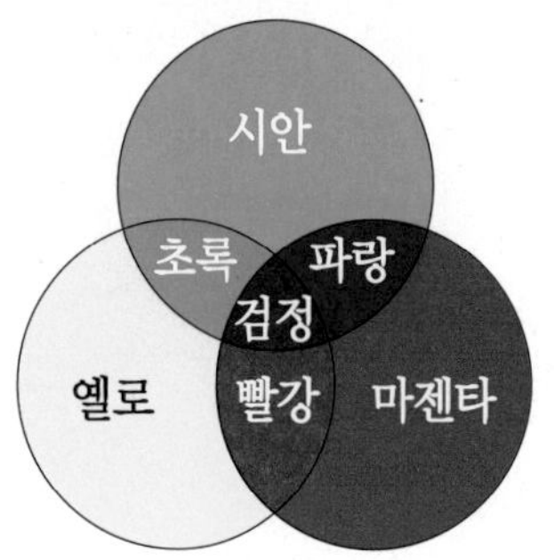

시안 물감: $8\frac{3}{4}$ mL

옐로 물감: $7\frac{5}{8}$ mL

마젠타 물감: $9\frac{3}{10}$ mL

❶ 시안 물감 $8\frac{3}{4}$ mL와 옐로 물감 $7\frac{5}{8}$ mL를 섞었을 때 만들어지는 물감은 무슨 색인지 쓰고, 몇 mL인지 구하시오.

만들어지는 물감의 색 ( )

물감의 양 ( )

❷ 옐로 물감 $7\frac{5}{8}$ mL와 마젠타 물감 $9\frac{3}{10}$ mL를 섞었을 때 만들어지는 물감은 무슨 색인지 쓰고, 몇 mL인지 구하시오.

만들어지는 물감의 색 ( )

물감의 양 ( )

Tip

$8\frac{3}{4}+7\frac{5}{8}=8\frac{❶}{8}+7\frac{5}{8}$, $7\frac{5}{8}+9\frac{3}{10}=7\frac{❷}{40}+9\frac{❸}{40}$

[답] ❶ 6 ❷ 25 ❸ 12

▶정답 및 풀이 27쪽

[관련 단원] **다각형의 둘레와 넓이**

6

세라네 집의 직사각형 모양의 평면도입니다.
방과 화장실이 모두 직사각형 모양일 때 물음에 답하시오.

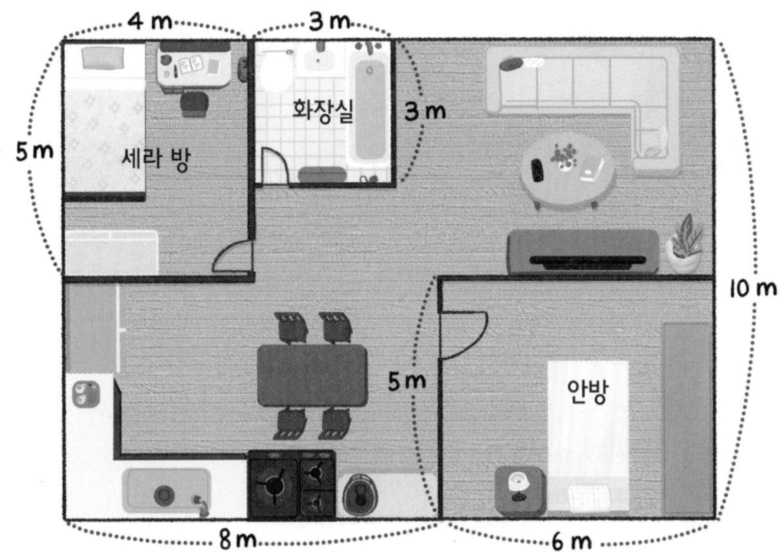

❶ 안방, 세라 방, 화장실의 넓이를 각각 구하시오.

안방 (　　　　　　　　)
세라 방 (　　　　　　　　)
화장실 (　　　　　　　　)

❷ 세라네 집 전체의 넓이를 구하시오.

(　　　　　　　　)

Tip

(안방의 넓이)$=(6\times$ ❶ $)\ m^2$, (세라 방의 넓이)$=(4\times$ ❷ $)\ m^2$, (화장실의 넓이)$=(3\times$ ❸ $)\ m^2$

[답] ❶ 5 ❷ 5 ❸ 3

학력진단 전략 1회

01 가장 먼저 계산해야 하는 부분에 ○표 하시오.

$$14+10-40\div5$$

02 □ 안에 알맞은 수를 써넣으시오.

$24-9+11=\square+11$

①

$=\square$

②

03 오리의 수와 오리 다리의 수 사이의 대응 관계를 써 보시오.

오리 다리의 수는 오리의 수의 □배입니다.

04 보기와 같이 계산 순서를 나타내고 계산해 보시오.

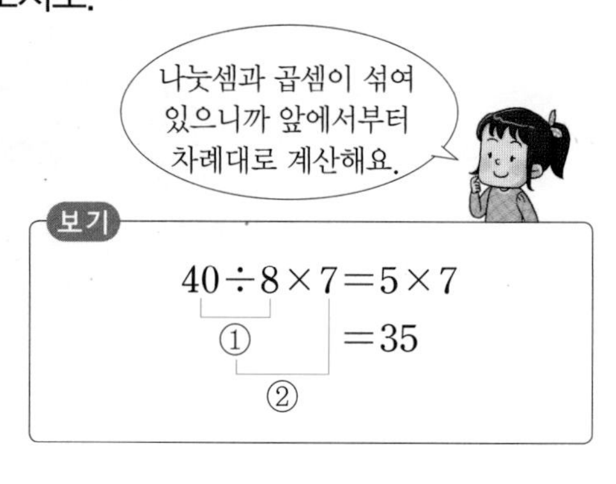

$$5\times14\div2$$

05 원의 수와 삼각형의 수 사이의 대응 관계를 표로 나타내어 보시오.

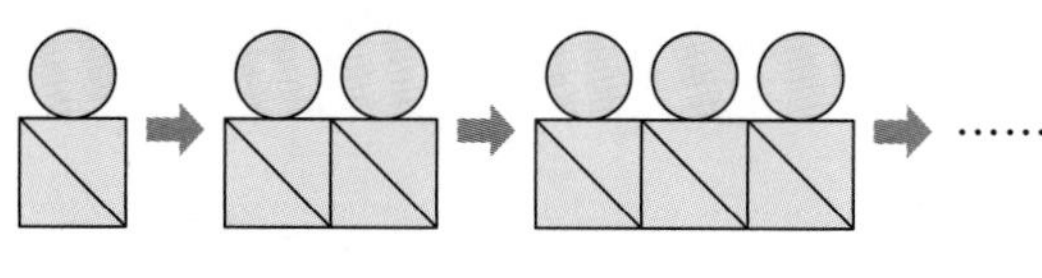

원의 수(개)	1	2	3	4	……
삼각형의 수(개)					……

▶정답 및 풀이 28쪽

06 계산 순서에 맞게 기호를 차례대로 써 보시오.

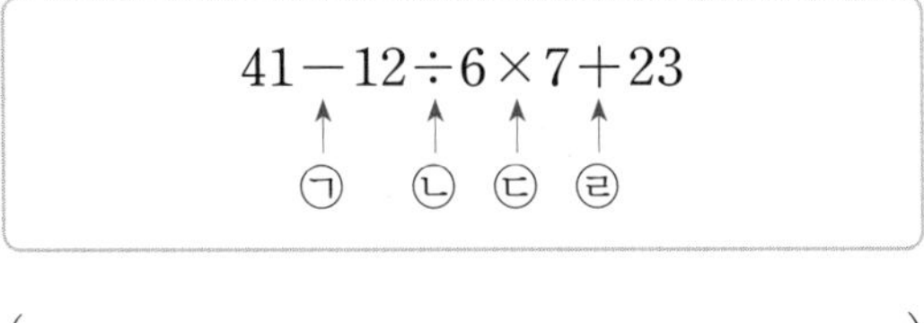

(   )

07 도형의 배열을 보고 다음에 이어질 모양을 빈칸에 그려 보시오.

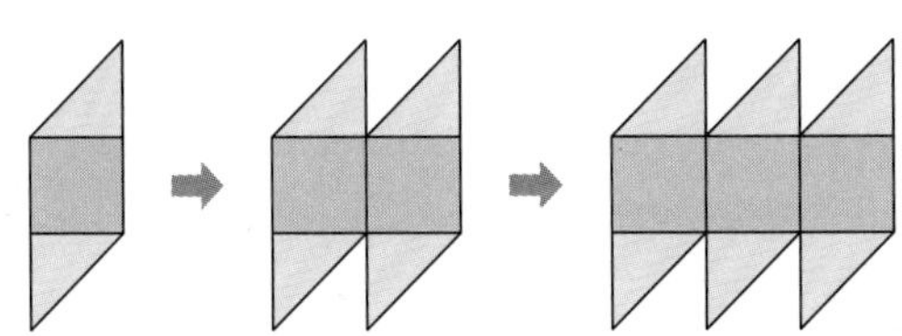

08 계산해 보시오.

$19+13\times4-26$

09 오토바이 한 대의 바퀴는 2개입니다. 오토바이의 수를 ○, 바퀴의 수를 △라고 할 때, 두 양 사이의 대응 관계를 기호를 사용하여 식으로 나타내어 보시오.

식

10 주리와 태서가 대응 관계 알아맞히기를 하고 있습니다. 태서가 답한 수가 72일 때 주리가 말한 수를 구하시오.

주리가 말한 수	1	3	5	7	……
태서가 답한 수	6	18	30	42	……

(   )

11 재찬이가 말하는 수를 식으로 나타내고, 계산해 보시오.

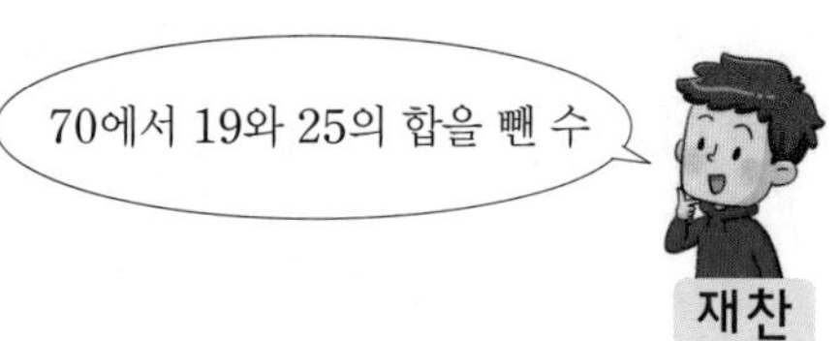

식

12 계산 결과를 비교하여 ○ 안에 $>$, $=$, $<$를 알맞게 써넣으시오.

$90 \div (2 \times 9)$ ◯ $31 - 49 \div 7 + 5$

13 오각형의 수를 ○, 오각형의 변의 수를 △라고 할 때, 두 양 사이의 대응 관계를 기호를 사용하여 식으로 나타내어 보시오.

식

14 현아의 나이는 12살이고 동생은 현아보다 3살이 어립니다. 어머니의 나이는 동생 나이의 5배보다 1살이 많습니다. 어머니의 나이는 몇 살인지 하나의 식으로 나타내어 구하시오.

식

답

15 사각형 조각으로 규칙적인 배열을 만들고 있습니다. 10째에는 사각형 조각이 몇 개 필요합니까?

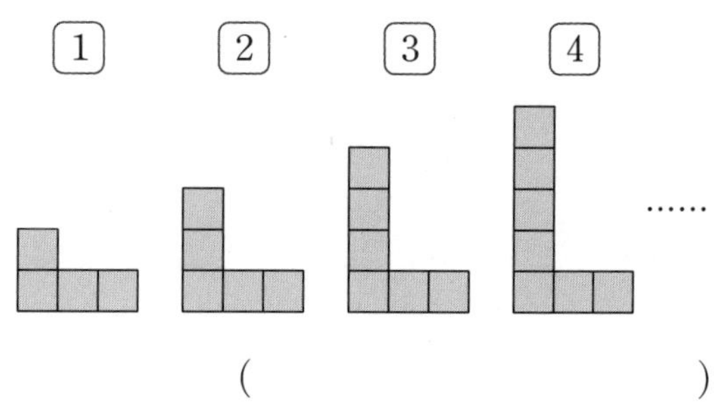

(　　　　　　　　)

16 두 식을 하나의 식으로 나타내어 보시오.

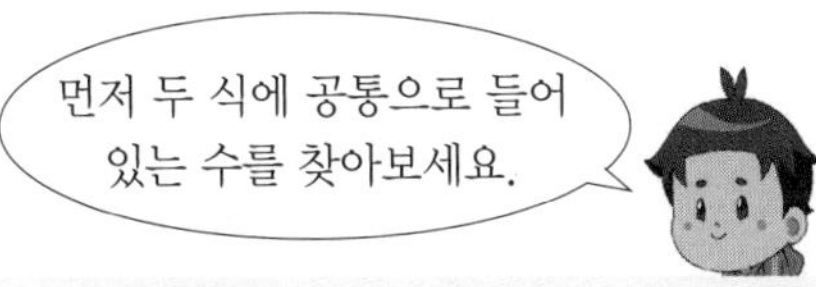

$5\times9=45$ $45\div3=15$

식 ____________________

17 한 사람이 한 시간에 종이배를 8개씩 만들 수 있다고 합니다. 7명이 쉬지 않고 종이배 224개를 만들려면 몇 시간이 걸리는지 하나의 식으로 나타내어 구하시오. (단, 일정한 빠르기로 쉬지 않고 종이배를 만듭니다.)

식 ____________________

답 ____________________

18 대응 관계를 나타낸 식을 보고 식에 알맞은 상황을 만들어 보시오.

$\square+4=☆$

____

____

____

19 용석이가 받아야 하는 거스름돈은 얼마인지 하나의 식으로 나타내어 구하시오.

식 ____________________

답 ____________________

20 성냥개비로 정사각형을 만들고 있습니다. 정사각형을 11개 만들 때 성냥개비는 몇 개 필요합니까?

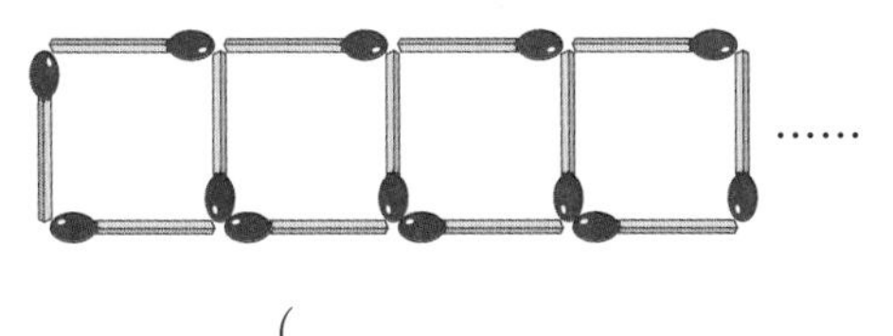

(　　　　　　　)

학력진단 전략 2회

01 □ 안에 알맞은 수를 써넣고 15의 약수를 모두 구하시오.

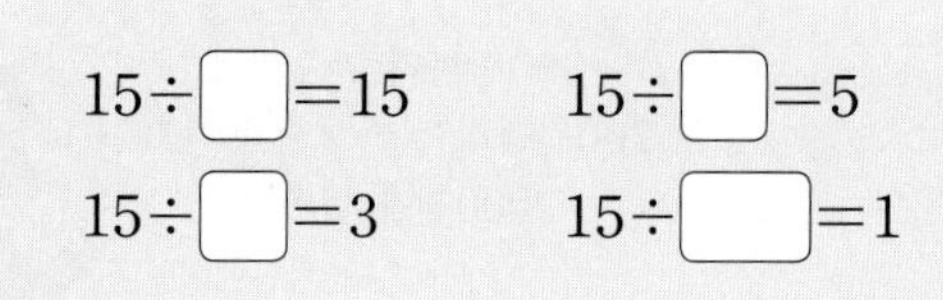

$15 \div \square = 15$ $15 \div \square = 5$

$15 \div \square = 3$ $15 \div \square = 1$

15의 약수 ➡ ______

02 11의 배수를 가장 작은 수부터 차례로 5개 써 보시오.

(   )

03 □ 안에 알맞은 수를 써넣어 크기가 같은 분수를 만들어 보시오.

$$\frac{5}{8}=\frac{\square}{24}=\frac{30}{\square}$$

04 $\frac{60}{72}$을 약분하려고 합니다. 분모와 분자를 나눌 수 있는 수를 모두 찾아 ○표 하시오.

2 3 4 6 8 10 12

분모도 나눌 수 있고
분자도 나눌 수 있는 수는
어떤 수일까요?

05 36과 48의 최대공약수와 최소공배수를 각각 구하시오.

```
3 ) 36   48
2 ) 12   16
2 )  6    8
     3    4
```

최대공약수 (   )

최소공배수 (   )

06 36과 42를 각각 여러 수의 곱으로 나타내었습니다. 36과 42의 최대공약수를 구하시오.

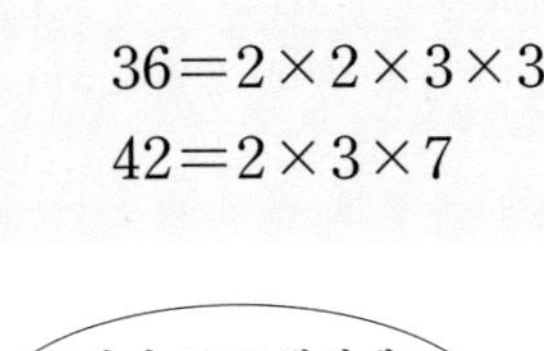

$$36=2\times2\times3\times3$$
$$42=2\times3\times7$$

먼저 두 곱셈식에 공통으로 들어 있는 수를 알아봐요.

( )

07 빈칸에 27과 18의 최대공약수와 최소공배수를 각각 써넣으시오.

최대공약수		최소공배수
	27, 18	

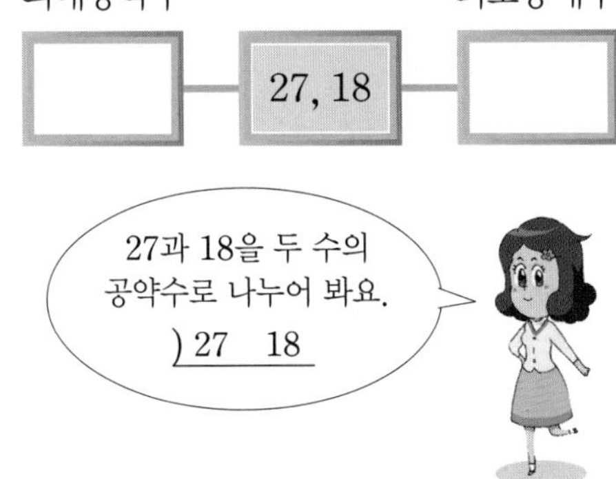

08 $\frac{2}{7}$와 크기가 같은 분수를 모두 찾아 ○표 하시오.

$\frac{1}{14}$ $\frac{6}{21}$ $\frac{8}{35}$ $\frac{10}{49}$ $\frac{16}{56}$

09 기약분수를 모두 고르시오. ( )

① $\frac{2}{6}$ ② $\frac{4}{9}$ ③ $\frac{6}{12}$

④ $\frac{3}{10}$ ⑤ $\frac{8}{26}$

10 두 분모의 최소공배수를 공통분모로 하여 통분하시오.

$\left(\frac{9}{10}, \frac{2}{15}\right) \Rightarrow ($, $)$

11 분수와 소수의 크기를 비교하여 ○ 안에 >, =, <를 알맞게 써넣으시오.

$\frac{7}{50}$ ○ 0.2

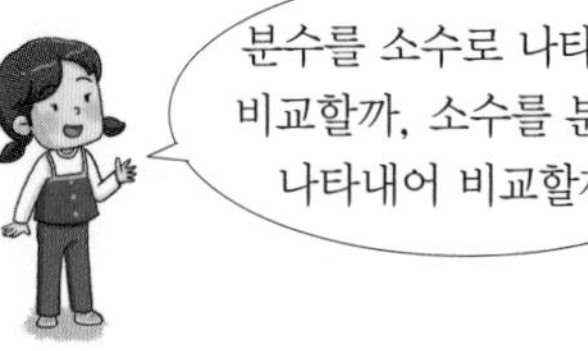

12 어떤 수의 배수를 가장 작은 수부터 차례로 쓴 것입니다. 12번째 수를 구하시오.

9, 18, 27, 36, 45……

(　　　　　　　　)

13 54와 42의 공약수 중에서 가장 큰 수를 구하시오.

(　　　　　　　　)

14 두 기약분수를 통분하였더니 다음과 같았습니다. 통분하기 전의 두 분수를 구하시오.

$\frac{56}{63}$　　$\frac{36}{63}$

통분하기
전의 분수는
기약분수예요.

(　　　　,　　　　)

15 어떤 두 수의 최대공약수가 64일 때 두 수의 공약수를 모두 구하시오.

(　　　　　　　　)

▶정답 및 풀이 29쪽

16 28과 12의 공배수 중에서 200보다 작은 수를 모두 구하시오.

(　　　　　　　　　　　　　　)

17 세 분수의 크기를 비교하여 작은 수부터 차례로 써 보시오.

$\frac{3}{4}$　$\frac{5}{18}$　$\frac{7}{10}$

(　　　　　　　　　　　　　　)

18 ▢ 안에 들어갈 수 있는 자연수를 모두 구하시오.

$\frac{2}{5} > \frac{\square}{14}$

(　　　　　　　　　　　　　　)

19 사탕 72개와 초콜릿 90개를 최대한 많은 학생에게 남김없이 똑같이 나누어 주려고 합니다. 몇 명까지 나누어 줄 수 있습니까?

(　　　　　　　　　　　　　　)

20 터미널에서 강릉행 버스는 24분마다, 춘천행 버스는 16분마다 출발합니다. 오전 9시에 강릉행 버스와 춘천행 버스가 동시에 출발했다면 바로 다음번에 두 버스가 동시에 출발하는 시각은 오전 몇 시 몇 분입니까?

오전 (　　　　　　　　　　　　　　)

학력진단 전략 3회

01 □ 안에 알맞은 수를 써넣으시오.

$$\frac{3}{4}+\frac{2}{3}=\frac{\square}{12}+\frac{\square}{12}$$
$$=\frac{\square}{12}=\square\frac{\square}{12}$$

02 □ 안에 알맞은 수를 써넣으시오.

$3\,m^2=\square\,cm^2$

03 빈칸에 알맞은 수를 써넣으시오.

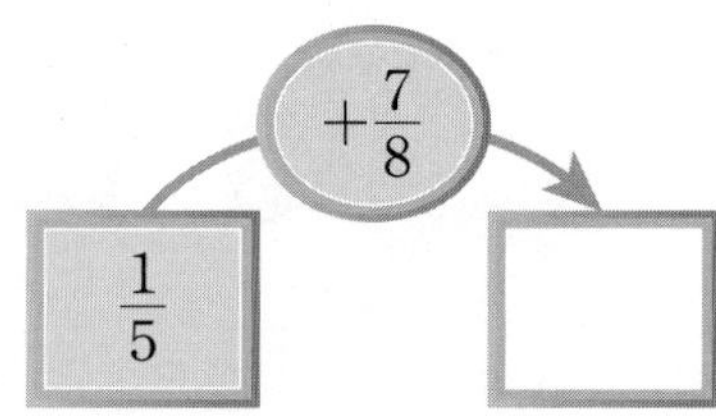

04 평행사변형의 둘레를 구하시오.

(　　　　　　　　)

05 보기에서 알맞은 단위를 골라 □ 안에 써넣으시오.

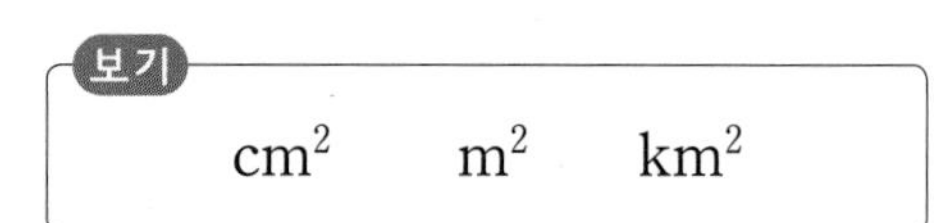

(1) 학교 운동장의 넓이는 950 □입니다.

(2) 서울시의 넓이는 605 □입니다.

▶정답 및 풀이 31쪽

06 □ 안에 알맞은 수를 써넣으시오.

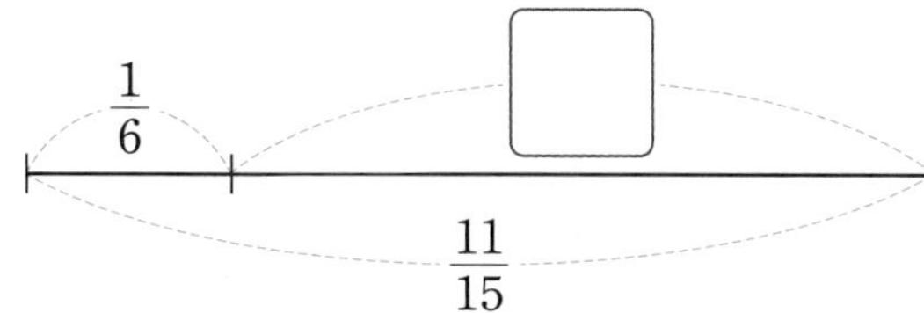

07 직사각형의 넓이는 몇 m^2인지 구하시오.

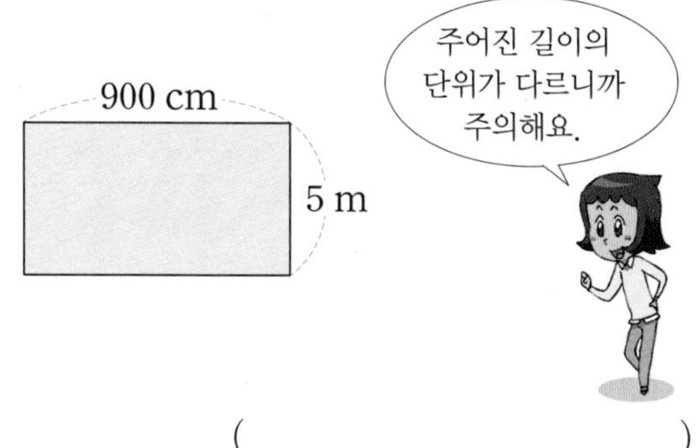

(　　　　　　　)

08 계산 결과를 비교하여 ○ 안에 >, =, < 를 알맞게 써넣으시오.

$$1\frac{2}{3}+1\frac{11}{12} \bigcirc 4\frac{5}{9}-1\frac{4}{7}$$

09 마름모의 넓이를 구하시오.

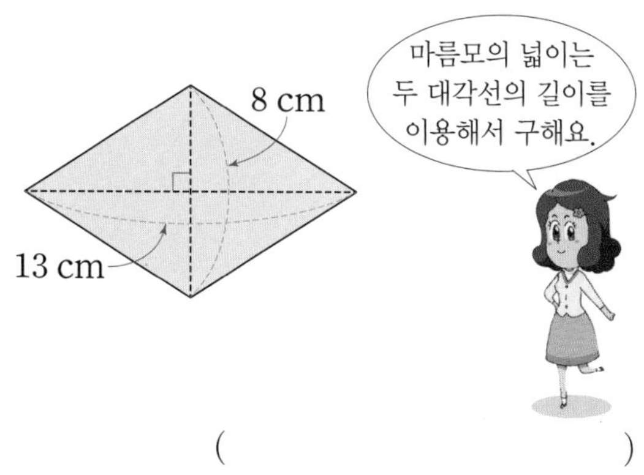

(　　　　　　　)

10 새롬이는 어제 $3\frac{7}{20}$ km를 걸었고 오늘은 어제보다 $1\frac{1}{4}$ km 더 많이 걸었습니다. 새롬이가 오늘 걸은 거리는 몇 km입니까?

식

답

11 정팔각형의 둘레가 32 cm일 때 ▢ 안에 알맞은 수를 써넣으시오.

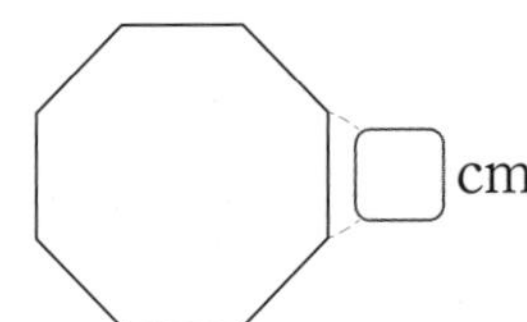

12 빈칸에 알맞은 수를 써넣으시오.

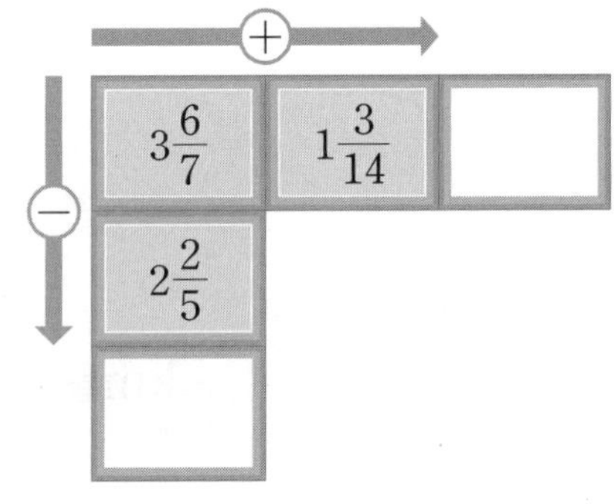

13 밀가루 $4\frac{1}{8}$ kg 중에서 식빵을 만드는 데 $1\frac{5}{6}$ kg을 사용했습니다. 남은 밀가루는 몇 kg입니까?

식

답

14 정사각형의 둘레와 넓이를 각각 구하시오.

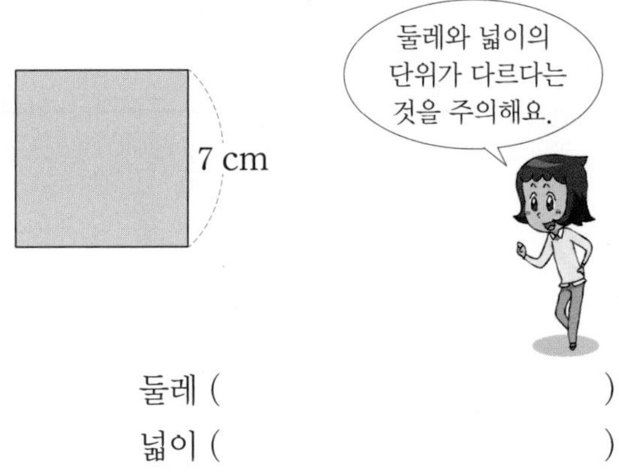

둘레 (　　　　　　　　)

넓이 (　　　　　　　　)

15 넓이가 다른 삼각형을 찾아 기호를 써 보시오.

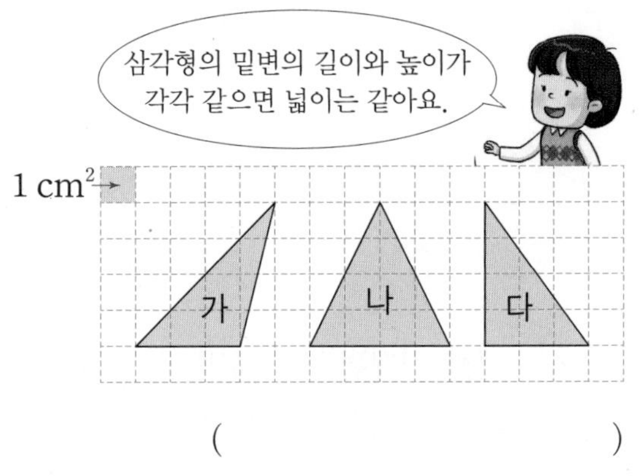

(　　　　　　　　)

▶정답 및 풀이 31쪽

16 삼각형 가와 마름모 나 중에서 넓이가 더 넓은 것의 기호를 써 보시오.

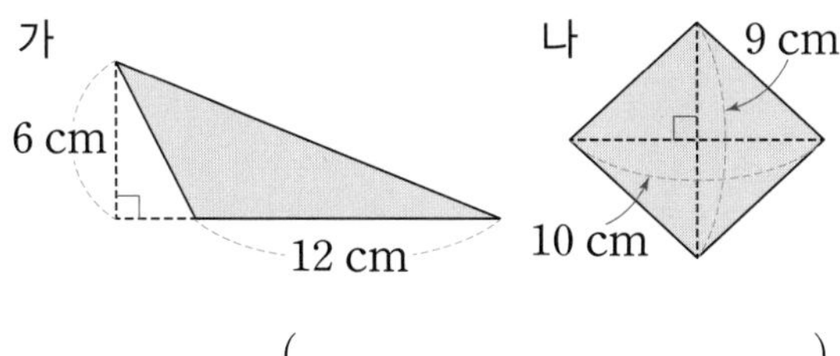

( )

17 사다리꼴입니다. □ 안에 알맞은 수를 써넣으시오.

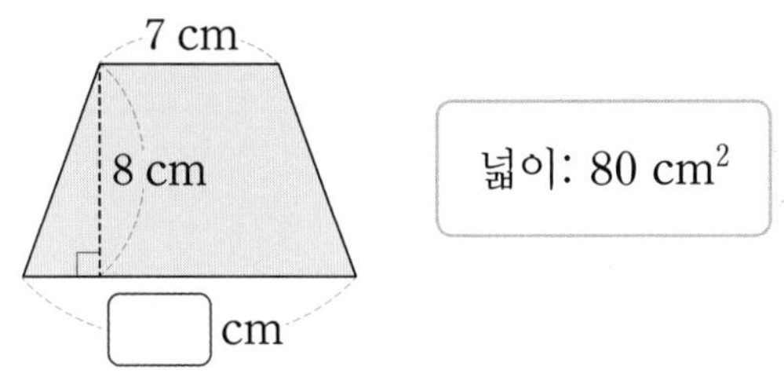

18 색칠한 부분의 넓이를 구하시오.

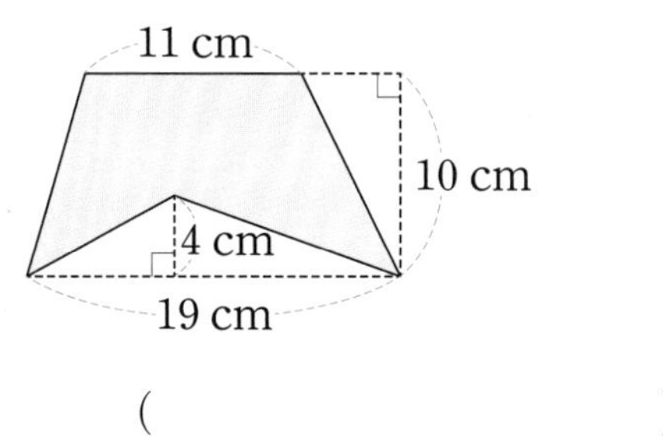

( )

19 혜상이가 바르게 계산하면 얼마인지 구하시오.

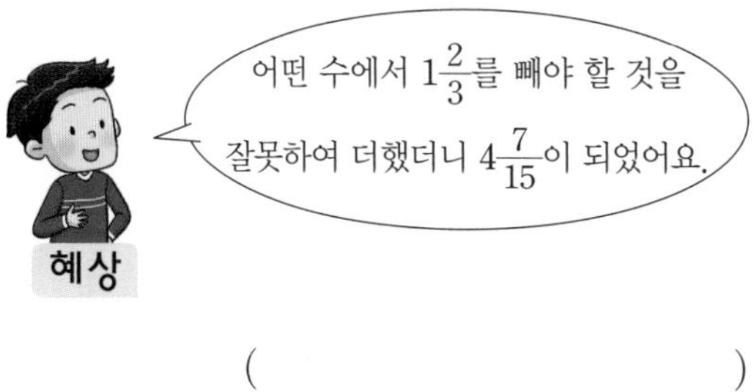

( )

20 평행사변형입니다. □ 안에 알맞은 수를 써넣으시오.

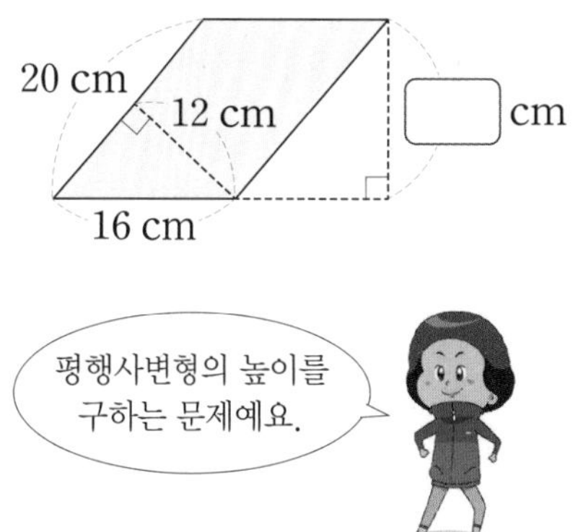

메모

초등생의 필수 학습! 탄탄하게 다져두자!

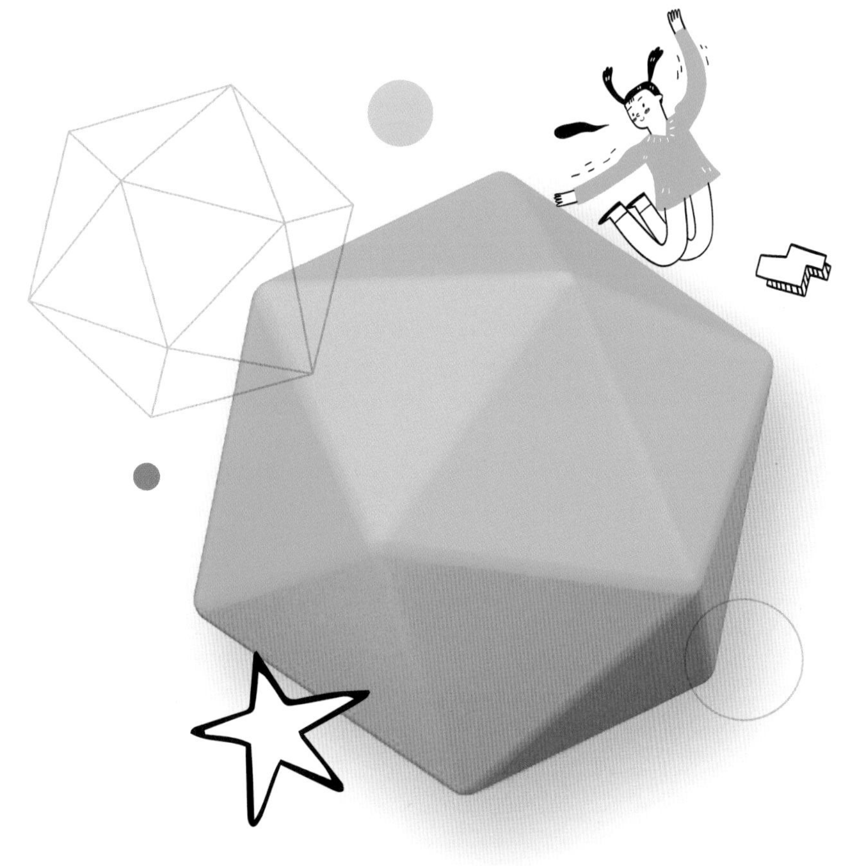

초등 **수학**

천재교육

초등생의 필수 학습!
탄탄하게 다져두자!

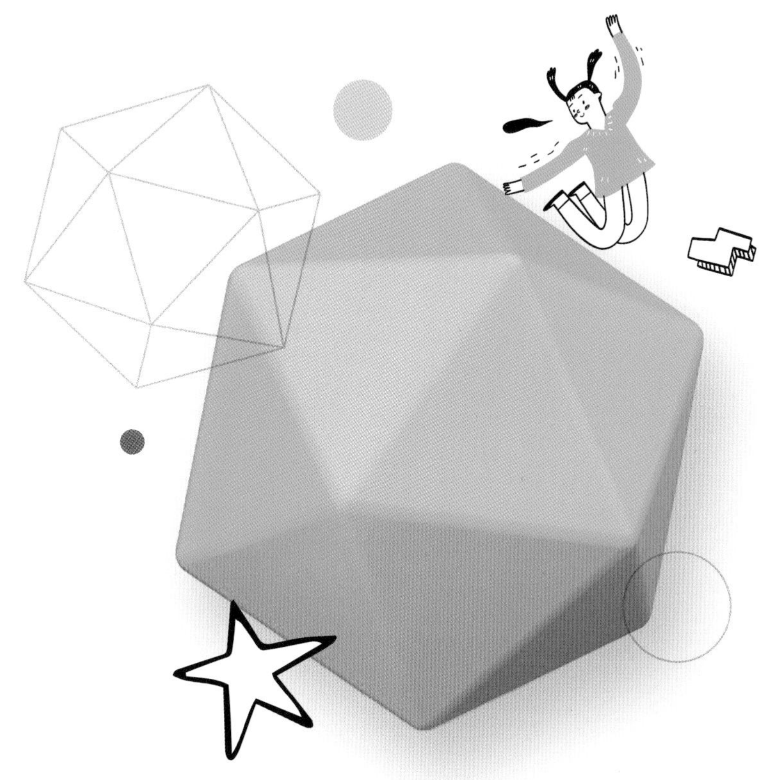

초등 **수학**

핵심개념&연산 집중연습

5·1

천재교육

목차

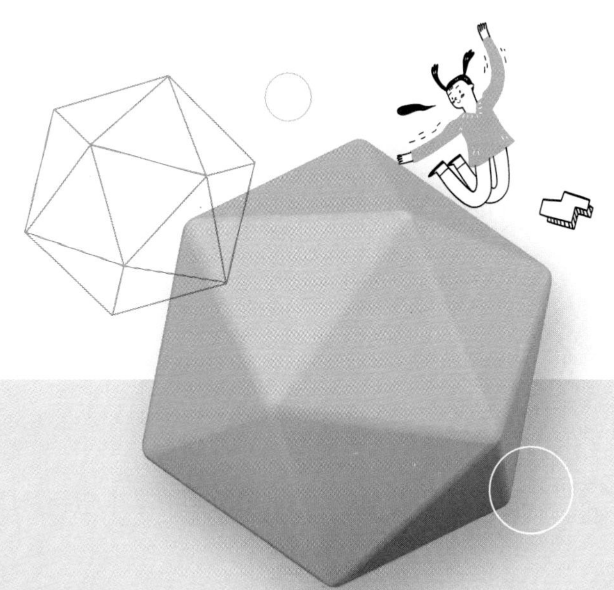

1 덧셈과 뺄셈, 곱셈과 나눗셈이 섞여 있는 식의 계산

◉ 덧셈과 뺄셈이 섞여 있는 식

① 덧셈과 뺄셈이 섞여 있고 ( )가 없는 식은 앞에서부터 차례대로 계산합니다.
② 덧셈과 뺄셈이 섞여 있고 ( )가 있는 식은 ( ) 안을 가장 먼저 계산합니다.

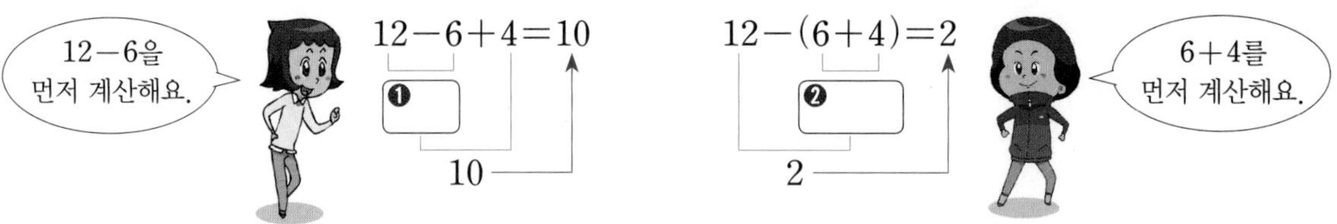

◉ 곱셈과 나눗셈이 섞여 있는 식

① 곱셈과 나눗셈이 섞여 있고 ( )가 없는 식은 앞에서부터 차례대로 계산합니다.
② 곱셈과 나눗셈이 섞여 있고 ( )가 있는 식은 ( ) 안을 가장 먼저 계산합니다.

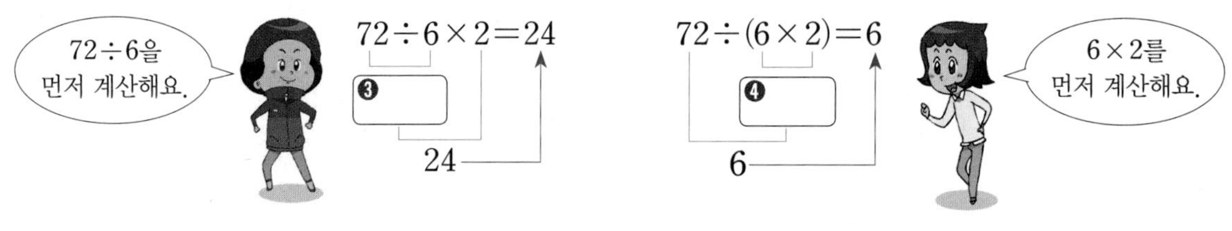

[답] ❶ 6 ❷ 10 ❸ 12 ❹ 12

핵심 체크

1 덧셈과 뺄셈이 섞여 있고 ( )가 없는 식은 앞에서부터 차례대로 계산합니다. (○ , ×)

2 곱셈과 나눗셈이 섞여 있고 ( )가 있는 식은 앞에서부터 차례대로 계산합니다. (○ , ×)

2 덧셈, 뺄셈, 곱셈이 섞여 있는 식의 계산

● 덧셈, 뺄셈, 곱셈이 섞여 있고 ( )가 없는 식

덧셈, 뺄셈, 곱셈이 섞여 있고 ( )가 없는 식은 곱셈을 가장 먼저 계산한 후 덧셈과 뺄셈을 앞에서부터 차례대로 계산합니다.

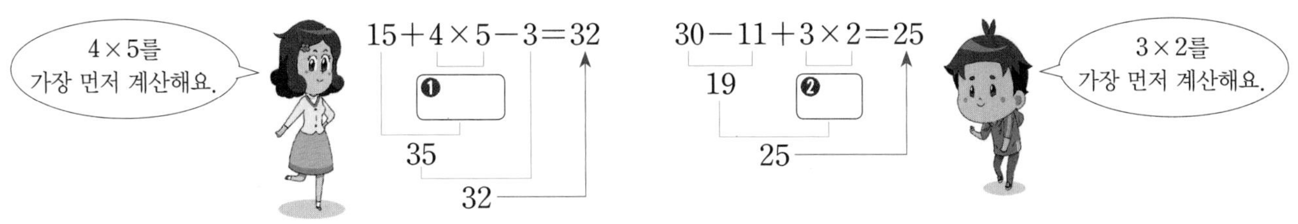

● 덧셈, 뺄셈, 곱셈이 섞여 있고 ( )가 있는 식

덧셈, 뺄셈, 곱셈이 섞여 있고 ( )가 있는 식은 ( ) 안 → 곱셈 → 덧셈과 뺄셈의 순서로 계산합니다.

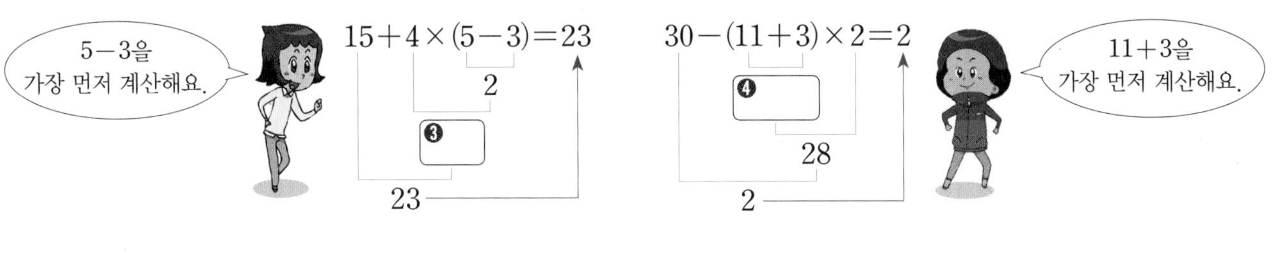

[답] ❶ 20 ❷ 6 ❸ 8 ❹ 14

핵심 체크

1 덧셈, 뺄셈, 곱셈이 섞여 있고 ( )가 없는 식은 (덧셈 , 뺄셈 , 곱셈)을 가장 먼저 계산합니다.

2 70−5×(6+4)에서 가장 먼저 계산해야 하는 부분은 (70−5 , 5×6 , 6+4)입니다.

3 덧셈, 뺄셈, 나눗셈이 섞여 있는 식의 계산

◘ 덧셈, 뺄셈, 나눗셈이 섞여 있고 ( )가 없는 식

덧셈, 뺄셈, 나눗셈이 섞여 있고 ( )가 없는 식은 나눗셈을 가장 먼저 계산한 후 덧셈과 뺄셈을 앞에서부터 차례대로 계산합니다.

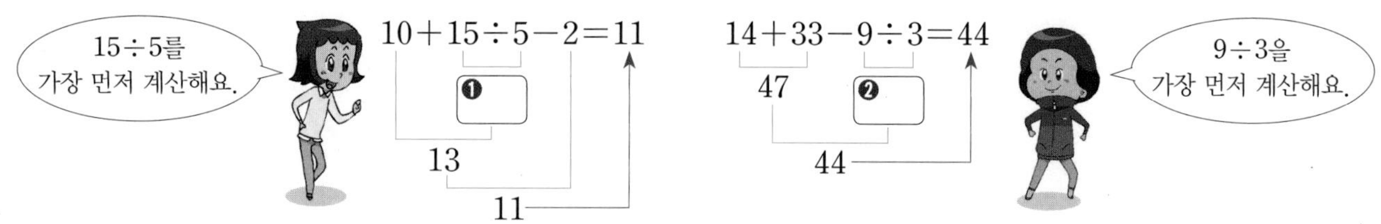

◘ 덧셈, 뺄셈, 나눗셈이 섞여 있고 ( )가 있는 식

덧셈, 뺄셈, 나눗셈이 섞여 있고 ( )가 있는 식은 ( ) 안 → 나눗셈 → 덧셈과 뺄셈의 순서로 계산합니다.

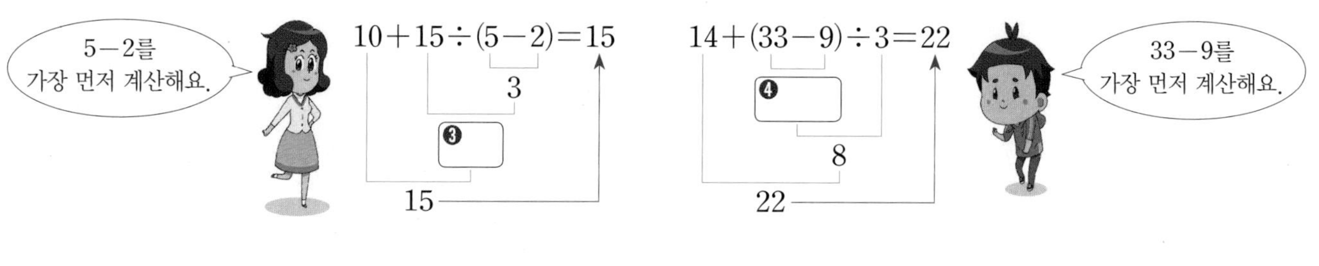

[답] ❶ 3 ❷ 3 ❸ 5 ❹ 24

핵심 체크

1 덧셈, 뺄셈, 나눗셈이 섞여 있고 ( )가 없는 식은 (덧셈 , 뺄셈 , 나눗셈)을 가장 먼저 계산합니다.

2 30−24÷(4+2)에서 가장 먼저 계산해야 하는 부분은 (30−24 , 24÷4 , 4+2)입니다.

4 덧셈, 뺄셈, 곱셈, 나눗셈이 섞여 있는 식의 계산

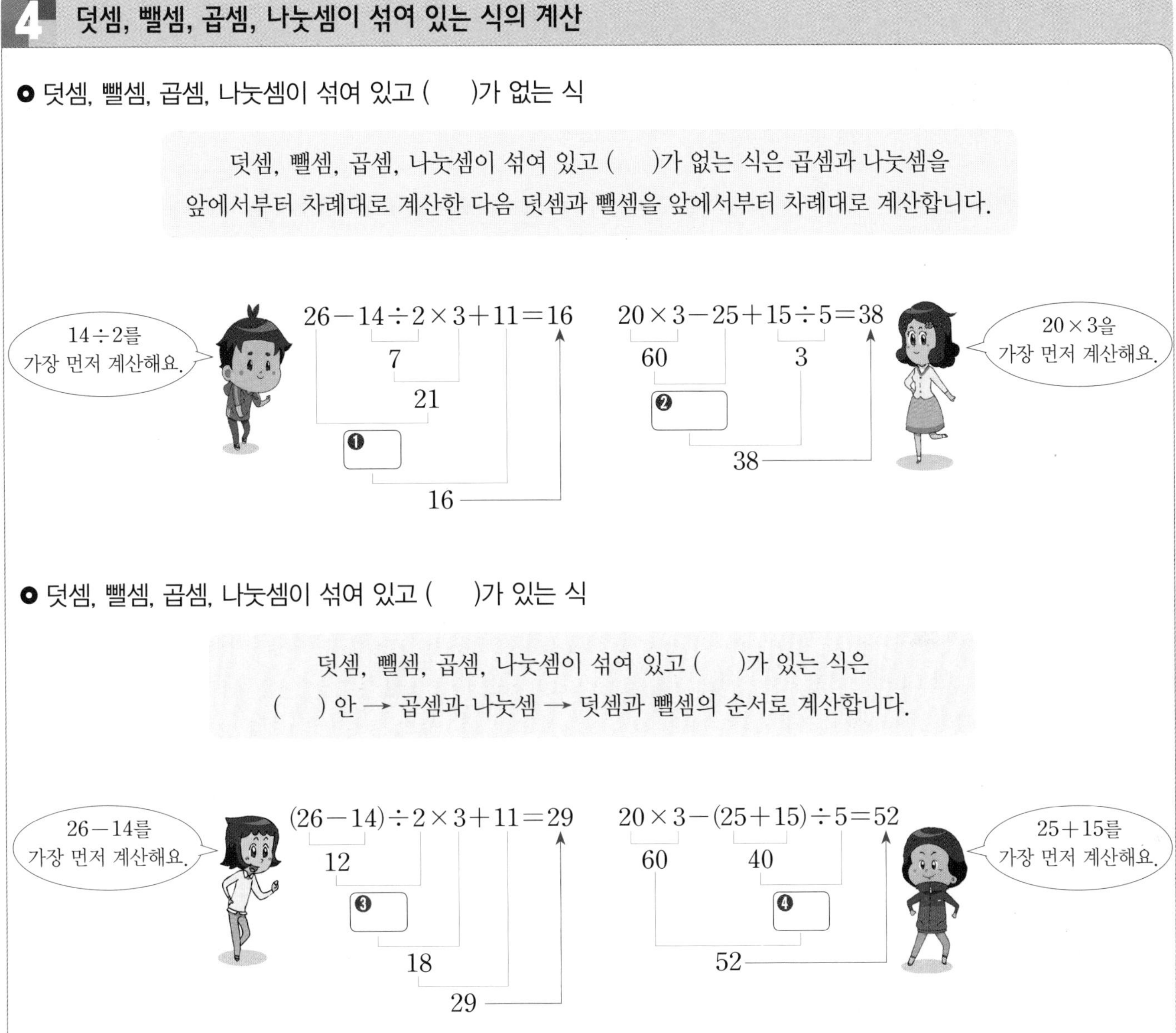

- 덧셈, 뺄셈, 곱셈, 나눗셈이 섞여 있고 (　　)가 없는 식

덧셈, 뺄셈, 곱셈, 나눗셈이 섞여 있고 (　　)가 없는 식은 곱셈과 나눗셈을 앞에서부터 차례대로 계산한 다음 덧셈과 뺄셈을 앞에서부터 차례대로 계산합니다.

- 덧셈, 뺄셈, 곱셈, 나눗셈이 섞여 있고 (　　)가 있는 식

덧셈, 뺄셈, 곱셈, 나눗셈이 섞여 있고 (　　)가 있는 식은
(　　) 안 → 곱셈과 나눗셈 → 덧셈과 뺄셈의 순서로 계산합니다.

[답] ❶ 5　❷ 35　❸ 6　❹ 8

핵심 체크

1 덧셈, 뺄셈, 곱셈, 나눗셈이 섞여 있고 (　　)가 없는 식은 앞에서부터 차례대로 계산합니다. (○ , ×)

2 56÷(2+6)×7−4에서 가장 먼저 계산해야 하는 부분은 (56÷2 , 2+6 , 6×7 , 7−4)입니다.

집중 연습

[01~08] □ 안에 알맞은 수를 써넣으시오.

01

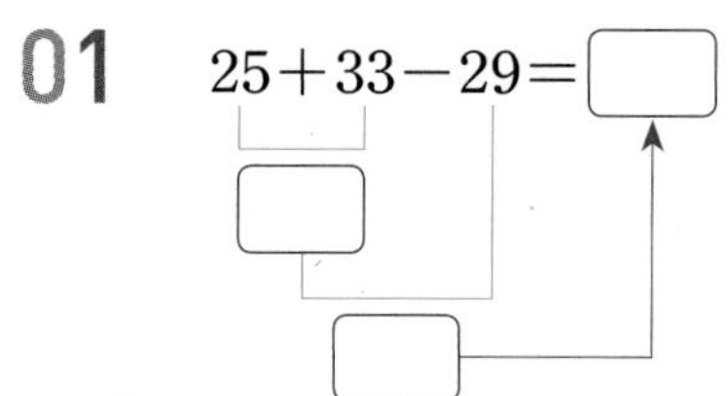

02

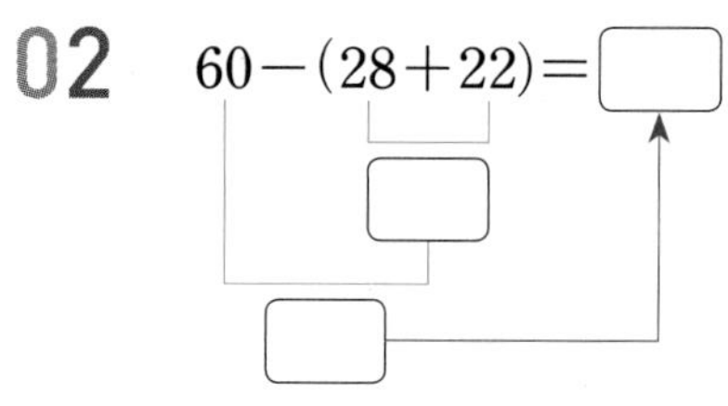

03

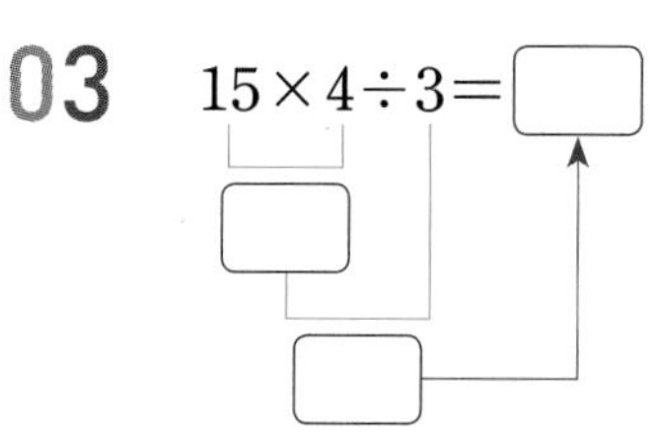

04

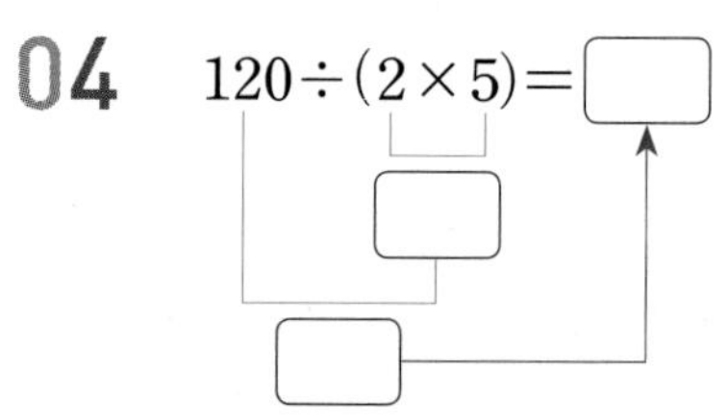

05

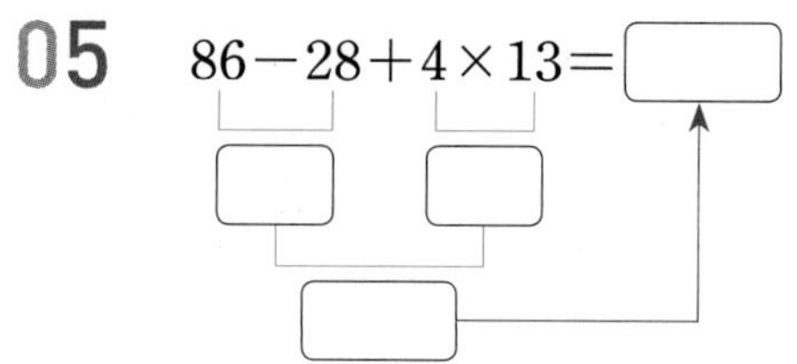

06

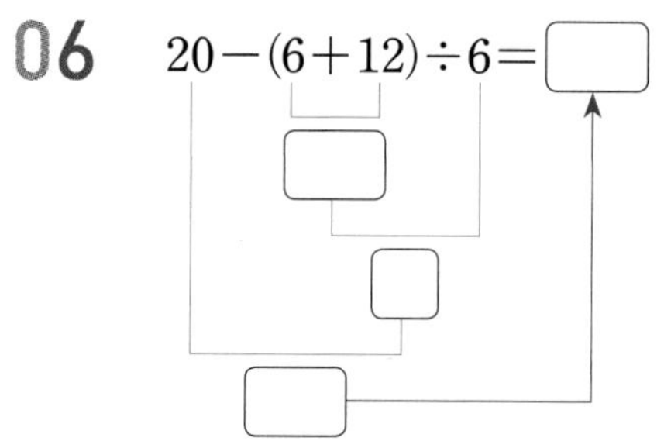

07

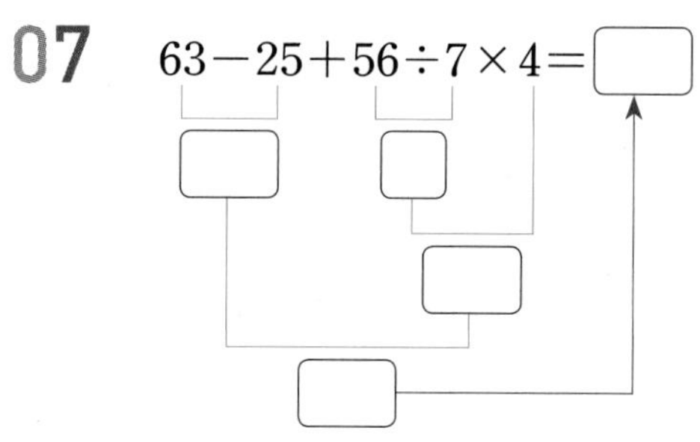

08

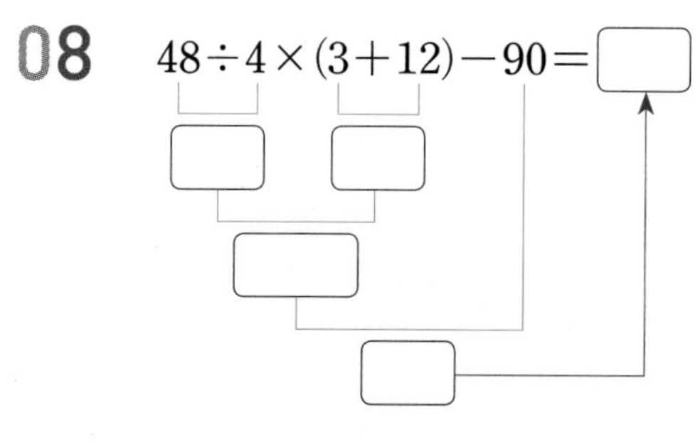

[09~16] 계산을 하시오.

09 $32-7+15$

10 $55-(22+13)$

11 $56\div 8\times 11$

12 $96\div(4\times 4)$

13 $12+4\times(36-22)$

14 $37+23-100\div 25$

15 $52\div 4\times 8+10-55$

16 $24\times 3+(80-8)\div 24$

5 약수

● 6의 약수: 6을 나누어떨어지게 하는 수를 6의 약수라고 합니다.

$6 \div 1 = 6$
$6 \div 2 = 3$
$6 \div 3 = 2$
$6 \div 4 = 1 \cdots 2$
$6 \div 5 = 1 \cdots 1$
$6 \div 6 = 1$

➡ 6을 나누어떨어지게 하는 수는 1, 2, 3, 6입니다. 따라서 1, 2, 3, ❶ [ ]은/는 6의 약수입니다.

- 어떤 수를 나누어떨어지게 하는 수를 그 수의 ❷ [ ](이)라고 합니다.
- 어떤 수의 약수에는 1과 어떤 수 자신이 항상 포함됩니다.
- 1은 모든 자연수의 약수입니다.

[답] ❶ 6 ❷ 약수

핵심 체크

1 12를 나누어떨어지게 하는 수를 12의 (약수 , 배수)라고 합니다.

2 어떤 수의 약수를 구하려면 그 수를 나누어떨어지게 하는 수를 알아봅니다. (○ , ×)

3 0은 모든 자연수의 약수입니다. (○ , ×)

6 배수

● 5의 배수: 5를 1배, 2배, 3배⋯⋯ 한 수

5를 1배 한 수는 5입니다.	$5\times1=5$
5를 2배 한 수는 10입니다.	$5\times2=10$
5를 3배 한 수는 15입니다.	$5\times3=15$
5를 4배 한 수는 20입니다.	$5\times4=20$
5를 5배 한 수는 25입니다.	$5\times5=25$
⋮	⋮

5를 몇 배 한 수를 곱셈식으로 알아보세요.

➡ 5의 배수는 5, 10, 15, 20, ❶ ☐ ⋯⋯입니다.

- 어떤 수를 1배, 2배, 3배⋯⋯ 한 수를 그 수의 ❷ ☐ (이)라고 합니다.
- 어떤 수의 배수에는 어떤 수 자신이 항상 포함됩니다.
- 어떤 수의 배수는 무수히 많습니다.

[답] ❶ 25 ❷ 배수

핵심체크

1 3을 1배, 2배, 3배⋯⋯ 한 수를 3의 (약수 , 배수)라고 합니다.

2 어떤 수의 배수를 구하려면 그 수를 나누어떨어지게 하는 수를 알아봅니다. (○ , ×)

3 어떤 수의 배수에는 어떤 수 자신이 항상 포함됩니다. (○ , ×)

7 공약수와 최대공약수

● 12와 30의 공약수

┌ 12의 약수: 1, 2, 3, 4, 6, 12
└ 30의 약수: 1, 2, 3, 5, 6, 10, 15, 30

1, 2, 3, 6은 12의 약수도 되고, 30의 약수도 됩니다.

12와 30의 공통된 약수 1, 2, 3, 6을 12와 30의 공약수라고 합니다.

➡ 12와 30의 공약수: 1, 2, 3, ❶ ☐

● 12와 30의 최대공약수

12와 30의 공약수 1, 2, 3, 6 중에서 가장 큰 수인 6을 12와 30의 최대공약수라고 합니다.

➡ 12와 30의 최대공약수: ❷ ☐

● 공약수와 최대공약수의 관계

┌ 12와 30의 공약수: 1, 2, 3, 6
├ 12와 30의 최대공약수: 6 — 같습니다
└ 최대공약수 6의 약수: 1, 2, 3, 6

➡ 12와 30의 공약수 1, 2, 3, 6은 12와 30의 최대공약수 6의 ❸ ☐ 와/과 같습니다.

[답] ❶ 6 ❷ 6 ❸ 약수

핵심 체크

1 두 수의 공통된 약수를 두 수의 (공약수 , 공배수)라고 합니다.

2 최대공약수는 두 수의 공약수 중에서 가장 (큰 , 작은) 수입니다.

3 두 수의 공약수는 두 수의 최대공약수의 (약수 , 배수)와 같습니다.

8 최대공약수 구하는 방법

● 12와 30의 최대공약수 구하기

(1) 두 수의 곱으로 나타낸 곱셈식 이용하기

12=1×12	12=2×6	12=3×4	
30=1×30	30=2×15	30=3×10	30=5×6

➡ 공통으로 들어 있는 가장 큰 수는 6입니다.

방법1

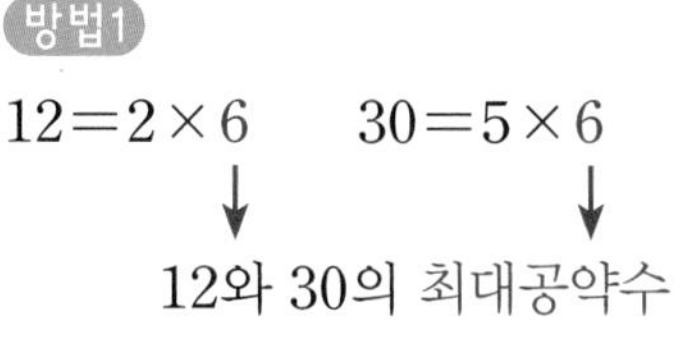

12=2×6　　30=5×6

12와 30의 최대공약수

방법2

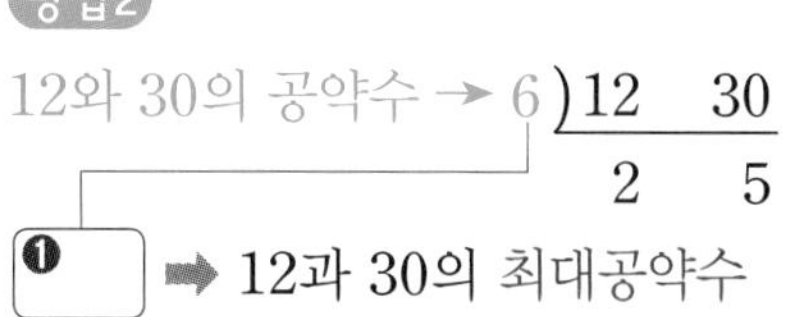

12와 30의 공약수 → 6) 12　30

2　5

❶ ☐ ➡ 12과 30의 최대공약수

(2) 여러 수의 곱으로 나타낸 곱셈식 이용하기

12=2×2×3　　　30=2×3×5

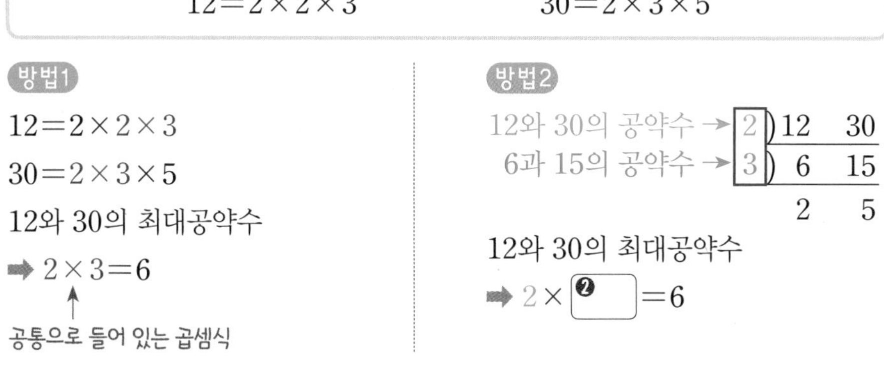

방법1

12=2×2×3

30=2×3×5

12와 30의 최대공약수

➡ 2×3=6

↑ 공통으로 들어 있는 곱셈식

방법2

12와 30의 공약수 → 2) 12　30

6과 15의 공약수 → 3) 6　15

2　5

12와 30의 최대공약수

➡ 2×❷☐=6

수가 클 때는 여러 수의 곱을 이용하면 편리해요.

[답] ❶ 6　❷ 3

핵심 체크

1 최대공약수는 두 수의 곱으로 나타낸 곱셈식에 공통으로 들어 있는 가장 (큰 , 작은) 수입니다.

2 최대공약수는 여러 수의 곱으로 나타낸 곱셈식에 공통으로 들어 있는 수의 (합 , 곱)입니다.

9 공배수와 최소공배수

20과 30의 공배수

- 20의 배수: 20, 40, 60, 80, 100, 120……
- 30의 배수: 30, 60, 90, 120……

20과 30의 공통된 배수 60, 120……을 20과 30의 공배수라고 합니다.

➡ 20과 30의 공배수: 60, ❶ [　　] ……

20과 30의 최소공배수

20과 30의 공배수 60, 120…… 중에서 가장 작은 수인 60을 20과 30의 최소공배수라고 합니다.

➡ 20과 30의 최소공배수: ❷ [　　]

공배수와 최소공배수의 관계

- 20과 30의 공배수: 60, 120……
- 20과 30의 최소공배수: 60
- 최소공배수 60의 배수: 60, 120……

(공배수와 최소공배수 60의 배수는 같습니다)

➡ 20과 30의 공배수 60, 120……은 20과 30의 최소공배수 60의 ❸ [　　] 와/과 같습니다.

[답] ❶ 120 ❷ 60 ❸ 배수

핵심 체크

1 두 수의 공통된 배수를 두 수의 (공약수 , 공배수)라고 합니다.

2 최소공배수는 두 수의 공배수 중에서 가장 (큰 , 작은) 수입니다.

3 두 수의 공배수는 두 수의 최소공배수의 (약수 , 배수)입니다.

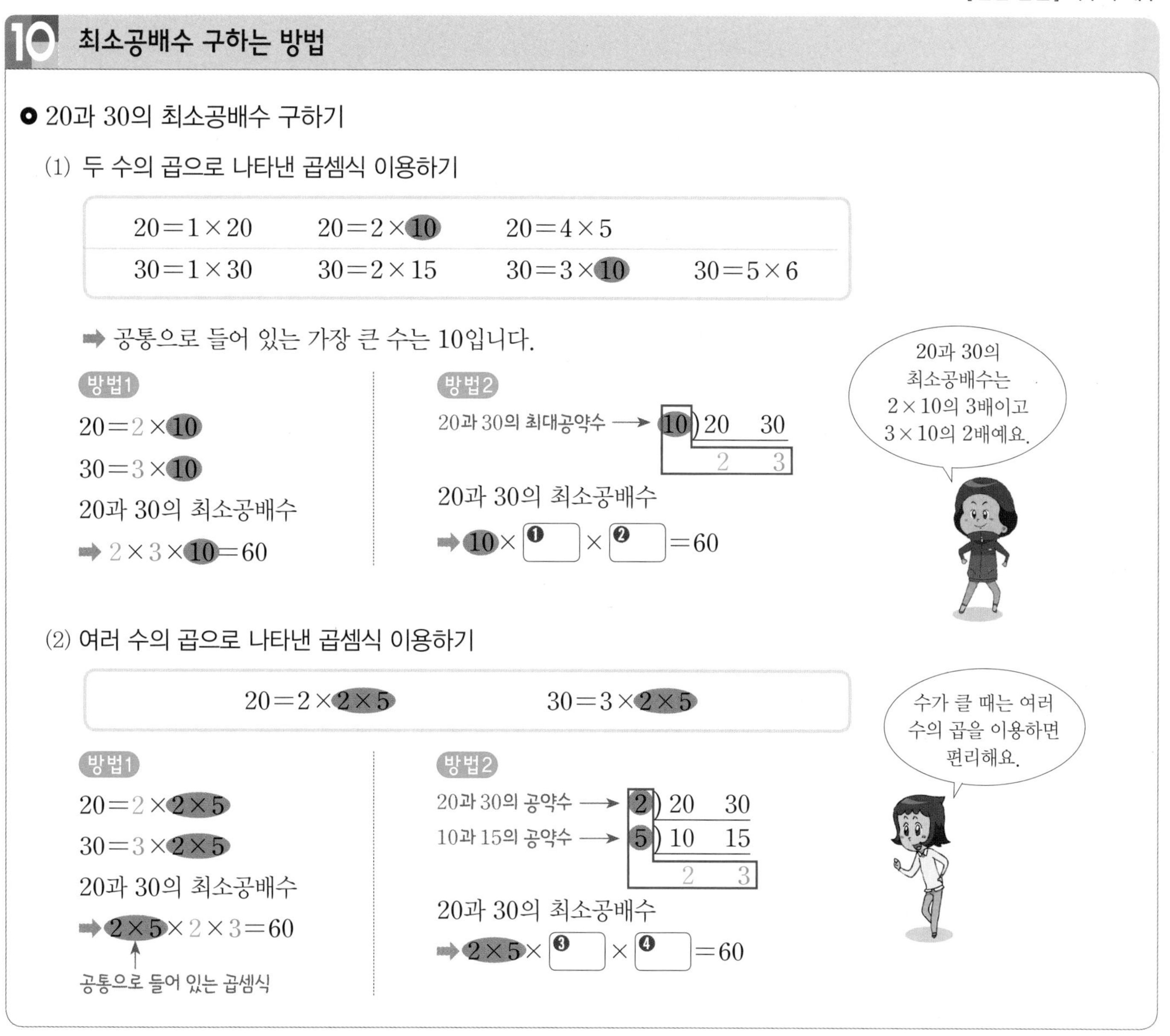

10 최소공배수 구하는 방법

● 20과 30의 최소공배수 구하기

(1) 두 수의 곱으로 나타낸 곱셈식 이용하기

20=1×20	20=2×10	20=4×5	
30=1×30	30=2×15	30=3×10	30=5×6

➡ 공통으로 들어 있는 가장 큰 수는 10입니다.

방법1

20=2×10

30=3×10

20과 30의 최소공배수

➡ 2×3×10=60

방법2

20과 30의 최대공약수 ⟶ 10) 20　30

　　　　　　　　　　　　　　2　3

20과 30의 최소공배수

➡ 10× ❶ [　] × ❷ [　] =60

(2) 여러 수의 곱으로 나타낸 곱셈식 이용하기

20=2×2×5	30=3×2×5

방법1

20=2×2×5

30=3×2×5

20과 30의 최소공배수

➡ 2×5×2×3=60

↑ 공통으로 들어 있는 곱셈식

방법2

20과 30의 공약수 ⟶ 2) 20　30

10과 15의 공약수 ⟶ 5) 10　15

　　　　　　　　　　　　2　3

20과 30의 최소공배수

➡ 2×5× ❸ [　] × ❹ [　] =60

[답] ❶ 2　❷ 3　❸ 2　❹ 3

핵심체크

1 최소공배수는 두 수의 곱으로 나타낸 곱셈식에 공통으로 들어 있는 가장 큰 수와 그 식의 나머지 수들을 한 번씩 (더합니다 , 곱합니다).

2 최소공배수는 여러 수의 곱으로 나타낸 곱셈식에 공통으로 들어 있는 수의 곱과 그 식의 나머지 수들을 한 번씩 (더합니다 , 곱합니다).

집중 연습

[01~04] 약수를 구하시오.

01

8의 약수

(　　　　　　　　　　)

02

16의 약수

(　　　　　　　　　　)

03

20의 약수

(　　　　　　　　　　)

04

32의 약수

(　　　　　　　　　　)

[05~08] 배수를 가장 작은 수부터 4개 쓰시오.

05

3의 배수

(　　　　　　　　　　)

06

5의 배수

(　　　　　　　　　　)

07

10의 배수

(　　　　　　　　　　)

08

15의 배수

(　　　　　　　　　　)

[09~12] 두 수의 최대공약수를 구하시오.

09 24, 18

( )

10 24, 40

( )

11 48, 60

( )

12 70, 56

( )

[13~16] 두 수의 최소공배수를 구하시오.

13 6, 8

( )

14 18, 30

( )

15 20, 35

( )

16 24, 16

( )

11 두 양 사이의 관계

● 마름모 조각의 수와 삼각형 조각의 수 사이의 대응 관계

(1) 변하는 부분과 변하지 않는 부분 알아보기

왼쪽에 있는 삼각형 조각 1개는 변하지 않고, 그 옆에 있는 마름모 조각과 삼각형 조각의 수가 각각 1개씩 늘어납니다.

(2) 표를 이용하여 알아보기

마름모 조각의 수(개)	1	2	3	4	······
삼각형 조각의 수(개)	2	3	4	❶ □	······

마름모 조각의 수와 삼각형 조각의 수는 항상 일정하게 변해요.

(3) 대응 관계 말하기

- 마름모 조각의 수는 삼각형 조각의 수보다 ❷ □개 적습니다.
- 삼각형 조각의 수는 마름모 조각의 수보다 ❸ □개 많습니다.

[답] ❶ 5 ❷ 1 ❸ 1

핵심 체크

1 위 그림에서 다섯 번째 모양은 마름모 조각의 수가 □개, 삼각형 조각의 수가 □개입니다.

2 위 그림에서 다섯 번째에 알맞은 모양은

(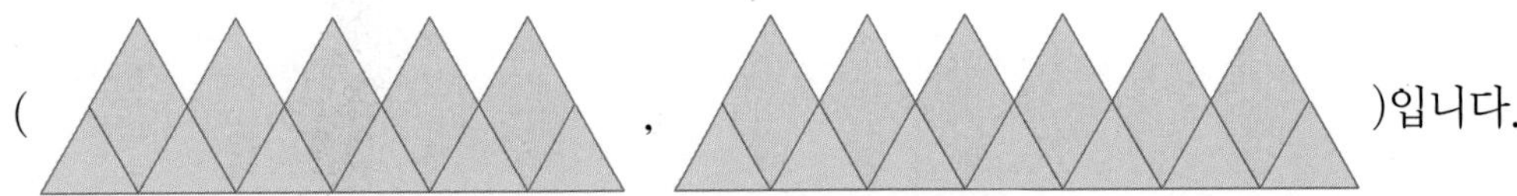)입니다.

12 대응 관계를 식으로 나타내기

- 두발자전거의 수와 바퀴의 수 사이의 대응 관계

     ……

(1) 표를 이용하여 알아보기

두발자전거의 수(대)	1	2	3	4	5	……
바퀴의 수(개)	2	4	6	8	10	……

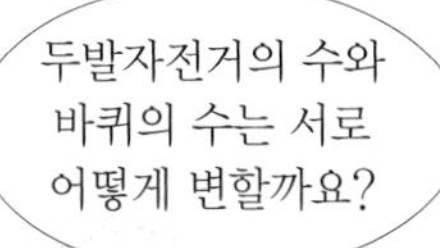

- 바퀴의 수는 두발자전거의 수의 ❶☐배입니다.
- 두발자전거의 수는 바퀴의 수를 ❷☐(으)로 나눈 몫입니다.

(2) 두발자전거의 수(□)와 바퀴의 수(△) 사이의 대응 관계를 식으로 나타내기

- 바퀴의 수는 두발자전거의 수의 2배입니다. ➡ □×2=△
- 두발자전거의 수는 바퀴의 수를 2로 나눈 몫입니다. ➡ △÷2=□

[답] ❶ 2 ❷ 2

핵심 체크

1 위 그림에서 두발자전거의 수와 바퀴의 수는 항상 일정하게 변합니다. (○ , ×)

2 위 그림에서 두발자전거의 수가 6대가 되면 바퀴의 수는 6×2=☐(개)가 됩니다.

3 위 그림에서 바퀴의 수가 18개가 되면 두발자전거의 수는 18÷2=☐(대)가 됩니다.

집중 연습

[01~03] 두 양 사이의 대응 관계를 찾아 표와 대응 관계를 완성해 보시오.

01

삼각형의 수(개)	1	2	3	4	5	……
원의 수(개)	2					……

대응 관계 삼각형의 수를 ☐배 하면 원의 수와 같습니다.

02

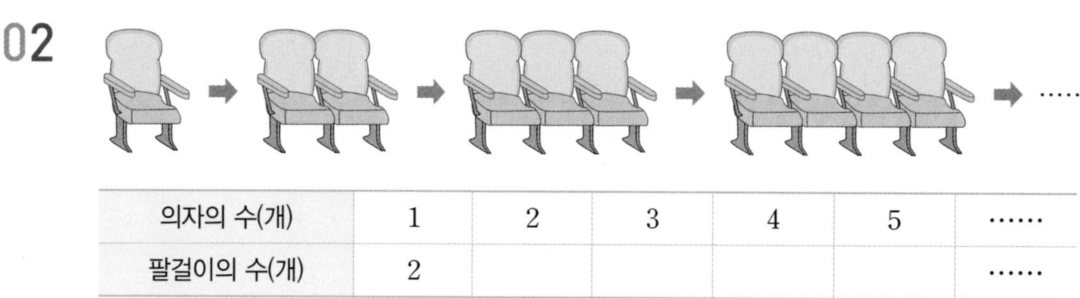

의자의 수(개)	1	2	3	4	5	……
팔걸이의 수(개)	2					……

대응 관계 팔걸이의 수에서 ☐을/를 빼면 의자의 수와 같습니다.

03

자동차의 수(대)	1	2	3	4	5	……
바퀴의 수(개)	4					……

대응 관계 바퀴의 수를 ☐(으)로 나누면 자동차의 수와 같습니다.

[04~09] ○와 □ 사이의 대응 관계를 2가지의 식으로 나타내어 보시오.

04

○	1	2	3	4	5	……
□	5	6	7	8	9	……

식1

식2

05

○	3	4	5	6	7	……
□	6	8	10	12	14	……

식1

식2

06

○	5	10	15	20	25	……
□	1	2	3	4	5	……

식1

식2

07

○	2	4	6	8	10	……
□	8	16	24	32	40	……

식1

식2

08

○	16	17	18	19	20	……
□	14	15	16	17	18	……

식1

식2

09

○	12	15	18	21	24	……
□	4	5	6	7	8	……

식1

식2

13 크기가 같은 분수(1)

◎ 분수만큼 색칠하여 크기 비교하기

$\frac{1}{2}$  $\frac{2}{4}$ $\frac{3}{6}$ 

분수만큼 색칠한
부분이 모두 같아요.

➡ $\frac{1}{2}$, $\frac{2}{4}$, $\frac{❶}{6}$ ……은 크기가 같은 분수입니다.

◎ 분수만큼 수직선에 표시하여 크기 비교하기

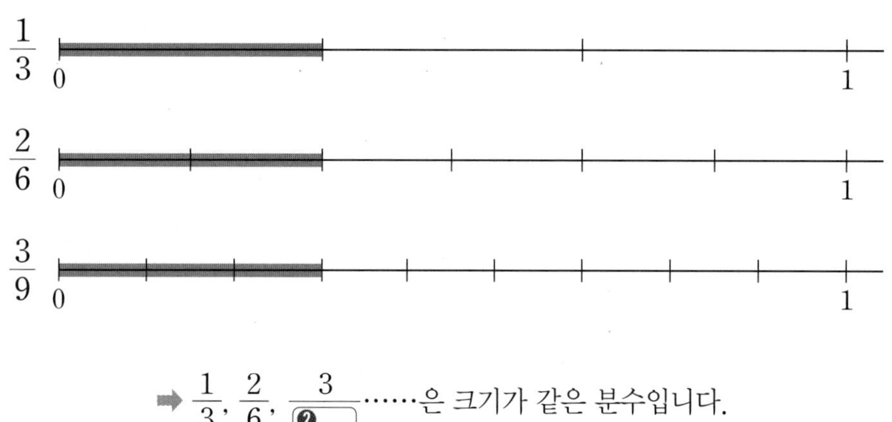

수직선에 표시한
분수의 크기가
모두 같아요.

➡ $\frac{1}{3}$, $\frac{2}{6}$, $\frac{3}{❷}$ ……은 크기가 같은 분수입니다.

[답] ❶ 3 ❷ 9

핵심 체크

1 $\frac{1}{5}$ 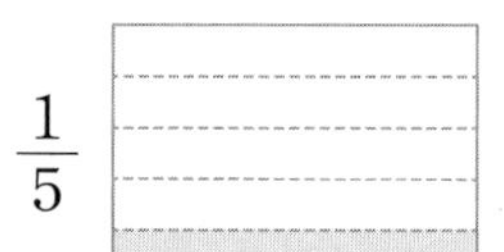 $\frac{2}{10}$

$\frac{1}{5}$과 $\frac{2}{10}$는 크기가 (같은 , 다른) 분수입니다.

2 $\frac{1}{4}$ 0 1

$\frac{2}{8}$ 0 1

$\frac{1}{4}$과 $\frac{2}{8}$는 크기가 (같은 , 다른) 분수입니다.

14 크기가 같은 분수(2)

분모와 분자에 각각 0이 아닌 같은 수를 곱하면 크기가 같은 분수가 됩니다.

$\frac{2}{3}=\frac{2\times2}{3\times2}=\frac{4}{6}$ $\frac{2}{3}=\frac{2\times3}{3\times3}=\frac{6}{9}$ $\frac{2}{3}=\frac{2\times4}{3\times4}=\frac{8}{12}$

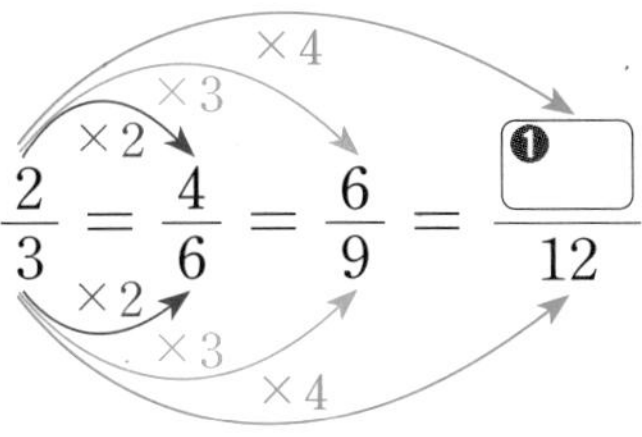

$\frac{2}{3}$의 분모와 분자에 각각 0이 아닌 같은 수를 곱하면 크기가 같은 분수를 만들 수 있어요.

분모와 분자를 각각 0이 아닌 같은 수로 나누면 크기가 같은 분수가 됩니다.

$\frac{24}{32}=\frac{24\div2}{32\div2}=\frac{12}{16}$ $\frac{24}{32}=\frac{24\div4}{32\div4}=\frac{6}{8}$ $\frac{24}{32}=\frac{24\div8}{32\div8}=\frac{3}{4}$

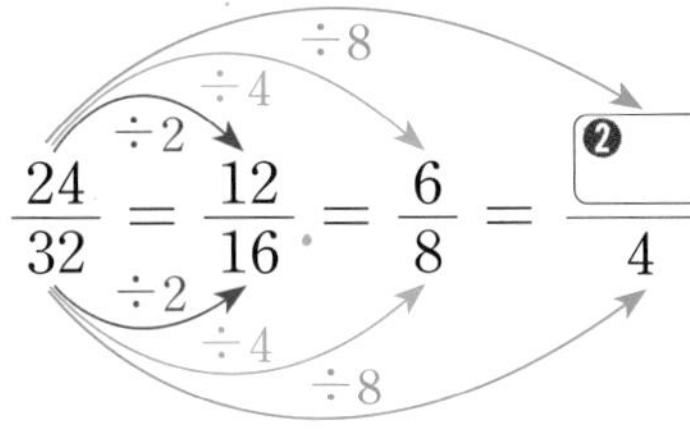

$\frac{24}{32}$의 분모와 분자를 각각 0이 아닌 같은 수로 나누면 크기가 같은 분수를 만들 수 있어요.

[**답**] ❶ 8 ❷ 3

핵심체크

1 분수의 분모와 분자에 각각 0이 아닌 같은 수를 곱하면 분수의 크기는 (변합니다 , 변하지 않습니다).

2 분수의 분모와 분자를 각각 0이 아닌 같은 수로 나누면 분수의 크기는 (변합니다 , 변하지 않습니다).

15 약분, 기약분수

● 약분

분모와 분자를 공약수로 나누어 간단한 분수로 만드는 것을 약분한다고 합니다.

분수 $\frac{18}{27}$의 분모와 분자를 27과 18의 공약수 3과 9로 나누어 약분할 수 있습니다.

$$\frac{18}{27}=\frac{18\div3}{27\div3}=\frac{❶\square}{❷\square} \qquad \frac{18}{27}=\frac{18\div❸\square}{27\div❹\square}=\frac{2}{3}$$

$$\frac{18}{27}=\frac{\overset{6}{\cancel{18}}}{\underset{9}{\cancel{27}}}=\frac{6}{9} \qquad \frac{18}{27}=\frac{\overset{2}{\cancel{18}}}{\underset{3}{\cancel{27}}}=\frac{2}{3}$$

● 기약분수

분모와 분자의 공약수가 1뿐인 분수를 기약분수라고 합니다.

$$\frac{\overset{6}{\cancel{12}}}{\underset{9}{\cancel{18}}}=\frac{\overset{2}{\cancel{6}}}{\underset{3}{\cancel{9}}}=\frac{2}{3} \qquad \frac{\overset{2}{\cancel{12}}}{\underset{3}{\cancel{18}}}=\frac{2}{3}$$

[답] ❶ 6 ❷ 9 ❸ 9 ❹ 9

핵심 체크

1 분수를 약분할 때에는 분모와 분자를 (공약수 , 공배수)로 나눕니다.

2 기약분수는 분모와 분자의 공약수가 (0 , 1)뿐인 분수입니다.

3 기약분수로 나타낼 때에는 분모와 분자를 (최대공약수 , 최소공배수)로 나눕니다.

16 통분

통분

분수의 분모를 같게 하는 것을 통분한다고 하고, 통분한 분모를 공통분모라고 합니다.

$\frac{3}{4}$과 $\frac{5}{6}$를 통분하기

방법1 두 분모의 곱을 공통분모로 하여 통분하기

$$\left(\frac{3}{4}, \frac{5}{6}\right) \Rightarrow \left(\frac{3\times6}{4\times❶\square}, \frac{5\times4}{6\times❷\square}\right) \Rightarrow \left(\frac{18}{24}, \frac{20}{24}\right)$$

방법2 두 분모의 최소공배수를 공통분모로 하여 통분하기

$$\begin{array}{r|rr} 2 & 4 & 6 \\ \hline & 2 & 3 \end{array}$$

➡ 4와 6의 최소공배수: $2\times2\times3=12$

$$\left(\frac{3}{4}, \frac{5}{6}\right) \Rightarrow \left(\frac{3\times❸\square}{4\times3}, \frac{5\times❹\square}{6\times2}\right) \Rightarrow \left(\frac{9}{12}, \frac{10}{12}\right)$$

두 분모의 최소공배수를 공통분모로 하여 통분하니까 더 간단해요.

분모가 작을 때는 두 분모의 곱을 공통분모로 하여 통분하고, 분모가 클 때는 두 분모의 최소공배수를 공통분모로 하여 통분하는 것이 좋습니다.

[답] ❶ 6 ❷ 4 ❸ 3 ❹ 2

핵심 체크

1 두 분수를 통분할 때 공통분모가 될 수 있는 수는 두 분모의 (공약수 , 공배수)입니다.

2 두 분수를 통분할 때 공통분모가 될 수 있는 수 중 가장 작은 수는
두 분모의 (최대공약수 , 최소공배수)입니다.

17 분수의 크기 비교

- $\frac{3}{4}$과 $\frac{7}{10}$의 크기 비교하기

방법1 두 분모의 곱으로 통분하여 크기 비교하기

$$\left(\frac{3}{4}, \frac{7}{10}\right) \Rightarrow \left(\frac{3\times10}{4\times10}, \frac{7\times4}{10\times4}\right) \Rightarrow \left(\frac{30}{40}, \frac{28}{40}\right)$$

$\frac{30}{40} > \frac{28}{40}$이므로 $\frac{3}{4}$ ❶ ◯ $\frac{7}{10}$입니다.

방법2 두 분모의 최소공배수로 통분하여 크기 비교하기

```
2)4  10
  2   5
```

➡ 4와 10의 최소공배수: $2\times2\times5=20$

$$\left(\frac{3}{4}, \frac{7}{10}\right) \Rightarrow \left(\frac{3\times5}{4\times5}, \frac{7\times2}{10\times2}\right) \Rightarrow \left(\frac{15}{20}, \frac{14}{20}\right)$$

$\frac{15}{20} > \frac{14}{20}$이므로 $\frac{3}{4}$ ❷ ◯ $\frac{7}{10}$입니다.

분모를 20으로 통분하려면 $\frac{3}{4}$의 분모와 분자에 각각 5를 곱하고, $\frac{7}{10}$의 분모와 분자에 각각 2를 곱해야 해요.

[분수의 크기 비교 방법]
① 분모가 같은 분수는 분자의 크기가 큰 분수가 더 큽니다.
② 분모가 다른 분수는 분모와 분자에 0이 아닌 같은 수를 곱해서 통분하여 크기를 비교합니다.
③ 세 분수의 크기는 두 분수씩 차례로 통분하여 비교합니다.

[답] ❶ > ❷ >

핵심 체크

1 분모가 같은 분수는 분자의 크기가 큰 분수가 더 (큽니다 , 작습니다).

분모가 다른 분수는 분모를 같게 해야 크기를 비교할 수 있어요.

2 분모가 다른 두 분수의 크기를 비교하려면 분수를 (약분 , 통분)한 다음 분자의 크기를 비교합니다.

18 분수와 소수의 크기 비교

- $\frac{3}{5}$과 0.7의 크기 비교하기

방법1 분수를 소수로 나타내어 크기 비교하기

분수 $\frac{3}{5}$을 소수로 나타내어 소수끼리 크기를 비교합니다.

$$\frac{3}{5}=\frac{3\times2}{5\times2}=\frac{6}{10}=0.6$$

0.6 < 0.7이므로 $\frac{3}{5}$ ❶○ 0.7입니다.

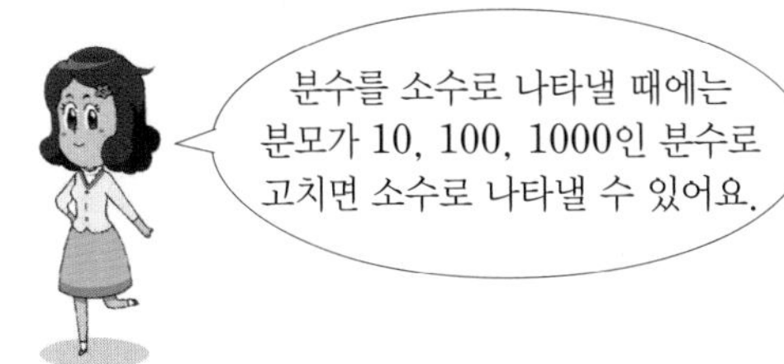

방법2 소수를 분수로 나타내어 크기 비교하기

소수 0.7을 분수로 나타내어 분수끼리 크기를 비교합니다.

$0.7=\frac{7}{10}$이므로 $\frac{3}{5}$과 $\frac{7}{10}$을 통분하여 크기를 비교합니다.

$$\left(\frac{3}{5}, \frac{7}{10}\right) \Rightarrow \left(\frac{3\times❷\square}{5\times❸\square}, \frac{7}{10}\right) \Rightarrow \left(\frac{6}{10}, \frac{7}{10}\right)$$

$\frac{6}{10}<\frac{7}{10}$이므로 $\frac{3}{5}<0.7$입니다.

[답] ❶ < ❷ 2 ❸ 2

핵심체크

1 분수와 소수의 크기 비교는 분수를 □(으)로 나타내어 소수끼리 크기를 비교하거나 소수를 □(으)로 나타내어 분수끼리 크기를 비교합니다.

2 분수와 소수의 크기 비교에서 분수를 소수로 나타낼 때 (분모 , 분자)를 10, 100, 1000 등으로 고치면 소수로 나타내기 편리합니다.

집중 연습

[01~04] □ 안에 알맞은 수를 써넣어 크기가 같은 분수를 만들어 보시오.

01 $\frac{3}{4}=\frac{\square}{8}$

02 $\frac{2}{7}=\frac{\square}{28}$

03 $\frac{12}{24}=\frac{2}{\square}$

04 $\frac{56}{80}=\frac{\square}{20}$

[05~08] 분수를 기약분수로 나타내어 보시오.

05 $\frac{3}{12}$

(　　　　　　　　　　　)

06 $\frac{12}{18}$

(　　　　　　　　　　　)

07 $\frac{24}{32}$

(　　　　　　　　　　　)

08 $\frac{60}{84}$

(　　　　　　　　　　　)

[09~12] 분모의 최소공배수를 공통분모로 하여 통분해 보시오.

09 $\left(\frac{2}{3}, \frac{1}{4}\right)$ ➡ (　　　,　　　)

10 $\left(\frac{3}{8}, \frac{5}{6}\right)$ ➡ (　　　,　　　)

11 $\left(\frac{1}{6}, \frac{7}{9}\right)$ ➡ (　　　,　　　)

12 $\left(\frac{4}{15}, \frac{3}{10}\right)$ ➡ (　　　,　　　)

[13~16] 두 수의 크기를 비교하여 ○ 안에 $>$, $=$, $<$를 알맞게 써넣으시오.

13 $\frac{3}{4}$ ○ $\frac{4}{5}$

14 $1\frac{5}{12}$ ○ $1\frac{3}{8}$

15 $\frac{3}{5}$ ○ 0.5

16 2.55 ○ $2\frac{13}{20}$

19 받아올림이 없는 진분수의 덧셈

- $\frac{1}{5}+\frac{3}{10}$ 계산하기

(1) 그림으로 알아보기

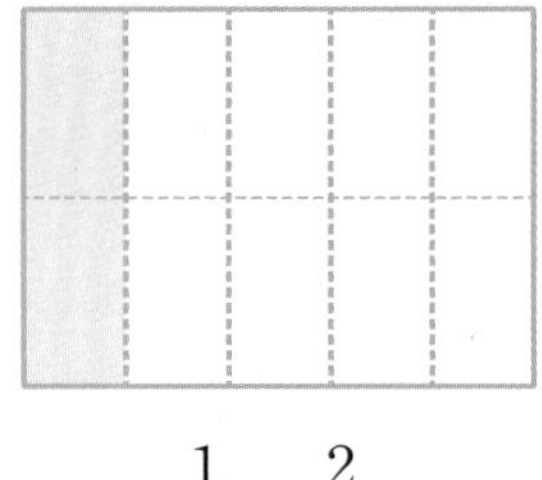

$\frac{1}{5}=\frac{2}{10}$

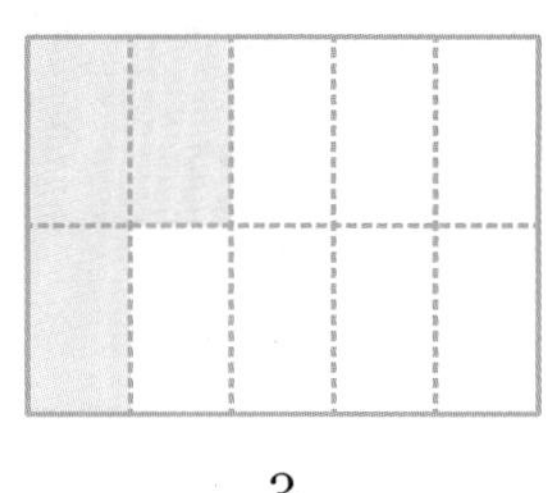

$\frac{3}{10}$

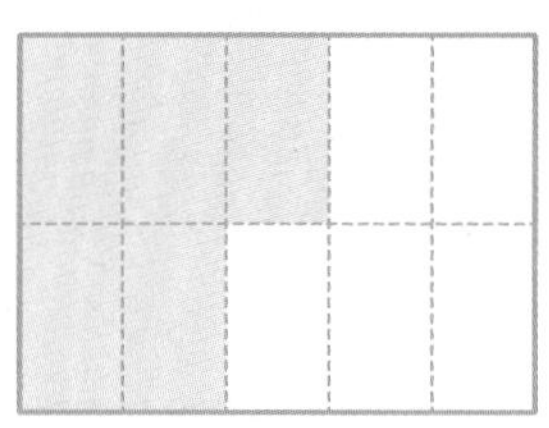

$\frac{1}{5}+\frac{3}{10}=\frac{5}{10}=\frac{1}{2}$

(2) 계산 방법 알아보기

방법1 두 분모의 곱을 공통분모로 하여 통분한 후 계산하기

$$\frac{1}{5}+\frac{3}{10}=\frac{1\times❶\square}{5\times10}+\frac{3\times❷\square}{10\times5}=\frac{10}{50}+\frac{15}{50}=\frac{\overset{1}{\cancel{25}}}{\underset{2}{\cancel{50}}}=\frac{1}{2}$$

5와 10의 곱인 50으로 통분합니다.

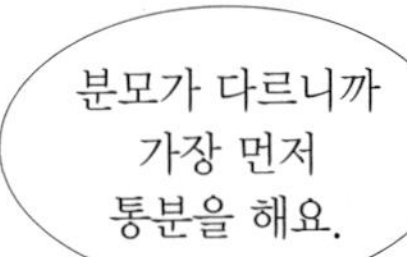

방법2 두 분모의 최소공배수를 공통분모로 하여 통분한 후 계산하기

$$\frac{1}{5}+\frac{3}{10}=\frac{1\times❸\square}{5\times2}+\frac{3}{10}=\frac{2}{10}+\frac{3}{10}=\frac{\overset{1}{\cancel{5}}}{\underset{2}{\cancel{10}}}=\frac{1}{2}$$

5와 10의 최소공배수인 10으로 통분합니다.

[답] ❶ 10 ❷ 5 ❸ 2

핵심 체크

1 분모가 다른 진분수의 덧셈을 할 때 가장 먼저 해야 하는 것은 분수를 (약분 , 통분)하는 것입니다.

2 분모가 다른 진분수의 덧셈에서 통분할 때 공통분모가 될 수 있는 수는 분모의 곱이거나 또는 분모의 (최대공약수 , 최소공배수)입니다.

3 분모가 다른 진분수의 덧셈은 분수를 통분한 다음 (분자 , 분모)끼리 더합니다.

20 받아올림이 있는 진분수의 덧셈

- $\frac{5}{6}+\frac{7}{9}$ 계산하기

(1) 그림으로 알아보기

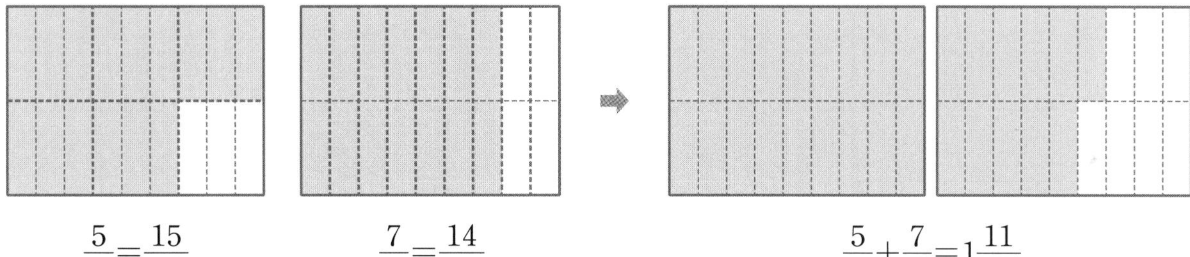

$\frac{5}{6}=\frac{15}{18}$ $\frac{7}{9}=\frac{14}{18}$ $\frac{5}{6}+\frac{7}{9}=1\frac{11}{18}$

(2) 계산 방법 알아보기

방법1 두 분모의 곱을 공통분모로 하여 통분한 후 계산하기

$$\frac{5}{6}+\frac{7}{9}=\frac{5\times9}{6\times9}+\frac{7\times6}{9\times6}=\frac{45}{54}+\frac{42}{54}=\frac{❶\square}{54}=1\frac{\overset{11}{\cancel{33}}}{\underset{18}{\cancel{54}}}=1\frac{11}{18}$$

6과 9의 곱인 54로 통분합니다.

방법2 두 분모의 최소공배수를 공통분모로 하여 통분한 후 계산하기

$$\frac{5}{6}+\frac{7}{9}=\frac{5\times3}{6\times3}+\frac{7\times2}{9\times2}=\frac{15}{18}+\frac{14}{18}=\frac{29}{18}=❷\square\frac{❸\square}{18}$$

6과 9의 최소공배수인 18로 통분합니다.

두 분모의 최소공배수로 통분하니까 분자, 분모가 더 작은 수가 됐어요.

[답] ❶ 87 ❷ 1 ❸ 11

핵심체크

1 위의 계산 방법 두 가지 중 두 분모끼리 곱하면 되므로 공통분모를 구하기 쉬운 방법은 (방법1 , 방법2)입니다.

2 위의 계산 방법 두 가지 중 최소공배수를 공통분모로 하여 통분하므로 분자끼리의 덧셈이 쉽고 계산한 결과를 약분할 필요가 없거나 간단한 방법은 (방법1 , 방법2)입니다.

21 대분수의 덧셈

• $1\frac{3}{4}+1\frac{7}{8}$ 계산하기

(1) 그림으로 알아보기

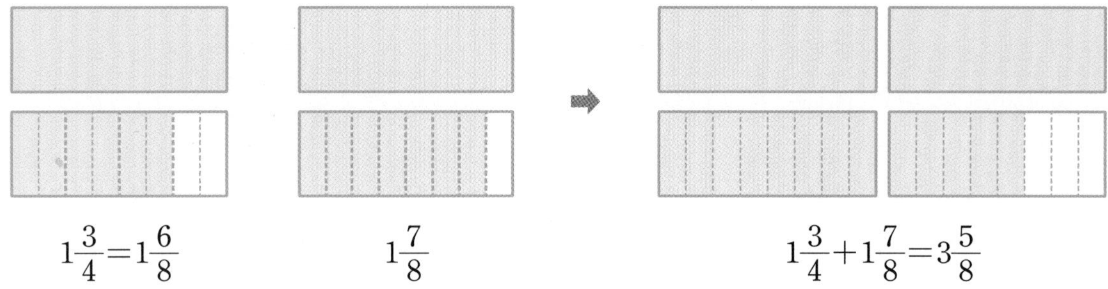

$1\frac{3}{4}=1\frac{6}{8}$ $1\frac{7}{8}$ $1\frac{3}{4}+1\frac{7}{8}=3\frac{5}{8}$

(2) 계산 방법 알아보기

방법1 자연수는 자연수끼리, 분수는 분수끼리 계산하기

$$1\frac{3}{4}+1\frac{7}{8}=1\frac{6}{8}+1\frac{7}{8}=(1+1)+\left(\frac{❶\square}{8}+\frac{❷\square}{8}\right)$$
$$=2+\frac{13}{8}=2+1\frac{5}{8}=3\frac{5}{8}$$

방법2 대분수를 가분수로 나타내어 계산하기

$$1\frac{3}{4}+1\frac{7}{8}=\frac{7}{4}+\frac{❸\square}{8}=\frac{14}{8}+\frac{15}{8}=\frac{29}{8}=3\frac{5}{8}$$

[답] ❶ 6 ❷ 7 ❸ 15

핵심 체크

1 위의 계산 방법 두 가지 중 자연수는 자연수끼리, 분수는 분수끼리 계산하므로 분수 부분의 계산이 편리한 방법은 (방법1 , 방법2)입니다.

2 위의 계산 방법 두 가지 중 대분수를 가분수로 나타내어 계산하므로 자연수 부분과 분수 부분을 따로 떼어 계산하지 않아도 되는 방법은 (방법1 , 방법2)입니다.

22 진분수의 뺄셈

● $\frac{1}{2}-\frac{1}{4}$ 계산하기

(1) 그림으로 알아보기

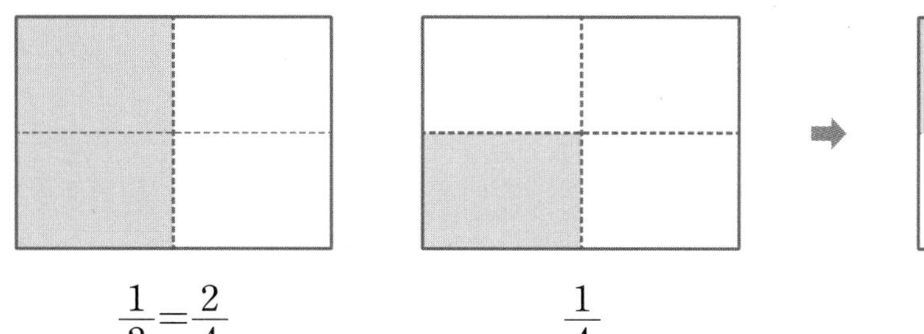

$\frac{1}{2}=\frac{2}{4}$　　$\frac{1}{4}$　　$\frac{1}{2}-\frac{1}{4}=\frac{1}{4}$

(2) 계산 방법 알아보기

방법1 두 분모의 곱을 공통분모로 하여 통분한 후 계산하기

$$\frac{1}{2}-\frac{1}{4}=\frac{1\times❶\square}{2\times4}-\frac{1\times❷\square}{4\times2}=\frac{4}{8}-\frac{2}{8}=\frac{\overset{1}{\cancel{2}}}{\underset{4}{\cancel{8}}}=\frac{1}{4}$$

2와 4의 곱인 8로 통분합니다.

방법2 두 분모의 최소공배수를 공통분모로 하여 통분한 후 계산하기

$$\frac{1}{2}-\frac{1}{4}=\frac{1\times❸\square}{2\times2}-\frac{1}{4}=\frac{2}{4}-\frac{1}{4}=\frac{1}{4}$$

2와 4의 최소공배수인 4로 통분합니다.

[답] ❶ 4 ❷ 2 ❸ 2

핵심 체크

1 분모가 다른 진분수의 뺄셈을 할 때 가장 먼저 해야 하는 것은 분수를 (약분 , 통분)하는 것입니다.

2 분모가 다른 진분수의 뺄셈에서 통분할 때 공통분모가 될 수 있는 수는
분모의 곱이거나 또는 분모의 (최대공약수 , 최소공배수)입니다.

3 분모가 다른 진분수의 뺄셈은 분모를 통분한 다음 (분자 , 분모)끼리 뺍니다.

23 받아내림이 없는 대분수의 뺄셈

● $3\frac{2}{3}-1\frac{1}{2}$ 계산하기

(1) 그림으로 알아보기

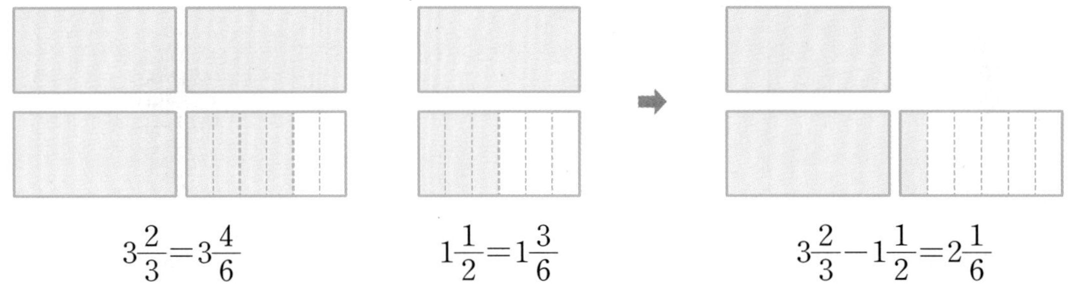

$3\frac{2}{3}=3\frac{4}{6}$ $1\frac{1}{2}=1\frac{3}{6}$ $3\frac{2}{3}-1\frac{1}{2}=2\frac{1}{6}$

(2) 계산 방법 알아보기

방법1 자연수는 자연수끼리, 분수는 분수끼리 계산하기

$$3\frac{2}{3}-1\frac{1}{2}=3\frac{4}{6}-1\frac{3}{6}=(3-1)+\left(\frac{❶\square}{6}-\frac{❷\square}{6}\right)$$
$$=2+\frac{1}{6}=2\frac{1}{6}$$

방법2 대분수를 가분수로 나타내어 계산하기

$$3\frac{2}{3}-1\frac{1}{2}=\frac{11}{3}-\frac{❸\square}{2}=\frac{22}{6}-\frac{9}{6}=\frac{13}{6}=2\frac{1}{6}$$

[답] ❶ 4 ❷ 3 ❸ 3

핵심 체크

1 위의 계산 방법 두 가지 중 자연수는 자연수끼리, 분수는 분수끼리 계산하므로 분수 부분의 계산이 편리한 방법은 (방법1 , 방법2)입니다.

2 위의 계산 방법 두 가지 중 대분수를 가분수로 나타내어 계산하므로 자연수 부분과 분수 부분을 따로 떼어 계산하지 않아도 되는 방법은 (방법1 , 방법2)입니다.

24 받아내림이 있는 대분수의 뺄셈

● $3\frac{1}{4}-1\frac{5}{6}$ 계산하기

(1) 그림으로 알아보기

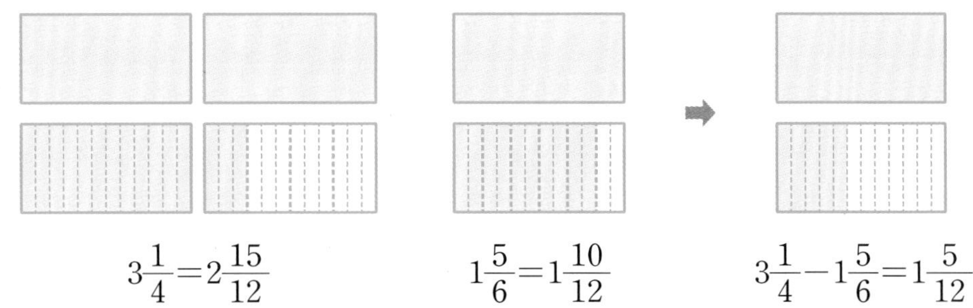

$3\frac{1}{4}=2\frac{15}{12}$ $1\frac{5}{6}=1\frac{10}{12}$ $3\frac{1}{4}-1\frac{5}{6}=1\frac{5}{12}$

(2) 계산 방법 알아보기

방법1 자연수는 자연수끼리, 분수는 분수끼리 계산하기

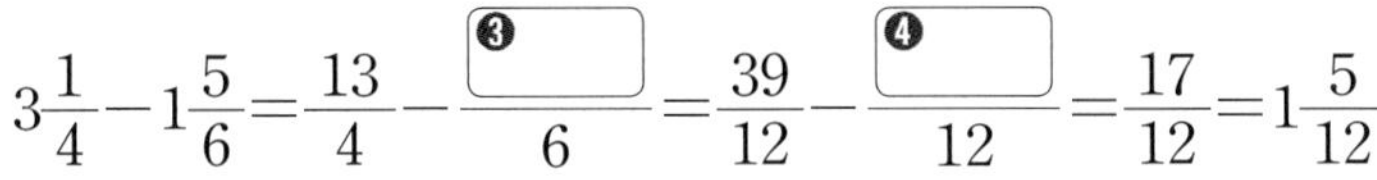

$$3\frac{1}{4}-1\frac{5}{6}=3\frac{3}{12}-1\frac{10}{12}=2\frac{❶\square}{12}-1\frac{10}{12}$$

← 분수 부분끼리 뺄 수 없으면 자연수 부분에서 1을 받아내림합니다.

$$=(2-1)+\left(\frac{❷\square}{12}-\frac{10}{12}\right)=1+\frac{5}{12}=1\frac{5}{12}$$

방법2 대분수를 가분수로 나타내어 계산하기

$$3\frac{1}{4}-1\frac{5}{6}=\frac{13}{4}-\frac{❸\square}{6}=\frac{39}{12}-\frac{❹\square}{12}=\frac{17}{12}=1\frac{5}{12}$$

[답] ❶ 15 ❷ 15 ❸ 11 ❹ 22

핵심 체크

1 대분수의 뺄셈에서 위의 방법1과 같이 분수 부분끼리 뺄 수 없을 때에는 자연수 부분에서 $\square$을/를 받아내림하여 계산합니다.

2 위의 계산 방법 두 가지 중 대분수를 가분수로 나타내어 계산하므로 자연수 부분과 분수 부분을 따로 떼거나 받아내림을 하지 않아도 되는 방법은 (방법1 , 방법2)입니다.

집중 연습

[01~08] 계산을 하시오.

01 $\frac{1}{3}+\frac{2}{5}$

02 $\frac{3}{4}+\frac{1}{6}$

03 $\frac{2}{9}+\frac{5}{12}$

04 $\frac{9}{10}+\frac{8}{15}$

05 $1\frac{1}{4}+2\frac{2}{5}$

06 $2\frac{3}{8}+2\frac{1}{2}$

07 $2\frac{5}{6}+1\frac{2}{3}$

08 $1\frac{9}{16}+3\frac{7}{12}$

[09~16] 계산을 하시오.

09 $\frac{3}{5}-\frac{1}{2}$

10 $\frac{5}{8}-\frac{3}{10}$

11 $\frac{3}{4}-\frac{1}{6}$

12 $\frac{7}{12}-\frac{2}{5}$

13 $2\frac{7}{9}-1\frac{1}{2}$

14 $2\frac{4}{5}-2\frac{3}{10}$

15 $4\frac{1}{3}-2\frac{4}{7}$

16 $5\frac{8}{15}-2\frac{7}{10}$

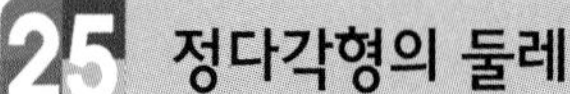

25 정다각형의 둘레

(정삼각형의 둘레)
=(한 변의 길이)×3
=6×3=18 (cm)

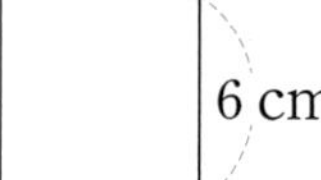

(정사각형의 둘레)
=(한 변의 길이)×4
=6×4=24 (cm)

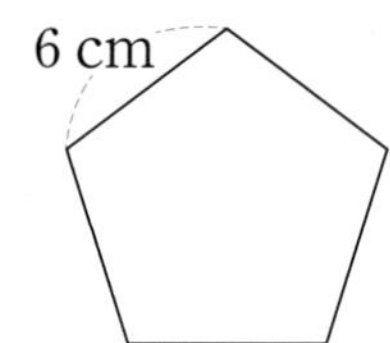

(정오각형의 둘레)
=(한 변의 길이)×5
=6×5=30 (cm)

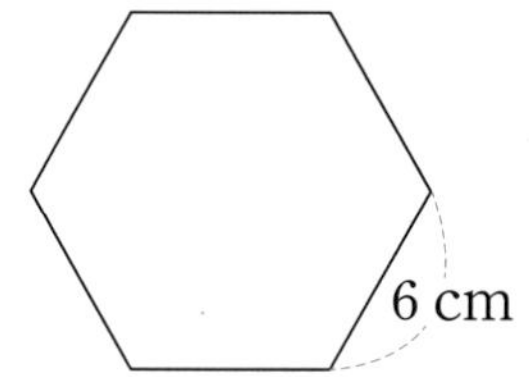

(정육각형의 둘레)
=(한 변의 길이)×6
=6×6=36 (cm)

	한 변의 길이(cm)	변의 수(개)	둘레(cm)
정삼각형	6	3	18
정사각형	6	4	24
정오각형	6	5	❶
정육각형	6	6	❷

[답] ❶ 30 ❷ 36

핵심 체크

1 정다각형의 각 변의 길이는 모두 같기 때문에 정다각형의 둘레는 한 변의 길이에 (변의 수 , 변의 길이)를 곱합니다.

2 (정다각형의 둘레)=(한 변의 길이)×(☐의 수)

26 사각형의 둘레

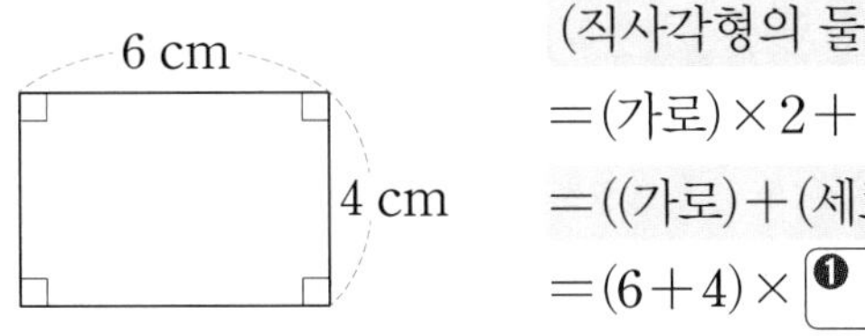

(직사각형의 둘레)
=(가로)×2+(세로)×2
=((가로)+(세로))×2
=(6+4)×❶ ☐=20 (cm)

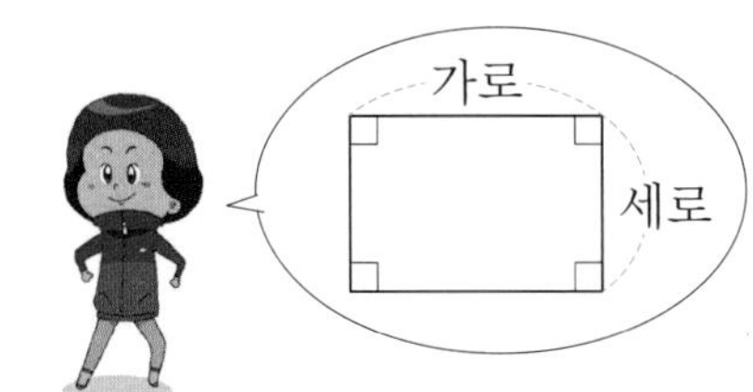

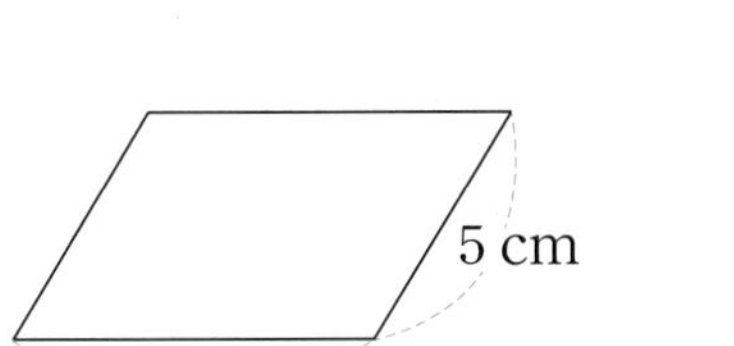

(평행사변형의 둘레)
=(한 변의 길이)×2+(다른 한 변의 길이)×2
=((한 변의 길이)+(다른 한 변의 길이))×2
=(7+5)×❷ ☐
=24 (cm)

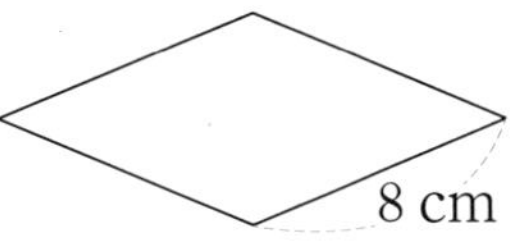

(마름모의 둘레)
=(한 변의 길이)×4
=8×❸ ☐
=32 (cm)

[답] ❶ 2 ❷ 2 ❸ 4

핵심 체크

1 (직사각형의 둘레)=((가로)+(세로))×☐

2 (평행사변형의 둘레)=((한 변의 길이)+(다른 한 변의 길이))×☐

3 (마름모의 둘레)=(한 변의 길이)×☐

마름모는
네 변의 길이가 모두
같은 사각형이에요.

27 $1\,cm^2$, 직사각형의 넓이, 정사각형의 넓이

넓이를 나타낼 때 한 변의 길이가 1 cm인 정사각형의 넓이를 단위로 사용할 수 있습니다.
이 정사각형의 넓이를 $1\,cm^2$라 쓰고, 1(일) 제곱센티미터라고 읽습니다.

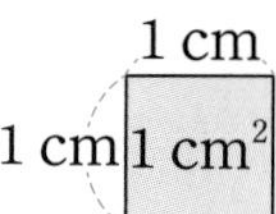

● 직사각형의 넓이, 정사각형의 넓이

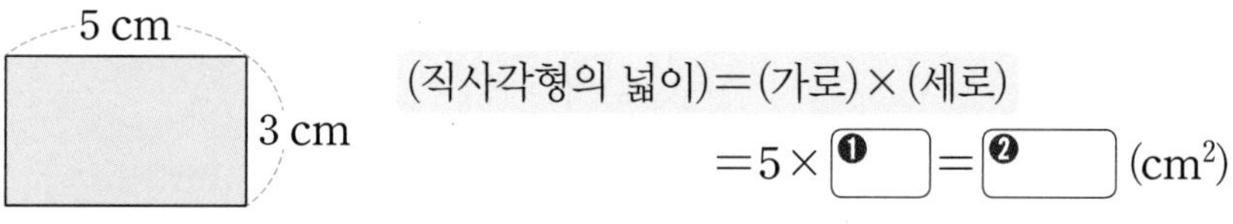

(직사각형의 넓이)=(가로)×(세로)
=5×❶ ☐ =❷ ☐ (cm^2)

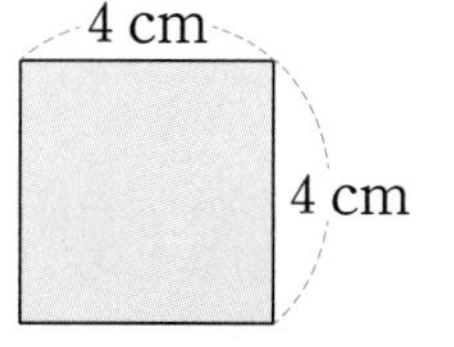

(정사각형의 넓이)=(한 변의 길이)×(한 변의 길이)
=4×❸ ☐ =❹ ☐ (cm^2)

[답] ❶ 3 ❷ 15 ❸ 4 ❹ 16

핵심 체크

1 한 변의 길이가 1 cm인 정사각형의 넓이를 ☐ 라 씁니다.

2 직사각형의 넓이는 (가로)×(세로)를 계산하면 됩니다. (○ , ×)

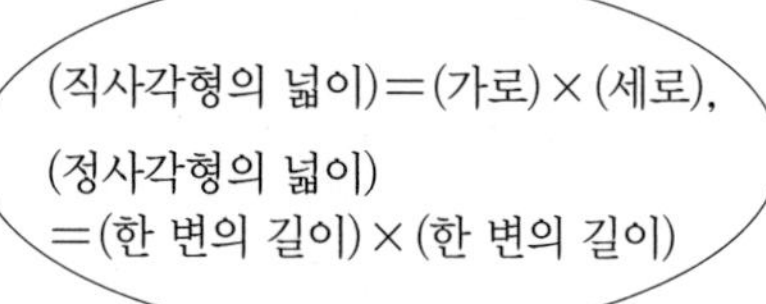

3 정사각형의 넓이는 한 변의 길이를 4배 합니다. (○ , ×)

28 $1\ m^2$, $1\ km^2$

● $1\ m^2$ 알아보기

한 변의 길이가 1 m인 정사각형의 넓이를 $1\ m^2$라 쓰고, 1(일) ❶ [ ](이)라고 읽습니다.

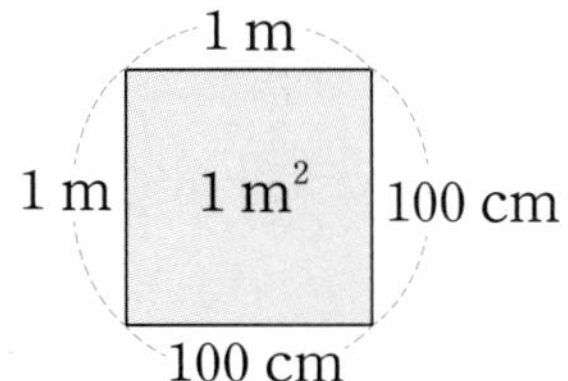

$1\ m^2$에는 $1\ cm^2$가 한 줄에 100개씩 100줄 들어갑니다.

$$1\ m^2=10000\ cm^2$$

● $1\ km^2$ 알아보기

한 변의 길이가 1 km인 정사각형의 넓이를 $1\ km^2$라 쓰고, 1(일) ❷ [ ](이)라고 읽습니다.

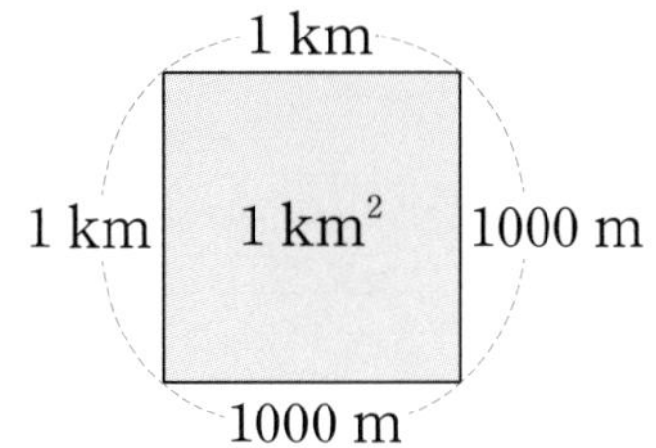

$1\ km^2$에는 $1\ m^2$가 한 줄에 1000개씩 1000줄 들어갑니다.

$$1\ km^2=1000000\ m^2$$

[답] ❶ 제곱미터 ❷ 제곱킬로미터

핵심 체크

1 한 변의 길이가 1 m인 정사각형의 넓이를 [ ]라 쓰고,
한 변의 길이가 1 km인 정사각형의 넓이를 [ ]라 씁니다.

2 (1) $3\ m^2=$ [ ] cm^2 (2) $7\ km^2=$ [ ] m^2

29 평행사변형의 넓이, 삼각형의 넓이

평행사변형의 넓이

평행사변형에서 평행한 두 변을 밑변이라 하고, 두 밑변 사이의 거리를 높이라고 합니다.

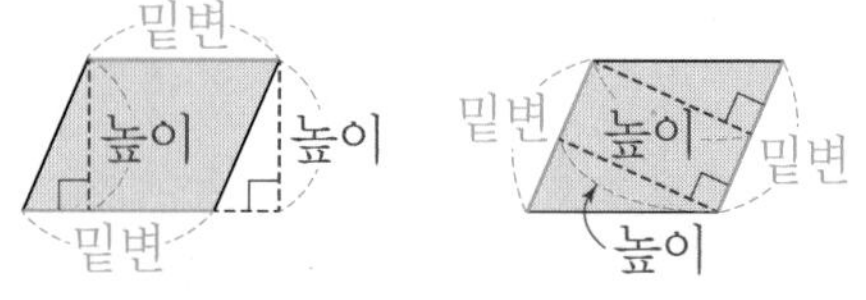

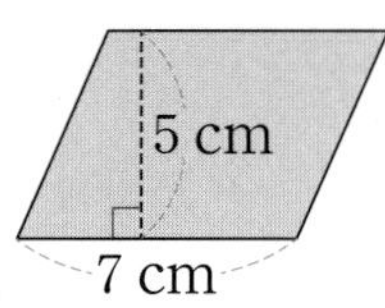

(평행사변형의 넓이)=(밑변의 길이)×(높이)

$=7\times$ ❶ □

$=35\ (cm^2)$

삼각형의 넓이

삼각형에서 어느 한 변을 밑변이라고 하면, 그 밑변과 마주 보는 꼭짓점에서 밑변에 수직으로 그은 선분의 길이를 높이라고 합니다.

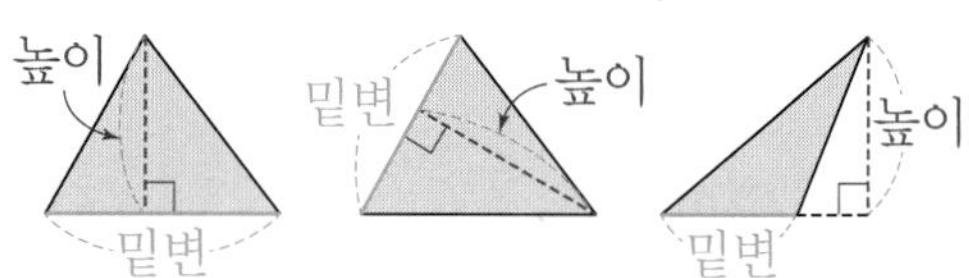

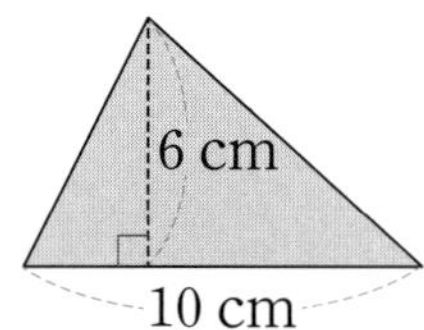

(삼각형의 넓이)=(밑변의 길이)×(높이)÷2

$=10\times6\div$ ❷ □

$=30\ (cm^2)$

[답] ❶ 5 ❷ 2

핵심 체크

[1~2] □ 안에 알맞은 말을 골라 써넣으시오.

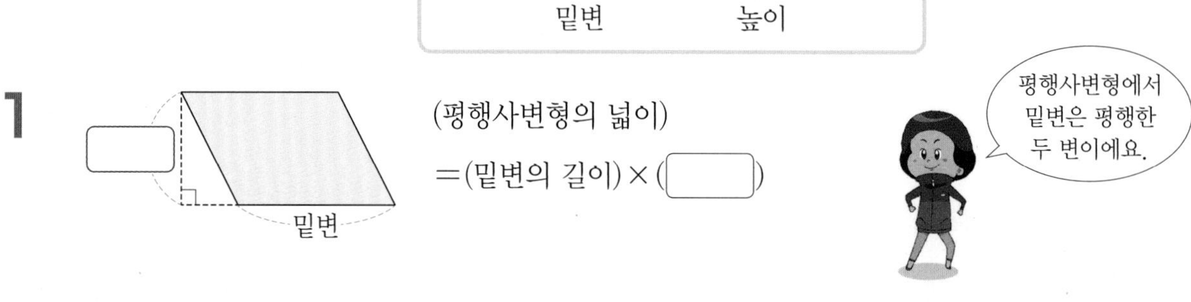

1 (평행사변형의 넓이)

=(밑변의 길이)×(□)

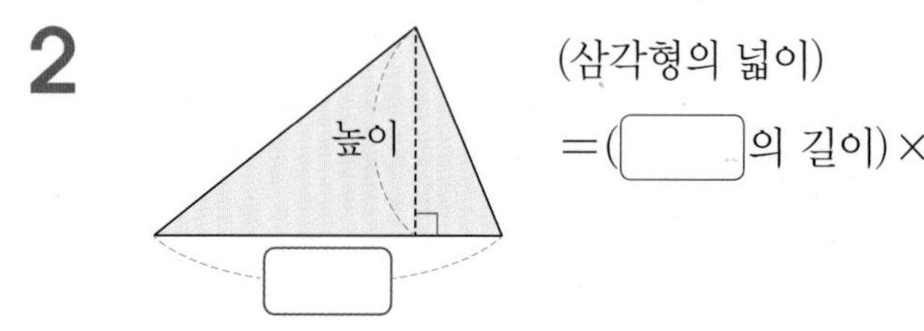

2 (삼각형의 넓이)

=(□의 길이)×(높이)÷2

30 마름모의 넓이, 사다리꼴의 넓이

● 마름모의 넓이

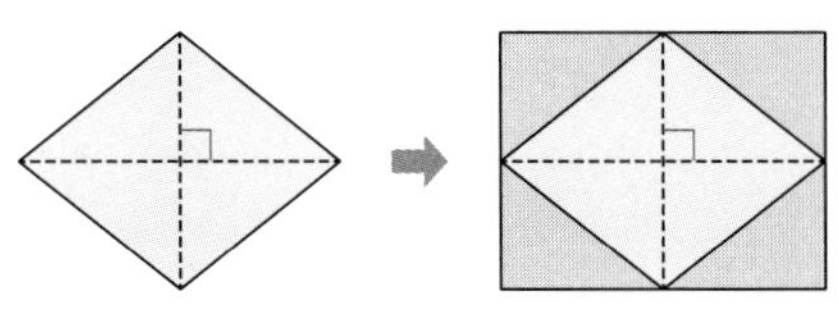

(마름모의 넓이)=(직사각형의 넓이)÷2=(가로)×(세로)÷2
=(한 대각선의 길이)×(다른 대각선의 길이)÷2

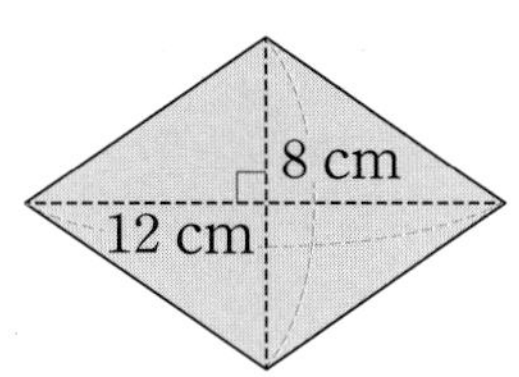

(마름모의 넓이)=(한 대각선의 길이)×(다른 대각선의 길이)÷2
=8×❶ [ ] ÷2
=48 (cm^2)

● 사다리꼴의 넓이

사다리꼴에서 평행한 두 변을 밑변이라 하고, 한 밑변을 윗변, 다른 밑변을 아랫변이라고 합니다. 이 때 두 밑변 사이의 거리를 높이라고 합니다.

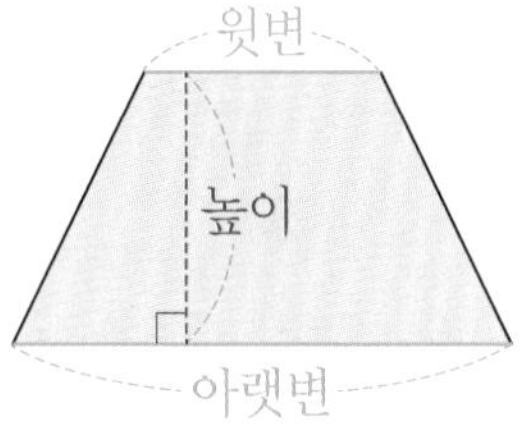

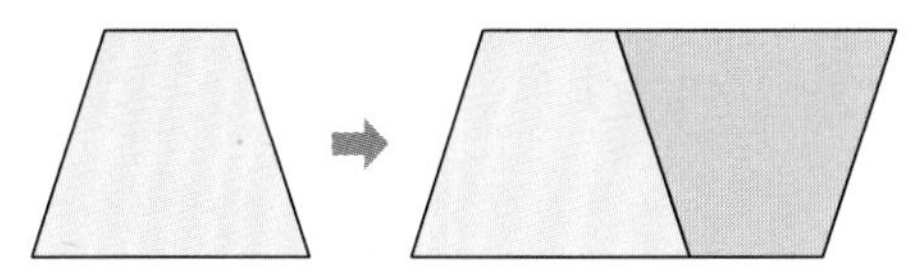

(사다리꼴의 넓이)=(평행사변형의 넓이)÷2
=(밑변의 길이)×(높이)÷2
=((윗변의 길이)+(아랫변의 길이))×(높이)÷2

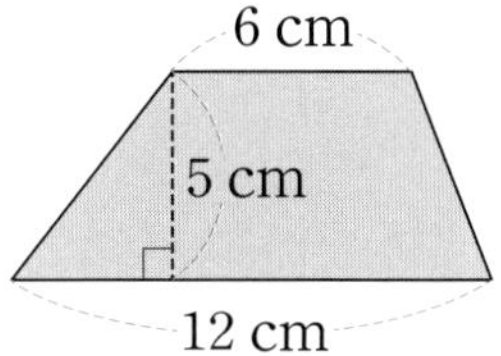

(사다리꼴의 넓이)=((윗변의 길이)+(아랫변의 길이))×(높이)÷2
=(6+12)×❷ [ ] ÷2
=45 (cm^2)

[답] ❶ 12 ❷ 5

핵심체크

1 (마름모의 넓이)=(한 대각선의 길이)×(다른 대각선의 길이)÷[ ]

마름모에서 두 대각선은 서로 수직이에요.

2 (사다리꼴의 넓이)=((윗변의 길이)+(아랫변의 길이))×(높이)÷[ ]

집중 연습

[01~03] 정다각형의 둘레를 구하시오.

01

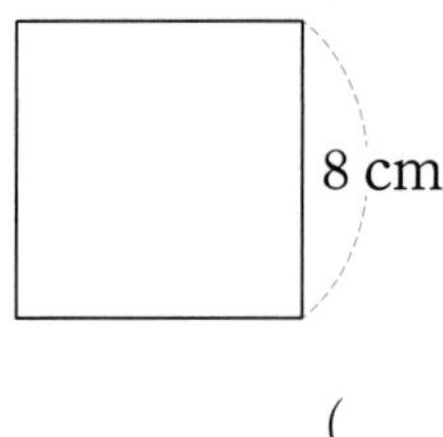

( )

02

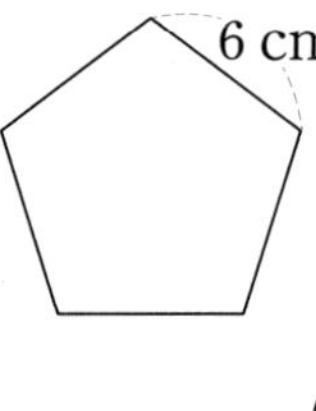

( )

03

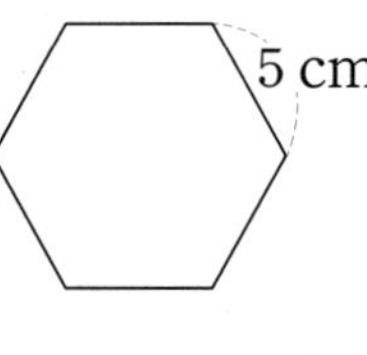

( )

[04~06] 사각형의 둘레를 구하시오.

04

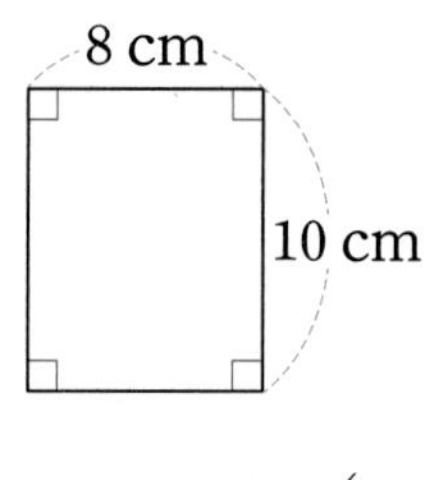

( )

05

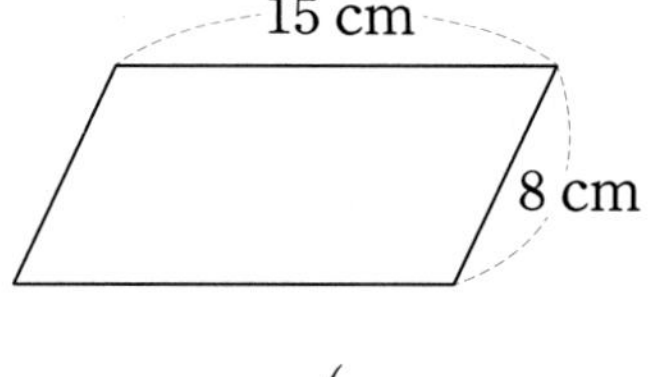

( )

06

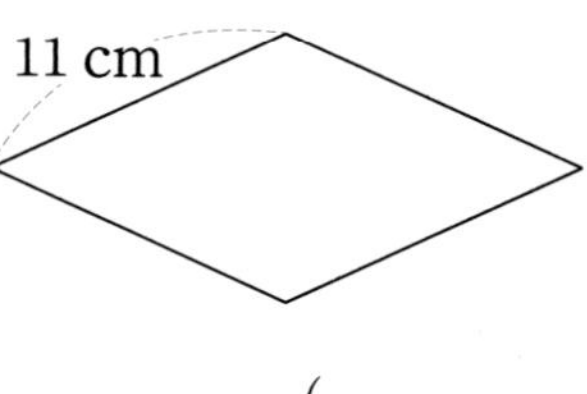

( )

[07~09] 직사각형의 넓이를 구하시오.

07

12 cm

10 cm

(　　　　　　　　　　)

08

20 cm

5 cm

(　　　　　　　　　　)

09

11 cm

11 cm

(　　　　　　　　　　)

[10~14] □ 안에 알맞은 수를 써넣으시오.

10 $4\ m^2 = \square\ cm^2$

11 $60000\ cm^2 = \square\ m^2$

12 $5\ km^2 = \square\ m^2$

13 $8000000\ m^2 = \square\ km^2$

14 $10000000\ m^2 = \square\ km^2$

집중 연습

[15~17] 평행사변형의 넓이를 구하시오.

15

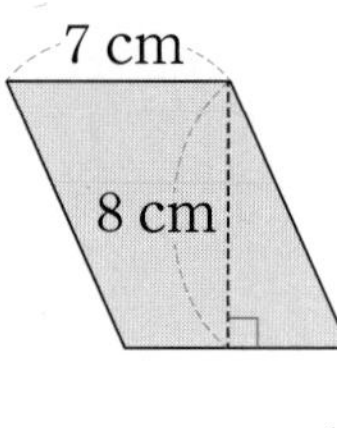

(　　　　　　　　　　)

16

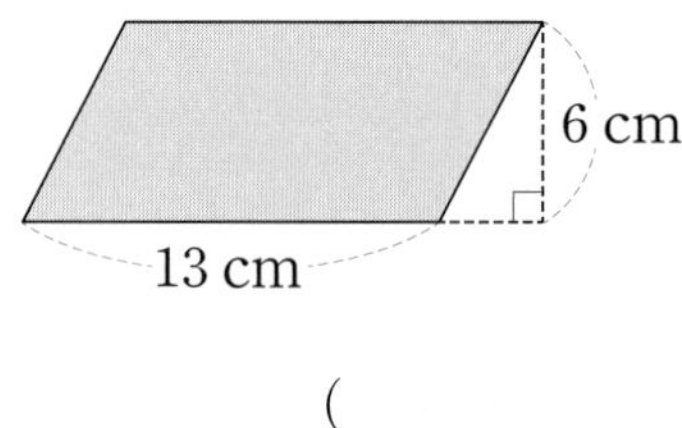

(　　　　　　　　　　)

17

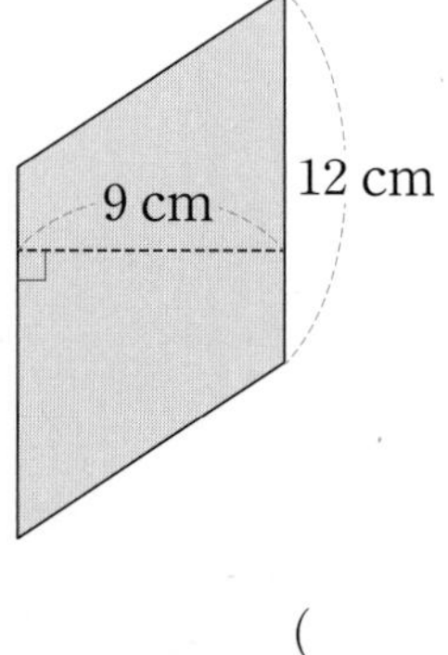

(　　　　　　　　　　)

[18~20] 삼각형의 넓이를 구하시오.

18

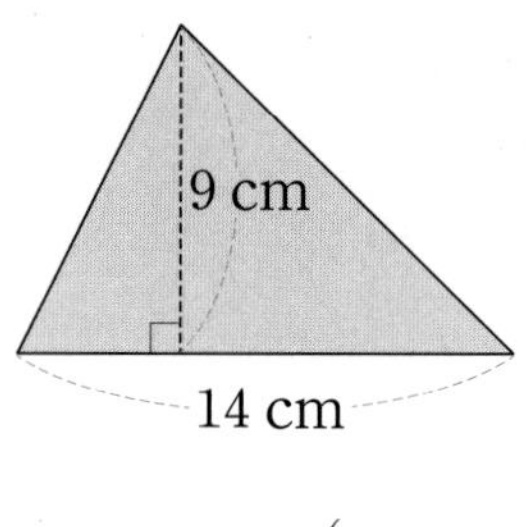

(　　　　　　　　　　)

19

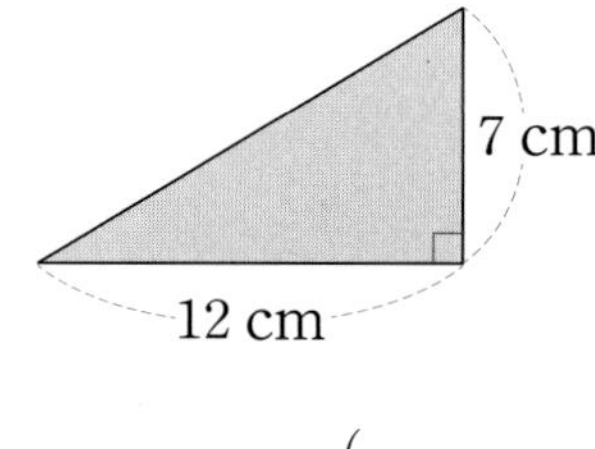

(　　　　　　　　　　)

20

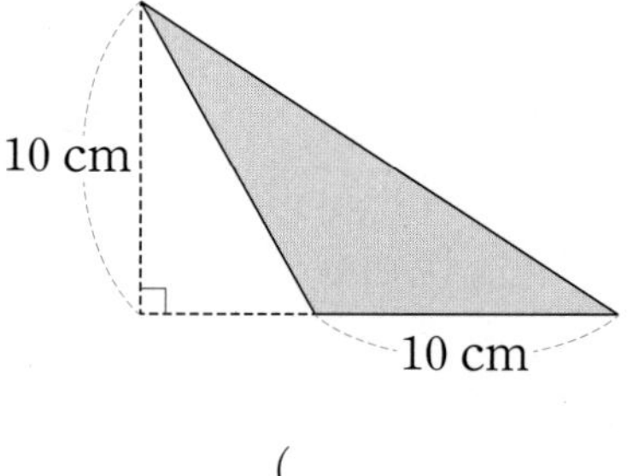

(　　　　　　　　　　)

[21~23] 마름모의 넓이를 구하시오.

21

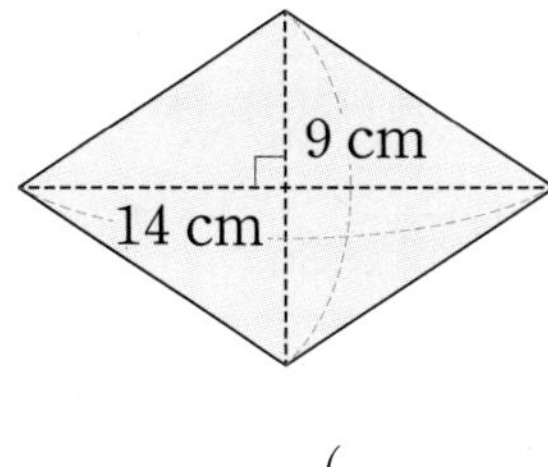

( )

22

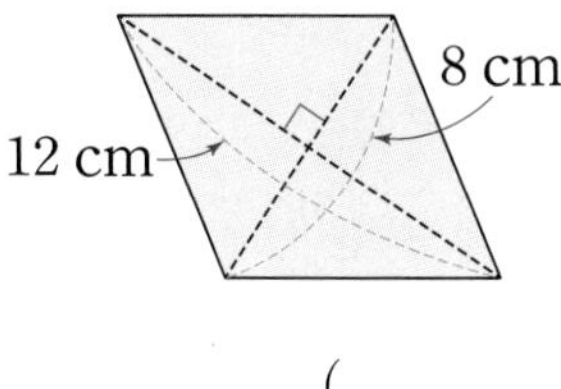

( )

23

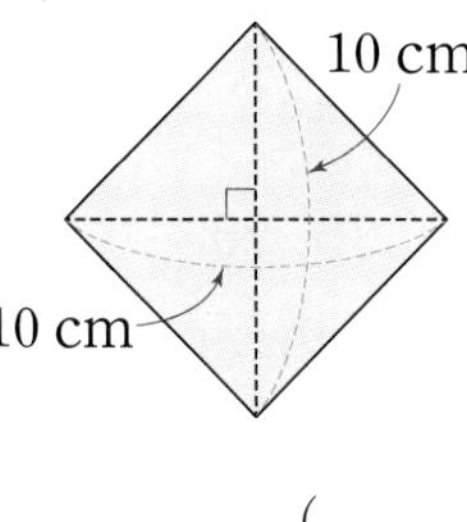

( )

[24~26] 사다리꼴의 넓이를 구하시오.

24

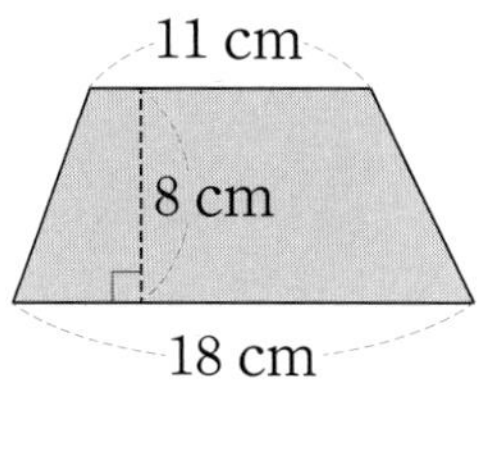

( )

25

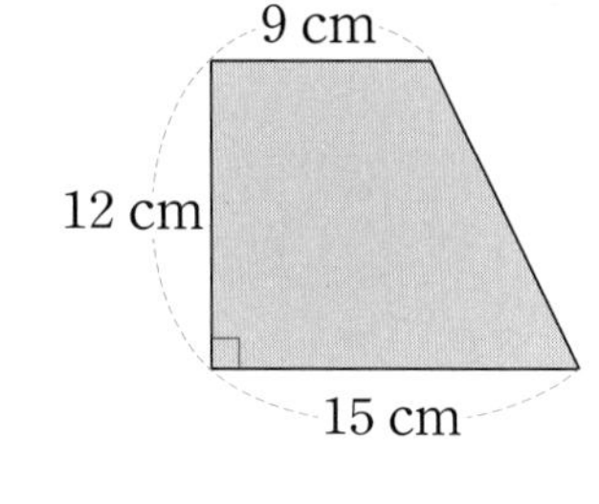

( )

26

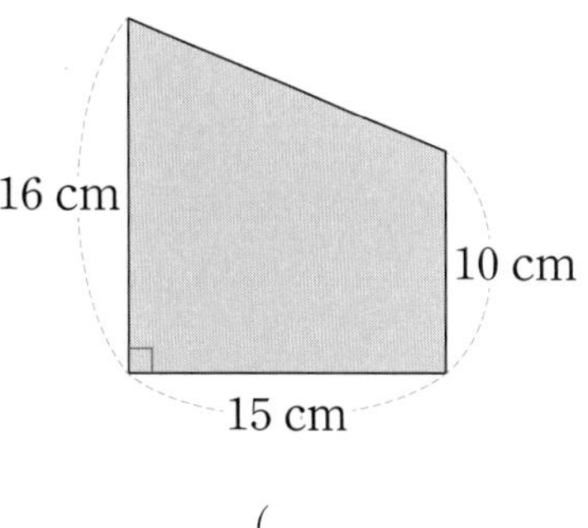

( )

정답

2쪽
1 ○에 ○표
2 ×에 ○표

3쪽
1 곱셈에 ○표
2 6+4에 ○표

4쪽
1 나눗셈에 ○표
2 4+2에 ○표

5쪽
1 ×에 ○표
2 2+6에 ○표

6쪽
(위에서부터)
01 29 ; 58, 29
02 10 ; 50, 10
03 20 ; 60, 20
04 12 ; 10, 12
05 110 ; 58, 52, 110
06 17 ; 18, 3, 17
07 70 ; 38, 8, 32, 70
08 90 ; 12, 15, 180, 90

7쪽
09 40
10 20
11 77
12 6
13 68
14 56
15 59
16 75

8쪽
1 약수에 ○표
2 ○에 ○표
3 ×에 ○표

9쪽
1 배수에 ○표
2 ×에 ○표
3 ○에 ○표

10쪽
1 공약수에 ○표
2 큰에 ○표
3 약수에 ○표

11쪽
1 큰에 ○표
2 곱에 ○표

12쪽
1 공배수에 ○표
2 작은에 ○표
3 배수에 ○표

13쪽
1 곱합니다에 ○표
2 곱합니다에 ○표

14쪽
01 1, 2, 4, 8
02 1, 2, 4, 8, 16
03 1, 2, 4, 5, 10, 20
04 1, 2, 4, 8, 16, 32
05 3, 6, 9, 12
06 5, 10, 15, 20
07 10, 20, 30, 40
08 15, 30, 45, 60

15쪽
09 6
10 8
11 12
12 14
13 24
14 90
15 140
16 48

정답

16쪽
1 5, 6
2  에 ○표

17쪽
1 ○에 ○표
2 12
3 9

18쪽
01 4, 8, 6, 10 ; 2
02 3, 4, 5, 6 ; 1
03 8, 12, 16, 20 ; 4

19쪽
04 ○+4=□, □−4=○
05 ○×2=□, □÷2=○
06 ○÷5=□, □×5=○
07 ○×4=□, □÷4=○
08 ○−2=□, □+2=○
09 ○÷3=□, □×3=○

20쪽
1 같은에 ○표
2 같은에 ○표

21쪽
1 변하지 않습니다에 ○표
2 변하지 않습니다에 ○표

22쪽
1 공약수에 ○표
2 1에 ○표
3 최대공약수에 ○표

23쪽
1 공배수에 ○표
2 최소공배수에 ○표

24쪽
1 큽니다에 ○표
2 통분에 ○표

25쪽
1 소수, 분수
2 분모에 ○표

26쪽
01 6
02 8
03 4
04 14
05 $\frac{1}{4}$
06 $\frac{2}{3}$
07 $\frac{3}{4}$
08 $\frac{5}{7}$

27쪽
09 $\frac{8}{12}$, $\frac{3}{12}$
10 $\frac{9}{24}$, $\frac{20}{24}$
11 $\frac{3}{18}$, $\frac{14}{18}$
12 $\frac{8}{30}$, $\frac{9}{30}$
13 $<$
14 $>$
15 $>$
16 $<$

28쪽
1 통분에 ○표
2 최소공배수에 ○표
3 분자에 ○표

29쪽
1 방법1에 ○표
2 방법2에 ○표

30쪽
1 방법1에 ○표
2 방법2에 ○표

정답

31쪽
1 통분에 ○표
2 최소공배수에 ○표
3 분자에 ○표

32쪽
1 방법1 에 ○표
2 방법2 에 ○표

33쪽
1 1
2 방법2 에 ○표

34쪽
01 $\frac{11}{15}$
02 $\frac{11}{12}$
03 $\frac{23}{36}$
04 $1\frac{13}{30}$
05 $3\frac{13}{20}$
06 $4\frac{7}{8}$
07 $4\frac{1}{2}$
08 $5\frac{7}{48}$

35쪽
09 $\frac{1}{10}$
10 $\frac{13}{40}$
11 $\frac{7}{12}$
12 $\frac{11}{60}$
13 $1\frac{5}{18}$
14 $\frac{1}{2}$
15 $1\frac{16}{21}$
16 $2\frac{5}{6}$

36쪽
1 변의 수에 ○표
2 변

37쪽
1 2
2 2
3 4

38쪽
1 1 cm^2
2 ○에 ○표
3 ×에 ○표

39쪽
1 1 m^2, 1 km^2
2 (1) 30000 (2) 7000000

40쪽
1 높이, 높이
2 밑변, 밑변

41쪽
1 2
2 2

42쪽
01 32 cm
02 30 cm
03 30 cm
04 36 cm
05 46 cm
06 44 cm

43쪽
07 120 cm^2
08 100 cm^2
09 121 cm^2
10 40000
11 6
12 5000000
13 8
14 10

44쪽
15 56 cm^2
16 78 cm^2
17 108 cm^2
18 63 cm^2
19 42 cm^2
20 50 cm^2

45쪽
21 63 cm^2
22 48 cm^2
23 50 cm^2
24 116 cm^2
25 144 cm^2
26 195 cm^2

핵심개념
유형연습
탄탄하게!

수학
전략

꿈을 위한 동행

축구 선수, 래퍼, 선생님, 요리사, ...
배움을 통해 아이들은 꿈을 꿉니다.

학교에서 공부하고, 뛰어놀고 싶은 마음을
잠시 미뤄 둔 친구들이 있습니다.
어린이 병동에 입원해 있는 아이들.

이 아이들도 똑같이 공부하고
맘껏 꿈 꿀 수 있어야 합니다.
천재교육 학습봉사단은
직접 병원으로 찾아가
같이 공부하고 얘기를 나눕니다.

함께 하는 시간이
아이들이 꿈을 키우는 밑바탕이 되길 바라며
천재교육은 앞으로도
나눔을 실천하며 세상과 소통하겠습니다.

초등생의 필수 학습! 탄탄하게 다져두자!

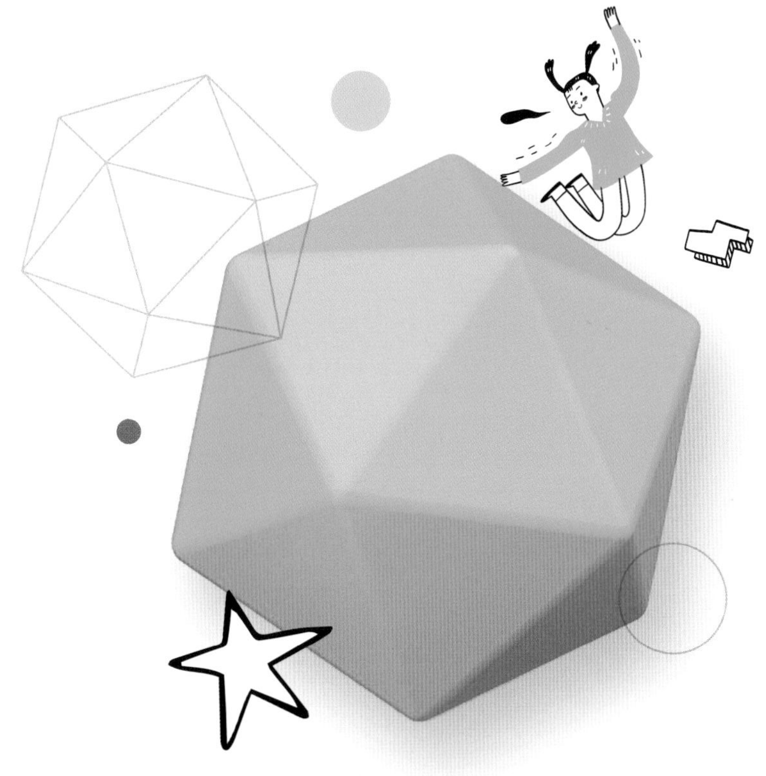

초등 **수학**

정답 및 풀이

5·1

천재교육

모르는 문제는
확실하게
알고 가자!

정답 및 풀이

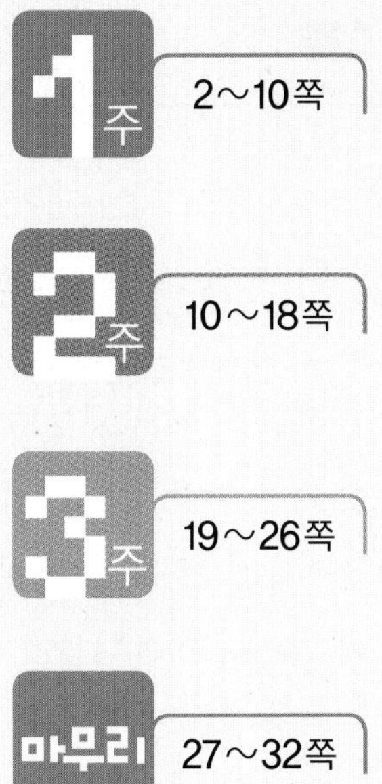

초등 수학 5-1

정답 및 풀이

1주 01일

개념 돌파 전략❶ 개념 기초 확인 9, 11쪽

1-1 (○)( )
1-2 ( )(○)
2-1 9×2에 ○표
2-2 8×6에 ○표
3-1 4, 72, 4, 18
3-2 9, 7, 14
4-1 (○)( )
4-2 ( )(○)
5-1 9, 12
5-2 15, 20
6-1 4
6-2 7

1-2 덧셈과 뺄셈이 섞여 있는 식은 앞에서부터 차례로 계산하므로 $50-14$를 가장 먼저 계산합니다.

2-2 덧셈과 뺄셈, 곱셈이 섞여 있는 식은 곱셈을 가장 먼저 계산하므로 8×6을 가장 먼저 계산합니다.

참고

$15+8\times6-20$ (① 8×6, ② $15+$, ③ -20)

3-2 덧셈, 곱셈, 나눗셈이 섞여 있고 ( )가 있는 식은 ( ) 안을 가장 먼저 계산하므로 $4+5$를 가장 먼저 계산합니다.

4-2 사각형의 수가 1개씩 늘어날 때 원의 수는 2개씩 늘어나므로 다음에 이어질 모양에서 사각형은 4개, 원은 8개입니다.

5-2 바구니 한 개에 사과가 5개씩 들어 있으므로 바구니의 수가 1개씩 늘어날 때 사과의 수는 5개씩 늘어납니다.

➡ 바구니의 수가 3개일 때 사과의 수는 15개이고 바구니의 수가 4개일 때 사과의 수는 20개입니다.

6-2 꽃 한 송이에 꽃잎이 7장씩 있으므로 꽃잎의 수는 꽃의 수의 7배입니다.

개념 돌파 전략❷ 12~13쪽

1 $6\times15\div5=90\div5$
$=18$
(① 6×15, ② $\div5$)

2 (위에서부터) 21; 4, 23, 21

3 윤아

4 33

5 1, 1

6 5, 5

1 곱셈과 나눗셈이 섞여 있는 식은 앞에서부터 차례로 계산하므로 6×15를 가장 먼저 계산합니다.

2 $28\div7+19-2$ (① $28\div7$, ② $+19$, ③ -2)

3 $62-(34+8)=62-42$
$=20$
(① $34+8$, ② $62-$)

4 $21+(30-12)\div6\times4=21+18\div6\times4$
$=21+3\times4$
$=21+12$
$=33$
(① $30-12$, ② $\div6$, ③ $\times4$, ④ $21+$)

5 왼쪽에 있는 원 1개는 변하지 않고 오른쪽에 있는 사각형과 아래쪽에 있는 원의 수가 각각 1개씩 늘어납니다.

사각형의 수(개)	1	2	3	4	……
원의 수(개)	2	3	4	5	……

➡ 원의 수는 사각형의 수보다 1개 많습니다.
사각형의 수는 원의 수보다 1개 적습니다.

6 △는 ○의 5배입니다.
➡ $○\times5=△$
○는 △를 5로 나눈 수입니다.
➡ $△\div5=○$

필수 체크 전략❶ 14~17쪽

필수 예제 01 $>$

확인 1-1 $>$ 확인 1-2 $=$

필수 예제 02 $24\div8\times17=51$

확인 2-1 $9\times10\div45=2$

확인 2-2 $4\times14\div7=8$

필수 예제 03 ㉡

확인 3-1 ㉠ 확인 3-2 ㉡

필수 예제 04 20개

확인 4-1 14개 확인 4-2 48개

확인 1-1 $40-15+7=25+7$
$=32$
(① $40-15$, ② $25+7$)

$40-(15+7)=40-22$
$=18$
(① $15+7$, ② $40-22$)

➡ $32>18$이므로
$40-15+7$ ⓧ $>$ $40-(15+7)$입니다.

확인 1-2 $18+35-6=53-6$
$=47$
(① $18+35$, ② $53-6$)

$18+(35-6)=18+29$
$=47$
(① $35-6$, ② $18+29$)

➡ $47=47$이므로
$18+35-6$ $=$ $18+(35-6)$입니다.

확인 2-1 $9\times10=90$ $90\div45=2$
공통으로 들어 있는 수: 90

두 식에 공통으로 들어 있는 수는 90입니다. $90\div45=2$에서 90 대신에 9×10을 넣으면 $9\times10\div45=2$입니다.

확인 2-2 $56\div7=8$ $4\times14=56$
공통으로 들어 있는 수: 56

두 식에 공통으로 들어 있는 수는 56입니다. $56\div7=8$에서 56 대신에 4×14를 넣으면 $4\times14\div7=8$입니다.

확인 3-1 ㉠ $21-(9+7)=21-16$
$=5$
(① $9+7$, ② $21-16$)

㉡ $6+34-2\times10=6+34-20$
$=40-20$
$=20$
(① 2×10, ② $6+34$, ③ $40-20$)

따라서 바르게 계산한 것은 ㉠입니다.

확인 3-2 ㉠ $84\div4\times3=21\times3$
$=63$
(① $84\div4$, ② 21×3)

㉡ $(40-16)\times2+25=24\times2+25$
$=48+25$
$=73$
(① $40-16$, ② 24×2, ③ $48+25$)

따라서 바르게 계산한 것은 ㉡입니다.

확인 4-1

삼각형의 수(개)	1	2	3	……
원의 수(개)	2	4	6	……

원의 수는 삼각형의 수의 2배이므로 삼각형이 7개일 때 원은 $7\times2=14$(개) 필요합니다.

확인 4-2

사각형의 수(개)	1	2	3	……
삼각형의 수(개)	4	8	12	……

삼각형의 수는 사각형의 수의 4배이므로 사각형이 12개일 때 삼각형은 $12\times4=48$(개) 필요합니다.

필수 체크 전략 ❷ 18~19쪽

1 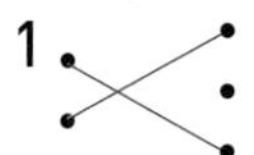

2 $52-(24+11)=17$

3 $31+9\times3-16$
$=31+27-16$
$=58-16$
$=42$

4 ㉡

5 $\triangle\times25=\square$ 또는 $\square\div25=\triangle$

6 8개

1 $28\div2\times7=14\times7$
①
$=98$
②

$28\div(2\times7)=28\div14$
①
$=2$
②

2 52에서 24와 11의 합을 뺀 수
52 $-(24+11)$
➡ $52-(24+11)=52-35$
①
$=17$
②

주의
52에서 24와 11의 합을 뺀 수를 $54-24+11$이라고 쓰지 않도록 주의합니다.

3 $31+9\times3-16$
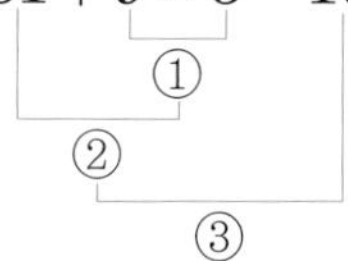
① ② ③

4 ㉠ $63\div9+13-5=7+13-5$
①
$=20-5$
②
$=15$
③

㉡ $17+(24-8)\div4=17+16\div4$
①
$=17+4$
②
$=21$
③

➡ $15<21$이므로 계산 결과가 더 큰 것은 ㉡입니다.

5

걸린 시간(초)	1	2	3	……
이동하는 거리(m)	25	50	75	……

(걸린 시간)$\times25=$(이동하는 거리)
➡ $\triangle\times25=\square$
(이동하는 거리)$\div25=$(걸린 시간)
➡ $\square\div25=\triangle$

6

색종이의 수(장)	1	2	3	……
누름 못의 수(개)	2	3	4	……

누름 못의 수는 색종이의 수보다 1크므로 색종이를 7장 붙일 때 누름 못은 $7+1=8$(개) 필요합니다.

1주 03일

필수 체크 전략 ❶ 20~23쪽

필수 예제 01 13
확인 1-1 31 **확인 1-2** 7
필수 예제 02 33
확인 2-1 96 **확인 2-2** 47
필수 예제 03 (1) 9 (2) 17살
확인 3-1 25살 **확인 3-2** 55살
필수 예제 04 23
확인 4-1 14 **확인 4-2** 60

확인 1-1 $4\times(10+3)-22=4\times13-22$
①
$=52-22$
②
$=30$
③

➡ $30<\square$이므로 $\square$ 안에 들어갈 수 있는 가장 작은 자연수는 31입니다.

확인 1-2 $(20+45)\div5-7=65\div5-7$
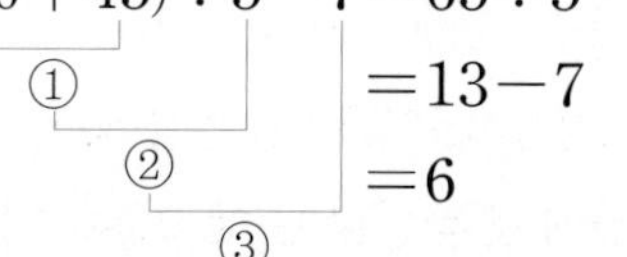
$=13-7$
$=6$
① ② ③

➡ $6<\square$이므로 $\square$ 안에 들어갈 수 있는 가장 작은 자연수는 7입니다.

확인 2-1 가 대신에 36, 나 대신에 3을 넣어 계산합니다.

➡ 36♠3＝36×3－36÷3
＝108－36÷3
＝108－12
＝96

참고

뺄셈, 곱셈, 나눗셈이 섞여 있는 식이므로 곱셈이나 나눗셈을 가장 먼저 계산합니다.

확인 2-2 가 대신에 42, 나 대신에 7을 넣어 계산합니다.

➡ 42♣7＝(42－7)÷7＋42
＝35÷7＋42
＝5＋42
＝47

참고

덧셈, 뺄셈, 나눗셈이 섞여 있고 (　　)가 있는 식이므로 (　　) 안을 가장 먼저 계산합니다.

확인 3-1 홍기는 누나보다 13－8＝5(살) 적으므로 (누나의 나이)－5＝(홍기의 나이)입니다. 따라서 누나가 30살일 때 홍기는 30－5＝25(살)입니다.

확인 3-2 이모는 삼촌보다 43－39＝4(살) 많으므로 (삼촌의 나이)＋4＝(이모의 나이)입니다. 따라서 삼촌이 51살일 때 이모는 51＋4＝55(살)입니다.

확인 4-1 예리가 말한 수를 ○, 준하가 답한 수를 ☆이라고 할 때, 두 양 사이의 대응 관계를 기호를 사용하여 식으로 나타내면 ○×2＝☆ 또는 ☆÷2＝○입니다.

➡ ☆÷2＝○이므로 준하가 답한 수가 28일 때 예리가 말한 수는 28÷2＝14입니다.

확인 4-2 슬기가 말한 수를 ○, 태호가 답한 수를 ☆이라고 할 때, 두 양 사이의 대응 관계를 기호를 사용하여 식으로 나타내면 ○÷5＝☆ 또는 ☆×5＝○입니다.

➡ ☆×5＝○이므로 태호가 답한 수가 12일 때 슬기가 말한 수는 12×5＝60입니다.

필수 체크 전략 ❷ 24~25쪽

1 12
2 11＋15－6＝20, 20명
3 5000－(900×2＋600×3)＝1400, 1400원
4 □－8시간＝○ 또는 ○＋8시간＝□
5 70개　　**6** 18분

1 77－□×8÷4＝53,
□×8÷4＝77－53, □×8÷4＝24,
□×8＝24×4, □×8＝96,
□＝96÷8, □＝12

2 (동생이 없는 학생 수)
＝(혜교네 반 학생 수)－(동생이 있는 학생 수)
＝11＋15－6
＝26－6
＝20(명)

3 (거스름돈)
＝(낸 돈)－(연필 2자루와 지우개 3개의 값)
＝5000－(900×2＋600×3)
＝5000－(1800＋1800)
＝5000－3600
＝1400(원)

4 베를린의 시각은 서울의 시각보다 8시간 느립니다. ➡ □－8시간＝○
서울의 시각은 베를린의 시각보다 8시간 빠릅니다. ➡ ○＋8시간＝□

5

정오각형의 수(개)	1	2	3	4	……
성냥개비의 수(개)	5	10	15	20	……

성냥개비의 수는 정오각형의 수의 5배이므로 정오각형을 14개 만들 때 성냥개비는 $14\times5=70$(개) 필요합니다.

6

자르는 횟수(번)	1	2	3	……
도막의 수(도막)	2	3	4	……

자르는 횟수는 도막의 수보다 1 작으므로 10도막으로 자르려면 $10-1=9$(번) 잘라야 합니다. 따라서 모두 자르는 데 $2\times9=18$(분)이 걸립니다.

1주 04일

교과서 대표 전략❶ 26~29쪽

대표 예제 01 (　　)(○)
대표 예제 02 ㉡
대표 예제 03 ㉠
대표 예제 04 $90\div(11-6)=18$
대표 예제 05 35
대표 예제 06 4
대표 예제 07 $1000\div5\times13=2600$, 2600원
대표 예제 08 18
대표 예제 09 $28-6\times4+10=14$, 14명
대표 예제 10 20 ℃
대표 예제 11 11개
대표 예제 12 ○×8=☆ 또는 ☆÷8=○
대표 예제 13 ㉵ 개미 다리의 수(□)는 개미의 수(△)의 6배입니다.
대표 예제 14 40개
대표 예제 15 379
대표 예제 16 26도막

대표 예제 01 $7+28-19=35-19$ (① 7+28, ② −19)
$=16$

$30-(8+5)=30-13$ (① 8+5, ② 30−)
$=17$

대표 예제 02 $4\times(3+21)-12=4\times24-12$ (① 3+21, ② 4×, ③ −12)
$=96-12$
$=84$

대표 예제 03 ㉠ $10\times42\div6=420\div6$ (① 10×42, ② ÷6)
$=70$

$10\times(42\div6)=10\times7$ (① 42÷6, ② 10×)
$=70$

㉡ $81\div3\times9=27\times9$ (① 81÷3, ② ×9)
$=243$

$81\div(3\times9)=81\div27$ (① 3×9, ② 81÷)
$=3$

따라서 (　)가 없어도 계산 결과가 같은 것은 ㉠입니다.

대표 예제 04 $90\div5=18$　　$11-6=5$ (공통으로 들어 있는 수)

두 식에 공통으로 들어 있는 수는 5입니다. $90\div5=18$에서 5 대신에 $11-6$을 넣은 후 가장 먼저 계산해야 하므로 (　)로 묶으면 $90\div(11-6)=18$입니다.

대표 예제 05 $48-22+5\times3=48-22+15$ (① 5×3, ② 48−22, ③ +)
$=26+15$
$=41$

$11+32\div8-9=11+4-9$ (① 32÷8, ② 11+, ③ −9)
$=15-9$
$=6$

➡ $41-6=35$

대표 예제 06 $(19+●)\times6=138$,
$19+●=138\div6$, $19+●=23$,
$●=23-19$, $●=4$

대표 예제 07 (사탕 13개의 값)
=(사탕 한 개의 값)×13
$=1000\div5\times13$
$=200\times13$
=2600(원)

대표 예제 08 계산 결과를 가장 크게 만들려면 66을 나누는 수인 □×□가 가장 작아야 하므로 $66\div(2\times3)+7$ 또는 $66\div(3\times2)+7$의 식을 만들어야 합니다.

➡ $66\div(2\times3)+7=66\div6+7$
①
$=11+7$
②
$=18$
③

또는 $66\div(3\times2)+7=66\div6+7$
①
$=11+7$
②
$=18$
③

대표 예제 09 (응원을 한 학생 수)
=(기태네 반 학생 수)−(피구를 한 학생 수)+(다른 반 학생 수)
$=28-6\times4+10$
$=28-24+10$
$=4+10$
=14(명)

대표 예제 10 (섭씨온도)
=((화씨온도)−32)×5÷9
$=(68-32)\times5\div9$
$=36\times5\div9$
$=180\div9$
=20 (℃)

대표 예제 11

사각형의 수(개)	1	2	3	……
삼각형의 수(개)	5	6	7	……

삼각형의 수는 사각형의 수보다 4개 많으므로 사각형이 7개일 때 삼각형은 7+4=11(개) 필요합니다.

대표 예제 12 팔각형의 꼭짓점의 수(☆)는 팔각형의 수(○)의 8배입니다.
➡ ○×8=☆
팔각형의 수(○)는 팔각형의 꼭짓점의 수(☆)를 8로 나눈 수입니다.
➡ ☆÷8=○

대표 예제 13 '육각형의 변의 수(□)는 육각형의 수(△)의 6배입니다.' 등도 답이 될 수 있습니다.

대표 예제 14

배열 순서	1	2	3	……
사각형 조각의 수(개)	4	8	12	……

사각형 조각의 수는 배열 순서의 4배이므로 10째에는 사각형 조각이 10×4=40(개) 필요합니다.

대표 예제 15 (그림의 수)÷25=(상영하는 시간)이므로 ㉠=100÷25=4,
(상영하는 시간)×25=(그림의 수)이므로 ㉡=15×25=375입니다.
➡ ㉠+㉡=4+375=379

대표 예제 16

구부린 횟수(번)	1	2	3	……
도막의 수(도막)	3	4	5	……

도막의 수는 구부린 횟수보다 2 크므로 24번 구부려서 자르면 실은 모두 24+2=26(도막)이 됩니다.

교과서 대표 전략❷ 30~31쪽

1 ㉢, ㉡, ㉣, ㉠ 2 ㉠, ㉢, ㉡
3 $-$ 4 $(28-9)\times 2+13=51$
5 $70\times 2+980\div 4\times 5=1365$, 1365 g
6 소라
7 □×4=△ 또는 △÷4=□
8 13째 9 26개

1 $21+36\div(12-6)\times 2$

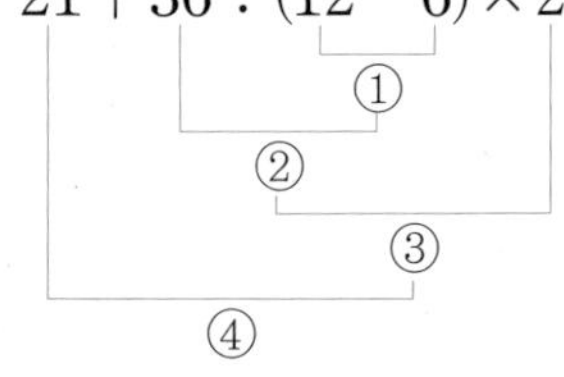

2 ㉠ $27-5+10=32$
22
32

㉡ $84\div(3\times 4)=7$

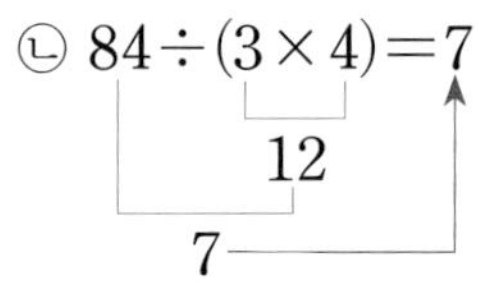

㉢ $3\times(75-43)\div 8=12$
32
96
12

➡ $32>12>7$이므로 계산 결과가 큰 것부터 차례로 기호를 쓰면 ㉠, ㉢, ㉡입니다.

3 ○ 안에 $+$, $-$, $\times$를 넣어 각각 계산해 봅니다.

$96\div 4+5+11=24+5+11$
$=29+11$
$=40$(×)

$96\div 4+5-11=24+5-11$
$=29-11$
$=18$(○)

$96\div 4+5\times 11=24+5\times 11$
$=24+55$
$=79$(×)

4 $(28-9)\times 2+13=19\times 2+13$
$=38+13$
$=51$

참고
$(28-9\times 2)+13=(28-18)+13$
$=10+13$
$=23$(×)

$28-9\times(2+13)$, $28-(9\times 2+13)$은 계산할 수 없습니다.

5 (귤 2개와 사과 5개의 무게)
=(귤 2개의 무게)+(사과 5개의 무게)
$=70\times 2+980\div 4\times 5$
$=140+245\times 5$
$=140+1225$
$=1365$ (g)

6 소라: ☆÷5=○로 나타내야 합니다.

7 학생 한 명에게 나누어 주는 풍선은 $1+3=4$(개)이므로 학생 수가 1명씩 늘어날 때 풍선의 수는 4개씩 늘어납니다.
풍선의 수는 학생 수의 4배입니다.
➡ □×4=△
학생 수는 풍선의 수를 4로 나눈 수입니다.
➡ △÷4=□

8

배열 순서	1	2	3	4	……
바둑돌의 수(개)	2	4	6	8	……

배열 순서는 바둑돌의 수를 2로 나눈 수이므로 바둑돌이 26개 놓이는 것은 $26\div 2=13$(째)입니다.

9

탁자의 수(개)	1	2	3	4	……
의자의 수(개)	4	6	8	10	……

(탁자의 수)×2+2=(의자의 수)이므로
탁자 12개를 한 줄로 붙이면 의자를
$12\times 2+2=26$(개) 놓을 수 있습니다.

누구나 만점 전략 32~33쪽

01 $35-(2+14)=35-16$ ① ②
$=19$

02 18 **03** $60\div(2\times5)=6$

04 < **05** $12\times6\div3=24$, 24개

06 $87-(9+31)\times2=7$, 7개

07 2

08 $\square+1=\triangle$ 또는 $\triangle-1=\square$

09 21살 **10** 11장

02 $16+45\div9-3=16+5-3$ ① ② ③
$=21-3$
$=18$

03 60을 2와 5의 곱으로 나눈 수
60 $\div(2\times5)$
➡ $60\div(2\times5)=60\div10=6$

04 $23+11-8\times4=23+11-32$
$=34-32=2$
$23+(11-8)\times4=23+3\times4$
$=23+12=35$
➡ $2<35$

05 (한 상자에 담은 과자의 수)
=(구운 과자의 수)÷(상자의 수)
$=12\times6\div3=72\div3=24$(개)

06 (남은 호두의 수)
=(전체 호두의 수)−(나누어 준 호두의 수)
$=87-(9+31)\times2=87-40\times2$
$=87-80=7$(개)

07 원의 수가 1개씩 늘어날 때 삼각형의 수는 2개씩 늘어납니다.

08 팔걸이의 수는 의자의 수보다 1개 많습니다.
➡ $\square+1=\triangle$
의자의 수는 팔걸이의 수보다 1개 적습니다.
➡ $\triangle-1=\square$

09 (연도)−2009=(준상이의 나이)이므로 2030년에 준상이는 2030−2009=21(살)입니다.

10

한 변에 놓은 타일의 수(장)	1	2	3	4	……
정사각형 모양의 타일의 수(개)	1	4	9	16	……

➡ (한 변에 놓은 타일의 수)×(한 변에 놓은 타일의 수)=(정사각형 모양의 타일의 수)
$11\times11=121$이므로 정사각형 모양의 타일이 121장일 때 한 변에 놓은 타일은 11장입니다.

창의·융합·코딩 전략❶ 34~35쪽

1 18개 **2** 6, 6, 60

1 $30-4\times3=18$(개)
12
18

창의·융합·코딩 전략❷ 36~39쪽

1 받을 수 있습니다.

2 $2500+5500-1800-3100=3100$, 3100원

3 (1) MC 7 × 5 M+ 1 6 ÷ 4 M+ 1 8 M− MR, 21
(2) MC 2 1 M+ 5 6 ÷ 8 M− 3 × 6 M+ MR, 32

4 (1) 4, 5, 6, 7, 8 (2) $\bigcirc+3=\triangle$ 또는 $\triangle-3=\bigcirc$
(3) 18개

5
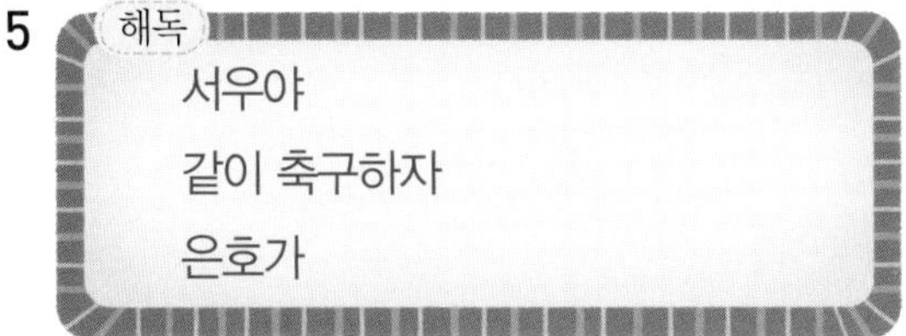

1 $36 \div 9 + 17 \times 2 = 4 + 17 \times 2$
① ②
③
$= 4 + 34$
$= 38$ ➡ 짝수

2 (4월 19일에 남은 돈)
$= 2500 + 5500 - 1800 - 3100$
$= 8000 - 1800 - 3100$
$= 6200 - 3100 = 3100$(원)

3 (1) $7 \times 5 + 16 \div 4 - 18 = 35 + 16 \div 4 - 18$
① ② ③ ④
$= 35 + 4 - 18$
$= 39 - 18$
$= 21$

(2) $21 - 56 \div 8 + 3 \times 6 = 21 - 7 + 3 \times 6$
① ② ③ ④
$= 21 - 7 + 18$
$= 14 + 18$
$= 32$

4 (2) 나온 젤리의 수는 넣은 젤리의 수보다 3개 많습니다. ➡ ○+3=△
넣은 젤리의 수는 나온 젤리의 수보다 3개 적습니다. ➡ △−3=○
(3) ○+3=△이므로
○=15일 때 15+3=△, △=18입니다.
따라서 요술 항아리에 젤리를 15개 넣으면 젤리가 18개 나옵니다.

5

암호	G	3	H	7	H	2
해독	ㅅ	ㅓ	ㅇ	ㅜ	ㅇ	ㅑ

➡ 서우야

암호	A	1	L	H	0	J	7	A	A	7	N	1	I	1
해독	ㄱ	ㅏ	ㅌ	ㅇ	ㅣ	ㅊ	ㅜ	ㄱ	ㄱ	ㅜ	ㅎ	ㅏ	ㅈ	ㅏ

➡ 같이 축구하자

암호	H	9	B	N	5	A	1
해독	ㅇ	ㅡ	ㄴ	ㅎ	ㅗ	ㄱ	ㅏ

➡ 은호가

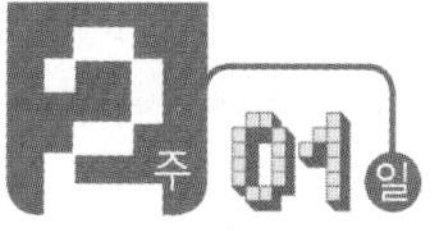

개념 돌파 전략❶ 개념 기초 확인 43, 45쪽

1-1 2, 4, 8 ; 1, 2, 4, 8
1-2 2, 5, 10 ; 1, 2, 5, 10
2-1 12, 18, 24 ; 6, 12, 18, 24
2-2 18, 27, 36 ; 9, 18, 27, 36
3-1 2, 3, 6　　3-2 2, 7, 14
4-1 2, $\frac{2}{6}$; 4, $\frac{1}{3}$　　4-2 3, $\frac{3}{12}$; 9, $\frac{1}{4}$
5-1 9, $\frac{18}{27}$; 3, $\frac{3}{27}$　　5-2 10, $\frac{30}{80}$; 8, $\frac{56}{80}$
6-1 3, 15 ; 2, 8 ; >　　6-2 4, 28 ; 3, 15 ; >

1-2 10의 약수는 10을 나누어떨어지게 하는 수입니다.
참고
어떤 수의 약수에는 1과 어떤 수가 항상 포함됩니다.

2-2 9의 배수는 9를 1배, 2배, 3배, 4배…… 한 수입니다.
참고
어떤 수의 배수 중에서 가장 작은 수는 어떤 수 자신입니다.

3-2 42와 28의 최대공약수는 두 곱셈식에 공통으로 들어 있는 수의 곱이므로 $2 \times 7 = 14$입니다.

4-2 9와 36의 공약수는 1, 3, 9이므로 분모와 분자를 3, 9로 각각 나눕니다.

5-2 8과 10의 곱인 80을 공통분모로 하여 통분합니다.

6-2 9와 12의 최소공배수인 36을 공통분모로 하여 통분한 후 분자의 크기를 비교합니다.

개념 돌파 전략❷ 46~47쪽

1 35, 7 ; 7, 35, 7, 35
2 (위에서부터) 2, 6, 14, 3, 7 ; 2, 2, 4
3 (위에서부터) 5, 10, 15, 2, 3 ; 5, 2, 3, 60
4 (1) 4, 15, 8 (2) 12, 4, 3
5 (1) 84, 40 (2) 21, 10
6 (1) $>$ (2) $>$

1 $35=1\times35$, $35=5\times7$이므로 35는 1, 5, 7, 35의 배수이고, 1, 5, 7, 35는 35의 약수입니다.

참고
■=▲×●
➡ ■는 ▲와 ●의 배수입니다.
➡ ▲와 ●는 ■의 약수입니다.

2 12와 28의 최대공약수는 두 수를 나눈 공약수들의 곱이므로 $2\times2=4$입니다.

3 20과 30의 최소공배수는 두 수를 나눈 공약수들과 남은 두 몫의 곱이므로 $2\times5\times2\times3=60$입니다.

4 (1) $\frac{2}{5}=\frac{2\times2}{5\times2}=\frac{2\times3}{5\times3}=\frac{2\times4}{5\times4}$
➡ $\frac{2}{5}=\frac{4}{10}=\frac{6}{15}=\frac{8}{20}$
(2) $\frac{16}{24}=\frac{16\div2}{24\div2}=\frac{16\div4}{24\div4}=\frac{16\div8}{24\div8}$
➡ $\frac{16}{24}=\frac{8}{12}=\frac{4}{6}=\frac{2}{3}$

5 (1) $\left(\frac{7}{8}, \frac{5}{12}\right)$ ➡ $\left(\frac{7\times12}{8\times12}, \frac{5\times8}{12\times8}\right)$ ➡ $\left(\frac{84}{96}, \frac{40}{96}\right)$
(2) $\left(\frac{7}{8}, \frac{5}{12}\right)$ ➡ $\left(\frac{7\times3}{8\times3}, \frac{5\times2}{12\times2}\right)$ ➡ $\left(\frac{21}{24}, \frac{10}{24}\right)$

6 (1) $\frac{2}{3}=\frac{2\times2}{3\times2}=\frac{4}{6}$ ➡ $\frac{5}{6}>\frac{4}{6}$ ➡ $\frac{5}{6}>\frac{2}{3}$
(2) $\frac{7}{10}=\frac{7\times3}{10\times3}=\frac{21}{30}$, $\frac{4}{15}=\frac{4\times2}{15\times2}=\frac{8}{30}$
➡ $\frac{21}{30}>\frac{8}{30}$ ➡ $\frac{7}{10}>\frac{4}{15}$

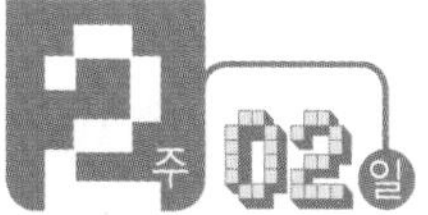

필수 체크 전략❶ 48~51쪽

필수 예제 01 (1) 6개 (2) 4개 (3) 18
확인 1-1 36 확인 1-2 32
필수 예제 02 (1) 7의 배수 (2) 63
확인 2-1 88 확인 2-2 140
필수 예제 03 $\frac{6}{21}$, $\frac{8}{28}$
확인 3-1 $\frac{15}{24}$, $\frac{20}{32}$ 확인 3-2 $\frac{24}{44}$, $\frac{30}{55}$
필수 예제 04 (1) $\frac{1}{8}$, $\frac{2}{8}$, $\frac{3}{8}$, $\frac{4}{8}$, $\frac{5}{8}$, $\frac{6}{8}$, $\frac{7}{8}$ (2) 4개
확인 4-1 6개 확인 4-2 4개

확인 1-1 27의 약수: 1, 3, 9, 27 ➡ 4개
36의 약수: 1, 2, 3, 4, 6, 9, 12, 18, 36 ➡ 9개
따라서 약수의 개수를 비교하면 $4<9$이므로 약수의 개수가 더 많은 수는 36입니다.

확인 1-2 32의 약수: 1, 2, 4, 8, 16, 32 ➡ 6개
49의 약수: 1, 7, 49 ➡ 3개
따라서 약수의 개수를 비교하면 $6>3$이므로 약수의 개수가 더 많은 수는 32입니다.

주의
수가 크다고 해서 반드시 약수의 개수가 더 많은 것은 아님에 주의합니다.

확인 2-1 $8\times1=8$, $8\times2=16$, $8\times3=24$, $8\times4=32$, $8\times5=40$……이므로 8의 배수입니다.
따라서 11번째 수는 $8\times11=88$입니다.

참고
■의 배수를 가장 작은 수부터 차례로 썼을 때 ▲번째 수는 ■×▲입니다.

확인 2-2 $10\times1=10$, $10\times2=20$, $10\times3=30$, $10\times4=40$, $10\times5=50$……이므로 10의 배수입니다.
따라서 14번째 수는 $10\times14=140$입니다.

확인 3-1 $\frac{5}{8}$와 크기가 같은 분수는
$\frac{5}{8}=\frac{10}{16}=\frac{15}{24}=\frac{20}{32}=\frac{25}{40}$……입니다.
이 중에서 분모가 20보다 크고 40보다 작은 분수는 $\frac{15}{24}$, $\frac{20}{32}$입니다.

확인 3-2 $\frac{6}{11}$과 크기가 같은 분수는
$\frac{6}{11}=\frac{12}{22}=\frac{18}{33}=\frac{24}{44}=\frac{30}{55}=\frac{36}{66}$……
입니다.
이 중에서 분모가 40보다 크고 60보다 작은 분수는 $\frac{24}{44}$, $\frac{30}{55}$입니다.

확인 4-1 분모가 9인 진분수 $\frac{1}{9}$, $\frac{2}{9}$, $\frac{3}{9}$, $\frac{4}{9}$, $\frac{5}{9}$, $\frac{6}{9}$, $\frac{7}{9}$, $\frac{8}{9}$ 중에서 기약분수는 $\frac{1}{9}$, $\frac{2}{9}$, $\frac{4}{9}$, $\frac{5}{9}$, $\frac{7}{9}$, $\frac{8}{9}$로 모두 6개입니다.

참고
$\frac{3}{9}=\frac{1}{3}$, $\frac{6}{9}=\frac{2}{3}$이므로 $\frac{3}{9}$과 $\frac{6}{9}$은 기약분수가 아닙니다.

확인 4-2 분모가 10인 진분수 $\frac{1}{10}$, $\frac{2}{10}$, $\frac{3}{10}$, $\frac{4}{10}$, $\frac{5}{10}$, $\frac{6}{10}$, $\frac{7}{10}$, $\frac{8}{10}$, $\frac{9}{10}$ 중에서 기약분수는 $\frac{1}{10}$, $\frac{3}{10}$, $\frac{7}{10}$, $\frac{9}{10}$로 모두 4개입니다.

참고
$\frac{2}{10}=\frac{1}{5}$, $\frac{4}{10}=\frac{2}{5}$, $\frac{5}{10}=\frac{1}{2}$, $\frac{6}{10}=\frac{3}{5}$, $\frac{8}{10}=\frac{4}{5}$이므로 $\frac{2}{10}$, $\frac{4}{10}$, $\frac{5}{10}$, $\frac{6}{10}$, $\frac{8}{10}$은 기약분수가 아닙니다.

필수 체크 전략 ❷ 52~53쪽

1 1, 2, 3, 6, 7, 14, 21, 42
2 5번
3 1, 2, 4, 8
4 $\frac{8}{15}$, $\frac{48}{90}$에 ○표
5 $\frac{2}{3}$
6 $\frac{12}{24}$

1 42를 나누어떨어지게 하는 수는 42의 약수입니다.
$42\div1=42$, $42\div2=21$, $42\div3=14$, $42\div6=7$, $42\div7=6$, $42\div14=3$, $42\div21=2$, $42\div42=1$
➡ 42의 약수: 1, 2, 3, 6, 7, 14, 21, 42

2 버스가 오전 9시부터 14분 간격으로 출발하므로 분이 14의 배수일 때 출발합니다.
➡ 오전 9시, 오전 9시 14분, 오전 9시 28분, 오전 9시 42분, 오전 9시 56분
따라서 오전 9시부터 오전 10시까지 버스는 5번 출발합니다.

3 64의 약수: 1, 2, 4, 8, 16, 32, 64
80의 약수: 1, 2, 4, 5, 8, 10, 16, 20, 40, 80
➡ 64와 80의 공약수: 1, 2, 4, 8, 16
따라서 64와 80의 공약수 중에서 10보다 작은 수는 1, 2, 4, 8입니다.

4 $\frac{16}{30}=\frac{16\div2}{30\div2}=\frac{8}{15}$, $\frac{16}{30}=\frac{16\times3}{30\times3}=\frac{48}{90}$

5 안경을 쓴 학생은 전체의 $\frac{18}{27}$입니다.
18과 27의 최대공약수: 9
➡ $\frac{18}{27}=\frac{18\div9}{27\div9}=\frac{2}{3}$

6 8로 약분하기 전의 분수는 $\frac{2\times8}{3\times8}=\frac{16}{24}$입니다.
따라서 분자에 4를 더하기 전의 분수는 $\frac{16-4}{24}=\frac{12}{24}$이므로 어떤 분수는 $\frac{12}{24}$입니다.

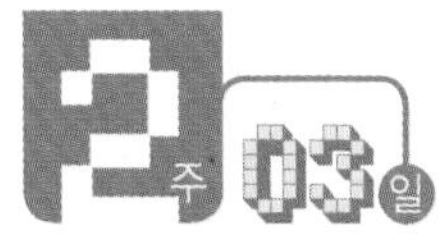

필수 체크 전략❶ 54~57쪽

필수 예제 01 (1) 1, 2, 3, 6 (2) 6
확인 1-1 7 **확인 1-2** 8
필수 예제 02 (1) 14 (2) 7개
확인 2-1 8개 **확인 2-2** 4개
필수 예제 03 40, 80
확인 3-1 45, 90 **확인 3-2** 36, 72
필수 예제 04 우체국
확인 4-1 병원 **확인 4-2** 시청

확인 1-1 28의 약수: 1, 2, 4, 7, 14, 28
35의 약수: 1, 5, 7, 35
➡ 28과 35의 공약수: 1, 7
따라서 어떤 수 중에서 가장 큰 수는 28과 35의 최대공약수이므로 7입니다.

확인 1-2 40의 약수: 1, 2, 4, 5, 8, 10, 20, 40
56의 약수: 1, 2, 4, 7, 8, 14, 28, 56
➡ 40과 56의 공약수: 1, 2, 4, 8
따라서 어떤 수 중에서 가장 큰 수는 40과 56의 최대공약수이므로 8입니다.

확인 2-1 4의 배수이면서 6의 배수인 수는 4와 6의 공배수입니다. 4와 6의 공배수는 4와 6의 최소공배수인 12의 배수와 같습니다.
따라서 1부터 100까지의 수 중에서 12의 배수는 12, 24, 36, 48, 60, 72, 84, 96으로 모두 8개입니다.

확인 2-2 8의 배수이면서 12의 배수인 수는 8과 12의 공배수입니다. 8과 12의 공배수는 8과 12의 최소공배수인 24의 배수와 같습니다.
따라서 1부터 100까지의 수 중에서 24의 배수는 24, 48, 72, 96으로 모두 4개입니다.

확인 3-1 공통분모가 될 수 있는 수는 9와 15의 최소공배수인 45의 배수이므로 45, 90, 135……입니다.
이 중에서 100보다 작은 수는 45, 90입니다.

확인 3-2 공통분모가 될 수 있는 수는 12와 18의 최소공배수인 36의 배수이므로 36, 72, 108……입니다.
이 중에서 100보다 작은 수는 36, 72입니다.

확인 4-1 상규네 집에서 은행까지의 거리를 소수로 나타내면 $\frac{11}{20}=\frac{55}{100}=0.55$ (km)입니다.
따라서 $0.6>\frac{11}{20}$이므로 상규네 집에서 더 먼 곳은 병원입니다.

다른 풀이
상규네 집에서 병원까지의 거리를 분수로 나타내면 $0.6=\frac{6}{10}=\frac{12}{20}$ (km)입니다.
따라서 $0.6>\frac{11}{20}$이므로 상규네 집에서 더 먼 곳은 병원입니다.

확인 4-2 태서네 집에서 시청까지의 거리를 소수로 나타내면 $1\frac{1}{2}=1\frac{5}{10}=1.5$ (km)입니다.
따라서 $1\frac{1}{2}>1.4$이므로 태서네 집에서 더 먼 곳은 시청입니다.

다른 풀이
태서네 집에서 경찰서까지의 거리를 분수로 나타내면 $1.4=1\frac{4}{10}$ (km)입니다.
따라서 $1\frac{1}{2}=1\frac{5}{10}$이고, $1\frac{1}{2}>1.4$이므로 태서네 집에서 더 먼 곳은 시청입니다.

필수 체크 전략❷ 58~59쪽

1 17, 34, 51, 68, 85	2 3개, 5개
3 140일 후	4 $\frac{45}{50}$, $\frac{22}{50}$
5 10개	6 소민

1 두 수의 공배수는 두 수의 최소공배수인 17의 배수와 같습니다.
➡ 17의 배수: $17\times1=17$, $17\times2=34$,
$17\times3=51$, $17\times4=68$,
$17\times5=85$……

2
$$\begin{array}{r|rr} 2 & 24 & 40 \\ 2 & 12 & 20 \\ 2 & 6 & 10 \\ \hline & 3 & 5 \end{array}$$
➡ 24와 40의 최대공약수: $2\times2\times2=8$
따라서 최대 8명에게 나누어 줄 수 있으므로 한 명이 빵을 $24\div8=3$(개),
우유를 $40\div8=5$(개)씩 받을 수 있습니다.

3
$$\begin{array}{r|rr} 2 & 28 & 70 \\ 7 & 14 & 35 \\ \hline & 2 & 5 \end{array}$$
➡ 28과 70의 최소공배수: $2\times7\times2\times5=140$
따라서 바로 다음번에 두 기계를 동시에 안전 검사를 하는 날은 140일 후입니다.

4
$$\begin{array}{r|rr} 5 & 10 & 25 \\ \hline & 2 & 5 \end{array}$$
➡ 10과 25의 최소공배수: $5\times2\times5=50$
$\left(\frac{9}{10}, \frac{11}{25}\right)$ ➡ $\left(\frac{9\times5}{10\times5}, \frac{11\times2}{25\times2}\right)$ ➡ $\left(\frac{45}{50}, \frac{22}{50}\right)$

5 두 분모의 곱인 $13\times6=78$을 공통분모로 하여 통분하면
$\frac{\square}{13}=\frac{\square\times6}{13\times6}=\frac{\square\times6}{78}$, $\frac{5}{6}=\frac{5\times13}{6\times13}=\frac{65}{78}$
이므로 $\frac{\square\times6}{78}<\frac{65}{78}$입니다.
따라서 $\square\times6<65$이므로 $\square$ 안에 들어갈 수 있는 자연수는 1, 2, 3, 4, 5, 6, 7, 8, 9, 10으로 모두 10개입니다.

6 $2\frac{17}{50}=2\frac{34}{100}=2.34$, $2\frac{3}{8}=2\frac{375}{1000}=2.375$
➡ $2.4>2\frac{3}{8}>2\frac{17}{50}$이므로 감자를 가장 많이 캔 사람은 소민입니다.

참고
소수를 분수로 나타내어 크기를 비교할 수도 있지만 통분해야 하는 번거로움이 있습니다.

2주 04일

교과서 대표 전략❶ 60~63쪽

대표 예제 01 1, 34
대표 예제 02 198
대표 예제 03 ㉡, ㉣
대표 예제 04 1, 2, 4, 13, 26, 52
대표 예제 05 (○)(   )
대표 예제 06 12개
대표 예제 07 80 cm
대표 예제 08 8개
대표 예제 09 ㉢
대표 예제 10 $\frac{7}{13}$
대표 예제 11 1, 5, 7, 11
대표 예제 12 $\frac{75}{90}$, $\frac{48}{90}$
대표 예제 13 $\frac{7}{12}$, $\frac{5}{16}$
대표 예제 14 $\frac{26}{40}$, $\frac{27}{40}$
대표 예제 15 $\frac{1}{4}$, $\frac{2}{9}$, $\frac{3}{14}$
대표 예제 16 파란색 털실

대표 **예제 01** $34\div1=34$, $34\div2=17$, $34\div17=2$, $34\div34=1$

➡ 34의 약수는 1, 2, 17, 34이므로 가장 작은 수는 1, 가장 큰 수는 34입니다.

참고

어떤 수의 약수 중에서 가장 작은 수는 1, 가장 큰 수는 어떤 수 자신입니다.

대표 **예제 02** $18\times10=180$, $18\times11=198$, $18\times12=216$이므로 18의 배수 중에서 200에 가장 가까운 수는 198입니다.

대표 **예제 03** ㉠ $21\div9=2\cdots3$ ㉡ $42\div3=14$
㉢ $57\div7=8\cdots1$ ㉣ $60\div15=4$
따라서 두 수가 서로 약수와 배수의 관계인 것은 ㉡, ㉣입니다.

대표 **예제 04** 두 수의 공약수는 두 수의 최대공약수인 52의 약수와 같습니다.

➡ 52의 약수: 1, 2, 4, 13, 26, 52

대표 **예제 05**

$$\begin{array}{r|rr} 2 & 24 & 42 \\ \hline 3 & 12 & 21 \\ \hline & 4 & 7 \end{array}$$

➡ 24와 42의 최소공배수: $2\times3\times4\times7=168$

$$\begin{array}{r|rr} 2 & 50 & 30 \\ \hline 5 & 25 & 15 \\ \hline & 5 & 3 \end{array}$$

➡ 50과 30의 최소공배수: $2\times5\times5\times3=150$

대표 **예제 06**

$$\begin{array}{r|rr} 2 & 36 & 60 \\ \hline 2 & 18 & 30 \\ \hline 3 & 9 & 15 \\ \hline & 3 & 5 \end{array}$$

➡ 36과 60의 최대공약수: $2\times2\times3=12$

따라서 최대 12개의 봉지에 나누어 담을 수 있습니다.

대표 **예제 07**

$$\begin{array}{r|rr} 2 & 16 & 20 \\ \hline 2 & 8 & 10 \\ \hline & 4 & 5 \end{array}$$

➡ 16과 20의 최소공배수: $2\times2\times4\times5=80$

따라서 정사각형의 한 변의 길이를 80 cm로 해야 합니다.

대표 **예제 08** 4로도 나누어떨어지고 6으로도 나누어떨어지는 수는 4와 6의 공배수입니다. 4와 6의 공배수는 4와 6의 최소공배수인 12의 배수와 같습니다.
따라서 1부터 100까지의 수 중에서 12의 배수는 12, 24, 36, 48, 60, 72, 84, 96으로 모두 8개입니다.

대표 **예제 09** ㉢ $\dfrac{54}{66}=\dfrac{54\div6}{66\div6}=\dfrac{9}{11}$

대표 **예제 10** $78\div6=13$이므로 분모와 분자를 각각 6으로 나눕니다.
$\dfrac{42}{78}=\dfrac{42\div6}{78\div6}=\dfrac{7}{13}$

대표 **예제 11** 분모가 12인 진분수 중에서 기약분수는 $\dfrac{1}{12}$, $\dfrac{5}{12}$, $\dfrac{7}{12}$, $\dfrac{11}{12}$이므로 □ 안에 들어갈 수 있는 수는 1, 5, 7, 11입니다.

대표 **예제 12** 6과 15의 공배수인 30, 60, 90, 120 ……을 공통분모로 하여 통분할 수 있습니다. 이 중에서 100에 가장 가까운 수는 90이므로 90을 공통분모로 하여 통분합니다.

$\left(\dfrac{5}{6}, \dfrac{8}{15}\right)$ ➡ $\left(\dfrac{5\times15}{6\times15}, \dfrac{8\times6}{15\times6}\right)$
➡ $\left(\dfrac{75}{90}, \dfrac{48}{90}\right)$

정답 및 풀이

대표 예제 13 $\frac{28}{48}$과 $\frac{15}{48}$를 각각 기약분수로 나타냅니다.

$\frac{28}{48}=\frac{28\div4}{48\div4}=\frac{7}{12}$,

$\frac{15}{48}=\frac{15\div3}{48\div3}=\frac{5}{16}$

대표 예제 14 $\frac{5}{8}=\frac{5\times5}{8\times5}=\frac{25}{40}$,

$\frac{7}{10}=\frac{7\times4}{10\times4}=\frac{28}{40}$

$\frac{25}{40}$보다 크고 $\frac{28}{40}$보다 작은 분수 중에서 분모가 40인 분수는 $\frac{26}{40}$, $\frac{27}{40}$입니다.

대표 예제 15 $\left(\frac{2}{9}, \frac{1}{4}\right) \Rightarrow \left(\frac{8}{36}, \frac{9}{36}\right) \Rightarrow \frac{2}{9}<\frac{1}{4}$

$\left(\frac{1}{4}, \frac{3}{14}\right) \Rightarrow \left(\frac{7}{28}, \frac{6}{28}\right) \Rightarrow \frac{1}{4}>\frac{3}{14}$

$\left(\frac{2}{9}, \frac{3}{14}\right) \Rightarrow \left(\frac{28}{126}, \frac{27}{126}\right)$

$\Rightarrow \frac{2}{9}>\frac{3}{14}$

따라서 $\frac{1}{4}>\frac{2}{9}>\frac{3}{14}$입니다.

대표 예제 16 $\left(1\frac{2}{5}, 1\frac{7}{18}\right) \Rightarrow \left(1\frac{36}{90}, 1\frac{35}{90}\right)$

$\Rightarrow 1\frac{2}{5}>1\frac{7}{18}$

$\left(1\frac{7}{18}, 1.6\right) \Rightarrow \left(1\frac{7}{18}, 1\frac{6}{10}\right)$

$\Rightarrow \left(1\frac{35}{90}, 1\frac{54}{90}\right)$

$\Rightarrow 1\frac{7}{18}<1.6$

따라서 길이가 가장 짧은 털실은 파란색 털실입니다.

교과서 대표 전략❷ 64~65쪽

1 104	2 2개
3 40, 35	4 14 cm
5 51	6 $\frac{16}{68}$
7 $\frac{45}{50}$	8 ㉠
9 4개	

1 $63\div1=63$, $63\div3=21$, $63\div7=9$, $63\div9=7$, $63\div21=3$, $63\div63=1$

➡ $1+3+7+9+21+63=104$

2 9의 배수: 9, 18, 27, 36, 45, 54……

6의 배수: 6, 12, 18, 24, 30, 36, 42, 48, 54……

➡ 9와 6의 공배수: 18, 36, 54……

따라서 9와 6의 공배수 중에서 50보다 작은 수는 18, 36으로 모두 2개입니다.

3 ㉠과 ㉡의 최대공약수가 5이므로 ■=5입니다.

➡ ㉠$=5\times8=40$, ㉡$=5\times7=35$

4
$$\begin{array}{r|rr} 2 & 70 & 42 \\ \hline 7 & 35 & 21 \\ \hline & 5 & 3 \end{array}$$
➡ 70과 42의 최대공약수: $2\times7=14$

따라서 정사각형의 한 변의 길이를 14 cm로 해야 합니다.

5
$$\begin{array}{r|rr} 2 & 12 & 16 \\ \hline 2 & 6 & 8 \\ \hline & 3 & 4 \end{array}$$
➡ 12와 16의 최소공배수: $2\times2\times3\times4=48$

따라서 구하려는 가장 작은 수는 $48+3=51$입니다.

6 $\frac{4}{17}$와 크기가 같은 분수는

$\frac{4}{17}=\frac{8}{34}=\frac{12}{51}=\frac{16}{68}$……이므로 수 카드로 만들 수 있는 분수는 $\frac{16}{68}$입니다.

7 $\frac{9}{10}$의 분모와 분자의 합이 $10+9=19$이고 95는 19의 5배이므로 $\frac{9}{10}$의 분모와 분자에 각각 5를 곱합니다. ➡ $\frac{9}{10}=\frac{9\times5}{10\times5}=\frac{45}{50}$

8 두 분모의 최소공배수를 공통분모로 하여 통분합니다.

㉠ $\left(\frac{4}{15}, \frac{13}{20}\right)$ ➡ $\left(\frac{4\times4}{15\times4}, \frac{13\times3}{20\times3}\right)$

➡ $\left(\frac{16}{60}, \frac{39}{60}\right)$

㉡ $\left(\frac{7}{24}, \frac{5}{16}\right)$ ➡ $\left(\frac{7\times2}{24\times2}, \frac{5\times3}{16\times3}\right)$

➡ $\left(\frac{14}{48}, \frac{15}{48}\right)$

따라서 공통분모가 더 큰 것은 ㉠입니다.

9 $0.2=\frac{2}{10}$이므로 $\frac{\square}{25}$와 $\frac{2}{10}$를 50을 공통분모로 하여 통분하여 크기를 비교합니다.

$\frac{\square}{25}=\frac{\square\times2}{25\times2}=\frac{\square\times2}{50}$, $\frac{2}{10}=\frac{2\times5}{10\times5}=\frac{10}{50}$

➡ $\frac{\square\times2}{50}<\frac{10}{50}$

따라서 $\square\times2<10$이므로 $\square$ 안에 들어갈 수 있는 수는 1, 2, 3, 4로 모두 4개입니다.

누구나 만점 전략 66~67쪽

01 1, 2, 7, 14

02 5, 10, 15, 20, 25, 30에 ○표

03 1, 3, 9

04 18, 108

05 3월 13일

06 예 $\frac{1}{3}$, $\frac{4}{6}$, $\frac{3}{9}$ (○표: $\frac{1}{3}$, $\frac{3}{9}$)

07 $\frac{8}{17}$

08 $\frac{35}{80}$, $\frac{36}{80}$

09 (위에서부터) $\frac{7}{8}$, $\frac{2}{3}$, $\frac{7}{8}$

10 애라

01 $14\div1=14$, $14\div2=7$, $14\div7=2$, $14\div14=1$
➡ 14의 약수: 1, 2, 7, 14

02 $5\times1=5$, $5\times2=10$, $5\times3=15$, $5\times4=20$, $5\times5=25$, $5\times6=30$
➡ 5의 배수: 5, 10, 15, 20, 25, 30

03 27의 약수: 1, 3, 9, 27
45의 약수: 1, 3, 5, 9, 15, 45
➡ 27과 45의 공약수: 1, 3, 9

04
```
2) 36  54
3) 18  27
3)  6   9
    2   3
```
➡ 36과 54의 최대공약수: $2\times3\times3=18$
36과 54의 최소공배수:
$2\times3\times3\times2\times3=108$

05
```
2) 6  4
   3  2
```
➡ 6과 4의 최소공배수: $2\times3\times2=12$
두 사람은 12일마다 도서관에서 만나게 되므로 바로 다음번에 두 사람이 도서관에서 만나는 날은 3월 1일부터 12일 후인 3월 13일입니다.

07 32와 68의 최대공약수: 4
$\frac{32}{68}=\frac{32\div4}{68\div4}=\frac{8}{17}$

08 16과 20의 최소공배수: 80
$\left(\frac{7}{16}, \frac{9}{20}\right)$ ➡ $\left(\frac{7\times5}{16\times5}, \frac{9\times4}{20\times4}\right)$
➡ $\left(\frac{35}{80}, \frac{36}{80}\right)$

09 $\left(\frac{2}{3}, \frac{5}{12}\right)$ ➡ $\left(\frac{8}{12}, \frac{5}{12}\right)$ ➡ $\frac{2}{3}>\frac{5}{12}$
$\left(\frac{3}{10}, \frac{7}{8}\right)$ ➡ $\left(\frac{12}{40}, \frac{35}{40}\right)$ ➡ $\frac{3}{10}<\frac{7}{8}$
$\left(\frac{2}{3}, \frac{7}{8}\right)$ ➡ $\left(\frac{16}{24}, \frac{21}{24}\right)$ ➡ $\frac{2}{3}<\frac{7}{8}$

10 $0.5=\frac{5}{10}$, $\frac{3}{5}=\frac{6}{10}$

➡ $\frac{5}{10}<\frac{6}{10}$ ➡ $0.5<\frac{3}{5}$

따라서 애라가 책을 더 오래 읽었습니다.

창의・융합・코딩 전략❶ 68~69쪽

1 6번

2 8, 12, 4, 5

1 오전 10시, 오전 10시 12분, 오전 10시 24분, 오전 10시 36분, 오전 10시 48분, 오전 11시

➡ 6번

2 $\frac{1}{4}=\frac{1\times2}{4\times2}=\frac{1\times3}{4\times3}=\frac{1\times4}{4\times4}=\frac{1\times5}{4\times5}$

➡ $\frac{1}{4}=\frac{2}{8}=\frac{3}{12}=\frac{4}{16}=\frac{5}{20}$

창의・융합・코딩 전략❷ 70~73쪽

1 72 2 60년

3 (1) 90분 (2) 10시 30분

4 (화살표 방향으로) $\frac{24}{36}$, $\frac{8}{12}$, $\frac{2}{3}$

5 $\frac{5}{20}$, $\frac{2}{20}$ 6 (1) 120명 (2) $\frac{7}{15}$ (3) $\frac{3}{20}$

1 이동 방향으로 9만큼 8번 반복하여 움직이므로 9의 8배인 $9\times8=72$만큼 움직이게 됩니다.

2 십간은 10년마다 반복되고 십이지는 12년마다 반복되므로 임술년은 10과 12의 최소공배수마다 반복됩니다.

$$\begin{array}{r|rr} 2 & 10 & 12 \\ \hline & 5 & 6 \end{array}$$

➡ 10과 12의 최소공배수: $2\times5\times6=60$

따라서 임술년은 60년마다 반복됩니다.

3 (1)

$$\begin{array}{r|rr} 3 & 30 & 45 \\ \hline 5 & 10 & 15 \\ \hline & 2 & 3 \end{array}$$

➡ 30과 45의 최소공배수: $3\times5\times2\times3=90$

따라서 경석이와 재영이의 알람 시계는 90분마다 동시에 울립니다.

(2) 첫 번째: 오전 6시

두 번째: 오전 7시 30분

세 번째: 오전 9시

네 번째: 오전 10시 30분

4 • $\frac{12}{18}$의 분모와 분자에 각각 2를 곱하기

$\frac{12}{18}=\frac{12\times2}{18\times2}=\frac{24}{36}$

• $\frac{24}{36}$의 분모와 분자를 각각 3으로 나누기

$\frac{24}{36}=\frac{24\div3}{36\div3}=\frac{8}{12}$

• $\frac{8}{12}$의 분모와 분자를 각각 4로 나누기

$\frac{8}{12}=\frac{8\div4}{12\div4}=\frac{2}{3}$

5 (기호)은 $\frac{1}{4}$이고 (기호)은 $\frac{1}{10}$입니다.

4와 10의 최소공배수: 20

$\left(\frac{1}{4}, \frac{1}{10}\right)$ ➡ $\left(\frac{1\times5}{4\times5}, \frac{1\times2}{10\times2}\right)$ ➡ $\left(\frac{5}{20}, \frac{2}{20}\right)$

6 (1) $32+56+14+18=120$(명)

(2) 동물원에 가고 싶은 학생 수는 56명이므로 전체 학생 수의 $\frac{56}{120}$입니다.

56과 120의 최대공약수: 8

$\frac{56}{120}=\frac{56\div8}{120\div8}=\frac{7}{15}$

(3) 놀이 공원에 가고 싶은 학생 수는 18명이므로 전체 학생 수의 $\frac{18}{120}$입니다.

18과 120의 최대공약수: 6

$\frac{18}{120}=\frac{18\div6}{120\div6}=\frac{3}{20}$

개념 돌파 전략❶ 개념 기초 확인 77, 79쪽

1-1 7, 3, 7, 6, 13	**1-2** 2, 9, 8, 9, 17
2-1 7, 2, 7, 6, 1	**2-2** 3, 4, 21, 20, 1
3-1 6, 1, 6, 2, 1, 2, 1	**3-2** 3, 2, 3, 2, 7, 2, 7
4-1 9, 4, 36	**4-2** 6, 4, 24
5-1 4, 7, 28	**5-2** 8, 5, 40
6-1 6, 2, 30	**6-2** 9, 2, 36

1-2 두 분모의 곱인 18을 공통분모로 하여 통분한 다음 분자끼리 더합니다.

2-2 두 분모의 최소공배수인 24를 공통분모로 하여 통분한 다음 분자끼리 뺍니다.

3-2 두 분수를 통분한 다음 자연수는 자연수끼리, 분수는 분수끼리 계산합니다.

4-2 (마름모의 둘레)$=$(한 변의 길이)$\times 4$
$=6\times4=24$ (cm)

5-2 (직사각형의 넓이)$=$(가로)$\times$(세로)
$=8\times5=40$ (cm^2)

6-2 (삼각형의 넓이)$=$(밑변의 길이)$\times$(높이)$\div 2$
$=9\times8\div2=36$ (cm^2)

개념 돌파 전략❷ 80~81쪽

1 (1) 14, 12, 26, $1\frac{5}{21}$ (2) 15, 4, 19, $1\frac{1}{18}$

2 $2\frac{3}{4}+2\frac{7}{8}=2\frac{6}{8}+2\frac{7}{8}=(2+2)+\left(\frac{6}{8}+\frac{7}{8}\right)$
$=4+1\frac{5}{8}=5\frac{5}{8}$

3 (1) $2\frac{4}{35}$ (2) $2\frac{13}{24}$ **4** 42 cm

5 (1) 20000 (2) 7 (3) 5000000 (4) 9

6 50 cm^2

1 (1) 두 분모의 곱을 공통분모로 하여 통분한 후 계산합니다.
(2) 두 분모의 최소공배수를 공통분모로 하여 통분한 후 계산합니다.

2 두 분수를 통분한 다음 자연수는 자연수끼리, 분수는 분수끼리 계산하는 방법입니다.

3 (1) $3\frac{2}{5}-1\frac{2}{7}=3\frac{14}{35}-1\frac{10}{35}=2\frac{4}{35}$
(2) $5\frac{1}{6}-2\frac{5}{8}=5\frac{4}{24}-2\frac{15}{24}=4\frac{28}{24}-2\frac{15}{24}$
$=2\frac{13}{24}$

다른 풀이
(1) $3\frac{2}{5}-1\frac{2}{7}=\frac{17}{5}-\frac{9}{7}=\frac{119}{35}-\frac{45}{35}$
$=\frac{74}{35}=2\frac{4}{35}$
(2) $5\frac{1}{6}-2\frac{5}{8}=\frac{31}{6}-\frac{21}{8}=\frac{124}{24}-\frac{63}{24}$
$=\frac{61}{24}=2\frac{13}{24}$

4 (정육각형의 둘레)$=$(한 변의 길이)$\times 6$
$=7\times6=42$ (cm)

참고
한 변의 길이가 ■ cm인 정▲각형의 둘레는 (■ × ▲)cm입니다.

5 (1) 1 m^2=10000 cm^2
➡ 2 m^2=20000 cm^2
(2) 10000 cm^2=1 m^2
➡ 70000 cm^2=7 m^2
(3) 1 km^2=1000000 m^2
➡ 5 km^2=5000000 m^2
(4) 1000000 m^2=1 km^2
➡ 9000000 m^2=9 km^2

6 (사다리꼴의 넓이)
$=$((윗변의 길이)$+$(아랫변의 길이))$\times$(높이)$\div 2$
$=(11+9)\times5\div2=50$ (cm^2)

필수 체크 전략 ❶ 82~85쪽

필수 예제 01 $\frac{29}{56}$

확인 1-1 $\frac{14}{15}$ 확인 1-2 $1\frac{7}{36}$

필수 예제 02 $\frac{1}{2}$

확인 2-1 $\frac{11}{36}$ 확인 2-2 $\frac{7}{40}$

필수 예제 03 7

확인 3-1 6 확인 3-2 15

필수 예제 04 48 m^2

확인 4-1 63 m^2 확인 4-2 44 m^2

확인 1-1 $\frac{2}{3}$보다 $\frac{4}{15}$ 큰 수: $\frac{2}{3}+\frac{4}{15}$

➡ $\frac{2}{3}+\frac{4}{15}=\frac{10}{15}+\frac{4}{15}=\frac{14}{15}$

확인 1-2 $\frac{7}{9}$보다 $\frac{5}{12}$ 큰 수: $\frac{7}{9}+\frac{5}{12}$

➡ $\frac{7}{9}+\frac{5}{12}=\frac{28}{36}+\frac{15}{36}=\frac{43}{36}=1\frac{7}{36}$

참고

■보다 ▲큰 수: ■+▲

■보다 ▲작은 수: ■−▲

확인 2-1 $\frac{7}{12}+\square=\frac{8}{9}$

➡ $\square=\frac{8}{9}-\frac{7}{12}=\frac{32}{36}-\frac{21}{36}=\frac{11}{36}$

참고

덧셈과 뺄셈의 관계

▲+■=● ➡ ●−▲=■

확인 2-2 $\square+\frac{9}{20}=\frac{5}{8}$

➡ $\square=\frac{5}{8}-\frac{9}{20}=\frac{25}{40}-\frac{18}{40}=\frac{7}{40}$

확인 3-1 평행사변형의 둘레를 구하는 식은 $(12+\square)\times2=36$입니다.

$(12+\square)\times2=36$

➡ $12+\square=18$, $\square=6$

확인 3-2 평행사변형의 둘레를 구하는 식은 $(\square+9)\times2=48$입니다.

$(\square+9)\times2=48$

➡ $\square+9=24$, $\square=15$

확인 4-1 700 cm=7 m

➡ (직사각형의 넓이)$=7\times9=63$ (m^2)

확인 4-2 1100 cm=11 m

➡ (직사각형의 넓이)$=4\times11=44$ (m^2)

필수 체크 전략 ❷ 86~87쪽

1 (선 잇기)

2 $5\frac{1}{3}-2\frac{4}{9}=5\frac{3}{9}-2\frac{4}{9}=4\frac{12}{9}-2\frac{4}{9}$

$=(4-2)+\left(\frac{12}{9}-\frac{4}{9}\right)=2\frac{8}{9}$

3 $3\frac{5}{16}$ km 4 5

5 ④ 6 다

1 • $\frac{2}{5}+\frac{1}{6}=\frac{12}{30}+\frac{5}{30}=\frac{17}{30}$

• $\frac{3}{10}+\frac{1}{14}=\frac{21}{70}+\frac{5}{70}=\frac{26}{70}=\frac{13}{35}$

2 자연수 부분에서 1을 받아내림하면 자연수는 1 작은 수가 됩니다.

3 (소정이네 집에서 병원을 거쳐 은행까지 가는 거리)

=(소정이네 집에서 병원까지의 거리)

+(병원에서 은행까지의 거리)

$=1\frac{5}{8}+1\frac{11}{16}=1\frac{10}{16}+1\frac{11}{16}=2+\frac{21}{16}$

$=2+1\frac{5}{16}=3\frac{5}{16}$ (km)

4 정삼각형은 3개의 변의 길이가 모두 같으므로 둘레는 □×3=15입니다.
□×3=15 ➡ □=15÷3=5

5 ① $6\ m^2=60000\ cm^2$
② $3\ km^2=3000000\ m^2$
③ $50000\ cm^2=5\ m^2$
⑤ $1400000\ m^2=1.4\ km^2$

6 (평행사변형 가의 넓이)$=3\times4=12\ (cm^2)$
(평행사변형 나의 넓이)$=3\times4=12\ (cm^2)$
(평행사변형 다의 넓이)$=2\times4=8\ (cm^2)$
따라서 평행사변형의 넓이가 다른 하나는 다입니다.

다른 풀이
밑변의 길이와 높이가 같은 평행사변형은 넓이가 모두 같습니다. 평행사변형 가, 나, 다는 높이가 모두 같으므로 밑변의 길이를 비교합니다. 밑변의 길이가 가는 모눈 3칸, 나는 모눈 3칸, 다는 모눈 2칸이므로 평행사변형의 넓이가 다른 하나는 다입니다.

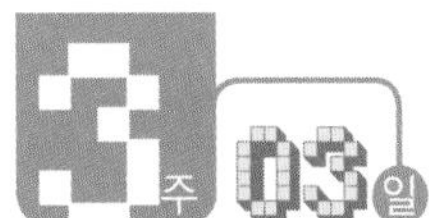

필수 체크 전략 ❶ 88~91쪽

필수 예제 01 $2\frac{7}{12}$
확인 1-1 $3\frac{6}{35}$ **확인 1-2** $2\frac{25}{72}$
필수 예제 02 1, 2, 3, 4, 5
확인 2-1 1, 2, 3, 4, 5, 6 **확인 2-2** 1, 2
필수 예제 03 (1) 0.8 (2) ㉠
확인 3-1 ㉠ **확인 3-2** ㉡
필수 예제 04 6
확인 4-1 9 **확인 4-2** 14

확인 1-1 $5\frac{4}{7}>3\frac{5}{6}>2\frac{2}{5}$이므로 가장 큰 수는 $5\frac{4}{7}$, 가장 작은 수는 $2\frac{2}{5}$입니다.
➡ $5\frac{4}{7}-2\frac{2}{5}=5\frac{20}{35}-2\frac{14}{35}=3\frac{6}{35}$

참고
대분수는 자연수 부분이 클수록 큰 분수입니다.

확인 1-2 $6\frac{1}{8}>4\frac{3}{10}>3\frac{7}{9}$이므로 가장 큰 수는 $6\frac{1}{8}$, 가장 작은 수는 $3\frac{7}{9}$입니다.
➡ $6\frac{1}{8}-3\frac{7}{9}=6\frac{9}{72}-3\frac{56}{72}$
$=5\frac{81}{72}-3\frac{56}{72}=2\frac{25}{72}$

확인 2-1 $1\frac{5}{6}+2\frac{3}{4}=1\frac{10}{12}+2\frac{9}{12}=3+\frac{19}{12}$
$=3+1\frac{7}{12}=4\frac{7}{12}$
➡ $4\frac{7}{12}>4\frac{\square}{12}$에서 7>□이므로 □ 안에 들어갈 수 있는 자연수는 1, 2, 3, 4, 5, 6입니다.

확인 2-2 $1\frac{5}{8}+4\frac{9}{20}=1\frac{25}{40}+4\frac{18}{40}=5+\frac{43}{40}$
$=5+1\frac{3}{40}=6\frac{3}{40}$
➡ $6\frac{\square}{40}<6\frac{3}{40}$에서 □<3이므로 □ 안에 들어갈 수 있는 자연수는 1, 2입니다.

확인 3-1 ㉠ $11000000\ m^2=11\ km^2$
➡ $11\ km^2>7\ km^2$이므로 넓이가 더 넓은 것은 ㉠입니다.

다른 풀이
㉡ $7\ km^2=7000000\ m^2$
➡ $11000000\ m^2>7000000\ m^2$이므로 넓이가 더 넓은 것은 ㉠입니다.

확인 3-2 ㉡ $50000000\ m^2=50\ km^2$

➡ $29\ km^2<50\ km^2$이므로 넓이가 더 넓은 것은 ㉡입니다.

다른 풀이

㉠ $29\ km^2=29000000\ m^2$

➡ $29000000\ m^2<50000000\ m^2$이므로 넓이가 더 넓은 것은 ㉡입니다.

확인 4-1 삼각형의 넓이를 구하는 식은 $12\times\square\div2=54$입니다.

$12\times\square\div2=54$

➡ $12\times\square=108$, $\square=9$

참고

(삼각형의 넓이)=(밑변의 길이)×(높이)÷2

➡ (높이)=(삼각형의 넓이)×2÷(밑변의 길이)

확인 4-2 삼각형의 넓이를 구하는 식은 $\square\times11\div2=77$입니다.

$\square\times11\div2=77$

➡ $\square\times11=154$, $\square=14$

참고

(삼각형의 넓이)=(밑변의 길이)×(높이)÷2

➡ (밑변의 길이)=(삼각형의 넓이)×2÷(높이)

필수 체크 전략 ❷ 92~93쪽

1 <	**2** $6\frac{1}{2}$
3 $2\frac{11}{20}$ kg	**4** $5\ cm^2$
5 10	**6** $225\ m^2$

1 $\frac{1}{6}+\frac{5}{24}=\frac{4}{24}+\frac{5}{24}=\frac{9}{24}$

$\frac{11}{12}-\frac{3}{8}=\frac{22}{24}-\frac{9}{24}=\frac{13}{24}$

➡ $\frac{9}{24}<\frac{13}{24}$

2 8>5>2이므로 만들 수 있는 가장 큰 대분수는 $8\frac{2}{5}$입니다.

➡ $8\frac{2}{5}-1\frac{9}{10}=8\frac{4}{10}-1\frac{9}{10}$
$=7\frac{14}{10}-1\frac{9}{10}$
$=6\frac{5}{10}=6\frac{1}{2}$

3 (어머니께서 사 오신 고기의 양)

$=3\frac{1}{2}+1\frac{4}{5}=3\frac{5}{10}+1\frac{8}{10}$

$=4+\frac{13}{10}=4+1\frac{3}{10}$

$=5\frac{3}{10}$ (kg)

➡ (남은 고기의 양)

$=5\frac{3}{10}-2\frac{3}{4}=5\frac{6}{20}-2\frac{15}{20}$

$=4\frac{26}{20}-2\frac{15}{20}=2\frac{11}{20}$ (kg)

4 (가의 넓이)$=9\times6=54\ (cm^2)$

(나의 넓이)$=14\times7\div2=49\ (cm^2)$

➡ $54-49=5\ (cm^2)$

5 사다리꼴의 넓이를 구하는 식은 $(8+\square)\times5\div2=45$입니다.

$(8+\square)\times5\div2=45$

➡ $(8+\square)\times5=90$,
$8+\square=18$, $\square=10$

6 (한 변의 길이)=(정사각형의 둘레)÷4
$=60\div4=15$ (m)

➡ (정사각형의 넓이)$=15\times15=225\ (m^2)$

참고

• (정사각형의 둘레)=(한 변의 길이)×4
➡ (한 변의 길이)=(정사각형의 둘레)÷4

• (정사각형의 넓이)
=(한 변의 길이)×(한 변의 길이)

3주 04일

교과서 대표 전략❶

94~97쪽

대표 예제 01 $\frac{1}{18}$

대표 예제 02 (○)( )

대표 예제 03 $2\frac{3}{4}$

대표 예제 04 $4\frac{19}{30}$ L

대표 예제 05 1, 2, 3

대표 예제 06 $8\frac{1}{7}$, $2\frac{3}{10}$, $5\frac{59}{70}$

대표 예제 07 $7\frac{1}{3}$ m

대표 예제 08 $10\frac{19}{20}$ kg

대표 예제 09 36 cm

대표 예제 10 나

대표 예제 11 8

대표 예제 12 정육각형

대표 예제 13 가

대표 예제 14 예

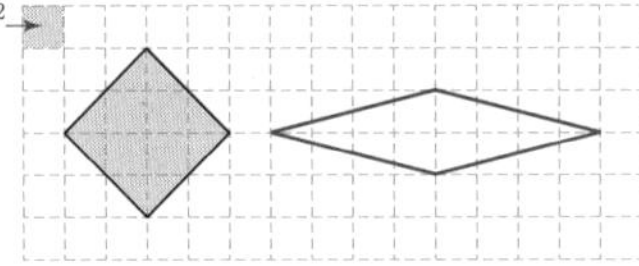

대표 예제 15 48 cm

대표 예제 16 10

대표 예제 01 $\frac{5}{6}$보다 $\frac{7}{9}$ 작은 수: $\frac{5}{6}-\frac{7}{9}$

➡ $\frac{5}{6}-\frac{7}{9}=\frac{15}{18}-\frac{14}{18}=\frac{1}{18}$

대표 예제 02 • $\frac{5}{8}+\frac{1}{2}=\frac{5}{8}+\frac{4}{8}=\frac{9}{8}=1\frac{1}{8}>1$

• $\frac{4}{7}+\frac{2}{5}=\frac{20}{35}+\frac{14}{35}=\frac{34}{35}<1$

따라서 계산 결과가 1보다 큰 것은 $\frac{5}{8}+\frac{1}{2}$입니다.

대표 예제 03 $1\frac{2}{3}+\square=4\frac{5}{12}$

➡ $\square=4\frac{5}{12}-1\frac{2}{3}=4\frac{5}{12}-1\frac{8}{12}$

$=3\frac{17}{12}-1\frac{8}{12}=2\frac{9}{12}=2\frac{3}{4}$

대표 예제 04 (냉장고에 있는 우유와 주스의 양)

=(우유의 양)+(주스의 양)

$=3\frac{7}{15}+1\frac{1}{6}=3\frac{14}{30}+1\frac{5}{30}$

$=4\frac{19}{30}$ (L)

대표 예제 05 $\frac{3}{5}-\frac{1}{3}=\frac{9}{15}-\frac{5}{15}=\frac{4}{15}$

➡ $\frac{\square}{15}<\frac{4}{15}$에서 $\square<4$이므로 $\square$ 안에 들어갈 수 있는 자연수는 1, 2, 3입니다.

대표 예제 06 $8\frac{1}{7}>5\frac{4}{9}>2\frac{3}{10}$이므로 가장 큰 분수는 $8\frac{1}{7}$, 가장 작은 분수는 $2\frac{3}{10}$입니다.

➡ $8\frac{1}{7}-2\frac{3}{10}=8\frac{10}{70}-2\frac{21}{70}$

$=7\frac{80}{70}-2\frac{21}{70}$

$=5\frac{59}{70}$

참고

■ − ▲에서 ■가 클수록, ▲가 작을수록 차가 큽니다.

대표 예제 07 (색 테이프 2장의 길이의 합)

$=3\frac{1}{4}+5\frac{3}{8}=3\frac{2}{8}+5\frac{3}{8}=8\frac{5}{8}$ (m)

➡ (이어 붙인 색 테이프 전체의 길이)

$=8\frac{5}{8}-1\frac{7}{24}=8\frac{15}{24}-1\frac{7}{24}$

$=7\frac{8}{24}=7\frac{1}{3}$ (m)

대표 예제 08 (의자의 무게)

$=6\frac{1}{5}-1\frac{9}{20}=6\frac{4}{20}-1\frac{9}{20}$

$=5\frac{24}{20}-1\frac{9}{20}=4\frac{15}{20}=4\frac{3}{4}$

➡ (책상과 의자의 무게의 합)

$=6\frac{1}{5}+4\frac{3}{4}$

$=6\frac{4}{20}+4\frac{15}{20}=10\frac{19}{20}$ (kg)

대표 예제 09 (직사각형의 둘레)

$=(11+7)\times2=36$ (cm)

대표 예제 10 가는 1 cm^2가 10개이므로 넓이는 10 cm^2, 나는 1 cm^2가 12개이므로 넓이는 12 cm^2입니다.

➡ 10 cm^2 < 12 cm^2이므로 넓이가 더 넓은 것은 나입니다.

다른 풀이

(가의 넓이)$=5\times2=10$ (cm^2)

(나의 넓이)$=3\times4=12$ (cm^2)

➡ 가<나

대표 예제 11 □×□=64

➡ 8×8=64이므로 □=8입니다.

대표 예제 12 정다각형의 변의 수를 □개라 하면 15×□=90입니다.

➡ □=90÷15=6

따라서 변이 6개인 정다각형은 정육각형입니다.

대표 예제 13 (가의 넓이)

$=16\times9\div2=72$ (cm^2)

(나의 넓이)

$=(7+10)\times8\div2=68$ (cm^2)

➡ 가>나

대표 예제 14 (마름모의 넓이)

$=4\times4\div2=8$ (cm^2)

따라서 (한 대각선의 길이)×(다른 대각선의 길이)÷2=8이므로 (한 대각선의 길이)×(다른 대각선의 길이)=16인 마름모를 그립니다.

대표 예제 15 밑변의 길이를 □ cm라 하면 □×9=117입니다.

➡ □=117÷9=13

따라서 평행사변형의 둘레는 (13+11)×2=48 (cm)입니다.

대표 예제 16 (삼각형의 넓이)

$=5\times6\div2=15$ (cm^2)

밑변의 길이가 □ cm일 때 높이는 3 cm이므로

□×3÷2=15, □×3=30,

□=10입니다.

교과서 대표 전략❷ 98~99쪽

1 $\frac{3}{28}$

2 $\frac{2}{3}$, $\frac{20}{21}$

3 ㉠

4 $\frac{2}{3}$

5 예

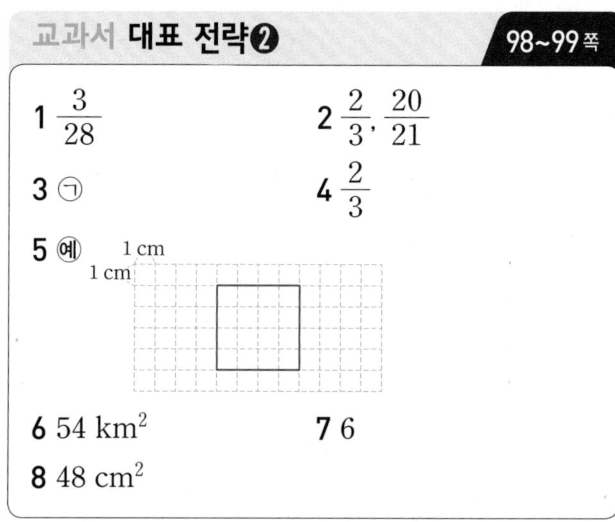

6 54 km^2

7 6

8 48 cm^2

1 분자가 분모보다 1 작은 분수는 분모가 클수록 더 큰 분수이므로 $\frac{6}{7}$이 더 큽니다.

➡ $\frac{6}{7}-\frac{3}{4}=\frac{24}{28}-\frac{21}{28}=\frac{3}{28}$

2 $\frac{13}{15}-\frac{1}{5}=\frac{13}{15}-\frac{3}{15}=\frac{10}{15}=\frac{2}{3}$,
$\frac{2}{3}+\frac{2}{7}=\frac{14}{21}+\frac{6}{21}=\frac{20}{21}$

3 ㉠ $1\frac{2}{3}+1\frac{9}{10}=1\frac{20}{30}+1\frac{27}{30}=2+\frac{47}{30}$
$=2+1\frac{17}{30}=3\frac{17}{30}$
㉡ $5\frac{1}{6}-1\frac{4}{5}=5\frac{5}{30}-1\frac{24}{30}$
$=4\frac{35}{30}-1\frac{24}{30}=3\frac{11}{30}$
➡ ㉠>㉡

4 어떤 수를 □라 하면 잘못 계산한 식은
$\square+2\frac{7}{18}=5\frac{4}{9}$입니다.
➡ $\square=5\frac{4}{9}-2\frac{7}{18}=5\frac{8}{18}-2\frac{7}{18}=3\frac{1}{18}$
따라서 바르게 계산하면
$3\frac{1}{18}-2\frac{7}{18}=2\frac{19}{18}-2\frac{7}{18}=\frac{12}{18}=\frac{2}{3}$입니다.

5 정사각형의 한 변의 길이를 □cm라 하면
$\square\times4=16$이므로 $\square=16\div4=4$입니다.
따라서 정사각형의 한 변의 길이는 4 cm입니다.

6 9000 m=9 km
➡ (직사각형의 넓이)$=6\times9$
$=54$ (km^2)

7 (가의 넓이)$=9\times5=45$ (cm^2)
나의 넓이도 45 cm^{2}이므로
$(4+11)\times\square\div2=45$, $15\times\square\div2=45$,
$15\times\square=90$, $\square=6$입니다.

8 (색칠한 부분의 넓이)
=(큰 삼각형의 넓이)−(작은 삼각형의 넓이)
$=12\times(8+3)\div2-12\times3\div2$
$=66-18$
$=48$ (cm^2)

누구나 만점 전략

100~101쪽

01 (1) 2, 5, 7 (2) 15, 4, 11
02 $1\frac{5}{48}$
03 $5\frac{9}{20}$, $1\frac{19}{20}$
04 혜수
05 선영, $3\frac{5}{21}$ kg
06 28 cm
07 120 cm^2
08 36 km^2
09 6
10 80 cm^2

02 $\frac{5}{12}+\frac{11}{16}=\frac{20}{48}+\frac{33}{48}=\frac{53}{48}=1\frac{5}{48}$

03 합: $3\frac{7}{10}+1\frac{3}{4}=3\frac{14}{20}+1\frac{15}{20}=4+\frac{29}{20}$
$=4+1\frac{9}{20}=5\frac{9}{20}$
차: $3\frac{7}{10}-1\frac{3}{4}=3\frac{14}{20}-1\frac{15}{20}$
$=2\frac{34}{20}-1\frac{15}{20}=1\frac{19}{20}$

04 혜수: $1\frac{2}{5}+1\frac{3}{11}=1\frac{22}{55}+1\frac{15}{55}=2\frac{37}{55}$
재찬: $7\frac{1}{4}-5\frac{4}{9}=7\frac{9}{36}-5\frac{16}{36}$
$=6\frac{45}{36}-5\frac{16}{36}=1\frac{29}{36}$
➡ $2\frac{37}{55}>1\frac{29}{36}$이므로 계산 결과가 더 큰 사람은 혜수입니다.

05 $2\frac{3}{7}<5\frac{2}{3}$이므로 선영이가 고구마를
$5\frac{2}{3}-2\frac{3}{7}=5\frac{14}{21}-2\frac{9}{21}=3\frac{5}{21}$ (kg)
더 많이 캤습니다.

06 (정칠각형의 둘레)
=(한 변의 길이)$\times7$
$=4\times7=28$ (cm)

07 (평행사변형의 넓이)
=(밑변의 길이)×(높이)
$=15\times8=120$ (cm^2)

08 (땅의 넓이)$=6000\times6000$

$=36000000\ (\text{m}^2)$

➡ $36000000\ \text{m}^2=36\ \text{km}^2$

다른 풀이

$6000\ \text{m}=6\ \text{km}$

➡ (땅의 넓이)$=6\times6=36\ (\text{km}^2)$

09 (마름모의 넓이)

=(한 대각선의 길이)×(다른 대각선의 길이)÷2

$\square\times12\div2=36$ ➡ $\square\times12=72$, $\square=6$

10 (다각형의 넓이)

=(사다리꼴의 넓이)+(삼각형의 넓이)

$=(5+10)\times6\div2+10\times7\div2$

$=45+35$

$=80\ (\text{cm}^2)$

창의・융합・코딩 전략❶ 102~103쪽

1 $\frac{2}{3}+\frac{1}{5}=\frac{10}{15}+\frac{3}{15}=\frac{13}{15}$

2 정오각형 모양 어묵

2 (정사각형 모양 어묵의 둘레)$=6\times4$

$=24\,(\text{cm})$

(정오각형 모양 어묵의 둘레)$=5\times5$

$=25\,(\text{cm})$

➡ $24<25$이므로 정오각형 모양 어묵의 둘레가 더 깁니다.

창의・융합・코딩 전략❷ 104~107쪽

1 $2\frac{1}{4}$박자　　2 $\frac{31}{64}$

3 (1) $4\frac{2}{3}$큰술 (2) $3\frac{3}{5}$큰술 (3) $8\frac{4}{15}$큰술

4 $20\ \text{cm}^2$　　5 $320\ \text{m}$, $6000\ \text{m}^2$

6 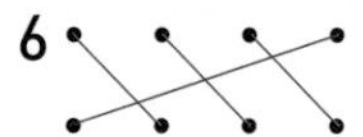

1 ♩. + ♪ $=1\frac{1}{2}+\frac{3}{4}=1\frac{2}{4}+\frac{3}{4}=1+\frac{5}{4}$

$=1+1\frac{1}{4}=2\frac{1}{4}$(박자)

2 $\frac{1}{2}>\frac{1}{4}>\frac{1}{8}>\frac{1}{16}>\frac{1}{32}>\frac{1}{64}$이므로

가장 큰 분수는 $\frac{1}{2}$, 가장 작은 분수는 $\frac{1}{64}$입니다.

➡ $\frac{1}{2}-\frac{1}{64}=\frac{32}{64}-\frac{1}{64}=\frac{31}{64}$

3 (1) $2\frac{1}{3}+2\frac{1}{3}=4\frac{2}{3}$(큰술)

(2) $1\frac{4}{5}+1\frac{4}{5}=2+\frac{8}{5}$

$=2+1\frac{3}{5}=3\frac{3}{5}$(큰술)

(3) $4\frac{2}{3}+3\frac{3}{5}=4\frac{10}{15}+3\frac{9}{15}=7+\frac{19}{15}$

$=7+1\frac{4}{15}=8\frac{4}{15}$(큰술)

4 넓이가 $1\ \text{cm}^2$인 블록 조각이 왼쪽에는 12개, 오른쪽에는 8개 있으므로 모두 $12+8=20$(개)입니다.

따라서 블록 조각이 차지하는 부분의 넓이는 모두 $20\ \text{cm}^2$입니다.

5 (축구 경기장의 둘레)

$=(100+60)\times2=320\ (\text{m})$

(축구 경기장의 넓이)

$=100\times60=6000\ (\text{m}^2)$

6 (평행사변형 모양 문의 넓이)

$=10\times7=70\ (\text{cm}^2)$

(삼각형 모양 문의 넓이)

$=11\times8\div2=44\ (\text{cm}^2)$

(사다리꼴 모양 문의 넓이)

$=(6+9)\times6\div2=45\ (\text{cm}^2)$

(마름모 모양 문의 넓이)

$=12\times12\div2=72\ (\text{cm}^2)$

신유형•신경향•서술형 전략 110~115쪽

1 ❶ $750+39\times3=867$, 867킬로칼로리
❷ $124\times2+1800\div6=548$, 548킬로칼로리
2 ❶ 10시 ❷ 2시
3 ❶ 4 ❷ 120
4 ❶ (○)(   ) ❷ (   )(○)
5 ❶ 초록, $16\frac{3}{8}$ mL ❷ 빨강, $16\frac{37}{40}$ mL
6 ❶ 30 m^2, 20 m^2, 9 m^2 ❷ 140 m^2

1 ❶ (혜수가 점심에 먹은 음식의 열량)
$=$(떡볶이 1인분의 열량)$+$(귤 3개의 열량)
$=750+39\times3$
$=750+117$
$=867$(킬로칼로리)

❷ (성재가 점심에 먹은 음식의 열량)
$=$(우유 2컵의 열량)$+$(파이 1조각의 열량)
$=124\times2+1800\div6$
$=248+1800\div6$
$=248+300$
$=548$(킬로칼로리)

2 ❶ 베이징의 시각은 런던의 시각보다 8시간 빠르므로 런던이 오전 2시일 때 베이징은 오전 2시$+$8시간$=$오전 10시입니다.
❷ 뉴욕의 시각은 런던의 시각보다 5시간 늦으므로 런던이 오후 7시일 때 뉴욕은 오후 7시$-$5시간$=$오후 2시입니다.

3 ❶ ∩||은 12, ∩∩은 20을 나타냅니다.
$$\begin{array}{r|rr} 2 & 12 & 20 \\ 2 & 6 & 10 \\ \hline & 3 & 5 \end{array}$$
➡ 12와 20의 최대공약수 : $2\times2=4$

❷ ∩∩∩은 30, ∩∩||||은 24를 나타냅니다.
$$\begin{array}{r|rr} 2 & 30 & 24 \\ 3 & 15 & 12 \\ \hline & 5 & 4 \end{array}$$
➡ 30과 24의 최소공배수:
$2\times3\times5\times4=120$

4 ❶ '레'와 '솔'의 진동수로 진분수를 만들면 $\frac{297}{396}$입니다.
➡ $\frac{297}{396}=\frac{297\div99}{396\div99}=\frac{3}{4}$으로 분모와 분자가 모두 7보다 작으므로 잘 어울리는 음입니다.
❷ '파'와 '시'의 진동수로 진분수를 만들면 $\frac{352}{495}$입니다.
➡ $\frac{352}{495}=\frac{352\div11}{495\div11}=\frac{32}{45}$로 분모와 분자가 모두 7보다 작지 않으므로 잘 어울리는 음이 아닙니다.

5 ❶ 시안 물감과 옐로 물감을 섞으면 초록 물감이 됩니다.
➡ $8\frac{3}{4}+7\frac{5}{8}=8\frac{6}{8}+7\frac{5}{8}=15+\frac{11}{8}$
$=15+1\frac{3}{8}=16\frac{3}{8}$ (mL)
❷ 옐로 물감과 마젠타 물감을 섞으면 빨강 물감이 됩니다.
➡ $7\frac{5}{8}+9\frac{3}{10}=7\frac{25}{40}+9\frac{12}{40}$
$=16\frac{37}{40}$ (mL)

6 ❶ (안방의 넓이)$=6\times5=30\ (\text{m}^2)$
(세라 방의 넓이)$=4\times5=20\ (\text{m}^2)$
(화장실의 넓이)$=3\times3=9\ (\text{m}^2)$
❷ 세라네 집 전체의 가로는 $8+6=14$ (m), 세로는 10 m입니다.
➡ (세라네 집 전체의 넓이)
$=14\times10=140\ (\text{m}^2)$

학력진단 전략 1회 116~119쪽

01 $40 \div 5$에 ○표　　02 15, 26

03 2

04 $5 \times 14 \div 2 = 70 \div 2$
①, ②
$= 35$

05 2, 4, 6, 8　　06 ㉡, ㉢, ㉠, ㉣

07

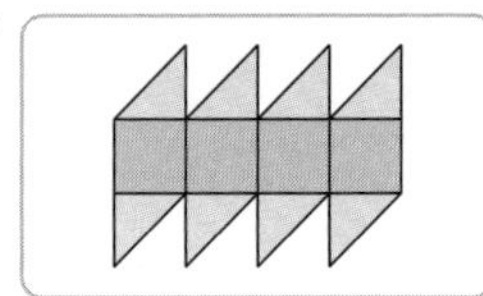

08 45

09 $\bigcirc \times 2 = \triangle$ 또는 $\triangle \div 2 = \bigcirc$

10 12　　11 $70-(19+25)=26$

12 <

13 $\bigcirc \times 5 = \triangle$ 또는 $\triangle \div 5 = \bigcirc$

14 $(12-3) \times 5 + 1 = 46$, 46살

15 13개　　16 $5 \times 9 \div 3 = 15$

17 $224 \div (8 \times 7) = 4$, 4시간

18 예 언니의 나이(☆)는 내 나이(□)보다 4살 많습니다.

19 $2000-(500+700 \times 2)=100$, 100원

20 34개

01 덧셈, 뺄셈, 나눗셈이 섞여 있는 식은 나눗셈을 가장 먼저 계산합니다.

02 덧셈과 뺄셈이 섞여 있는 식은 앞에서부터 차례로 계산합니다.

03 오리의 수가 1마리씩 늘어날 때 오리 다리의 수는 2개씩 늘어납니다.

04 곱셈과 나눗셈이 섞여 있는 식은 앞에서부터 차례로 계산합니다.

05 원의 수가 1개씩 늘어날 때 삼각형의 수는 2개씩 늘어납니다.

06 덧셈, 뺄셈, 곱셈, 나눗셈이 섞여 있는 식은 곱셈과 나눗셈을 앞에서부터 차례로 계산한 다음 덧셈과 뺄셈을 앞에서부터 차례로 계산합니다.

참고

$41 - 12 \div 6 \times 7 + 23$
①, ②, ③, ④

07 사각형의 수가 1개씩 늘어날 때 삼각형의 수는 2개씩 늘어납니다.

08 $19 + 13 \times 4 - 26 = 19 + 52 - 26$
①, ②, ③
$= 71 - 26$
$= 45$

09 바퀴의 수는 오토바이의 수의 2배입니다.
➡ $\bigcirc \times 2 = \triangle$
오토바이의 수는 바퀴의 수를 2로 나눈 수입니다.
➡ $\triangle \div 2 = \bigcirc$

10 주리가 말한 수를 □, 태서가 답한 수를 △라고 할 때, 두 양 사이의 대응 관계를 기호를 사용하여 식으로 나타내면 $\square \times 6 = \triangle$ 또는 $\triangle \div 6 = \square$입니다.
따라서 $\triangle \div 6 = \square$이므로 태서가 답한 수가 72일 때 주리가 말한 수는 $72 \div 6 = 12$입니다.

11 70에서 19와 25의 합을 뺀 수
70　$-(19+25)$
➡ $70-(19+25)=70-44=26$

주의

70에서 19와 25의 합을 뺀 수를 $70-19+25$라고 쓰지 않도록 주의합니다.

12 $90\div(2\times9)=90\div18$
①: 2×9, ②: $90\div18$
$=5$

$31-49\div7+5=31-7+5$
①: $49\div7$, ②: $31-7$, ③: $+5$
$=24+5$
$=29$

➡ $5<29$

13 오각형의 변의 수는 오각형의 수의 5배입니다.
➡ $○\times5=△$
오각형의 수는 오각형의 변의 수를 5로 나눈 수입니다.
➡ $△\div5=○$

14 (어머니의 나이)$=(12-3)\times5+1$
$=9\times5+1$
$=45+1$
$=46$(살)

15

배열 순서	1	2	3	4	……
사각형 조각의 수(개)	4	5	6	7	……

사각형 조각의 수는 배열 순서보다 3 크므로 10째에는 사각형 조각이 $10+3=13$(개) 필요합니다.

16 $5\times9=45$　$45\div3=15$
공통으로 들어 있는 수
두 식에 공통으로 들어 있는 수는 45입니다.
$45\div3=15$에서 45 대신에 5×9를 넣으면 $5\times9\div3=15$입니다.

17 (7명이 종이배 224개를 만드는 데 걸리는 시간)
$=224\div(8\times7)$
$=224\div56$
$=4$(시간)

19 (거스름돈)$=2000-(500+700\times2)$
$=2000-(500+1400)$
$=2000-1900$
$=100$(원)

20

정사각형의 수(개)	1	2	3	4	……
성냥개비의 수(개)	4	7	10	13	……

(정사각형의 수)$\times3+1=$(성냥개비의 수)이므로 정사각형을 11개 만들 때 성냥개비는 $11\times3+1=34$(개) 필요합니다.

학력진단 전략 2회 120~123쪽

01 1, 3, 5, 15 ; 1, 3, 5, 15
02 11, 22, 33, 44, 55
03 15, 48
04 2, 3, 4, 6, 12에 ○표
05 12, 144
06 6
07 9, 54
08 $\frac{6}{21}$, $\frac{16}{56}$에 ○표
09 ②, ④
10 $\frac{27}{30}$, $\frac{4}{30}$
11 $<$
12 108
13 6
14 $\frac{8}{9}$, $\frac{4}{7}$
15 1, 2, 4, 8, 16, 32, 64
16 84, 168
17 $\frac{5}{18}$, $\frac{7}{10}$, $\frac{3}{4}$
18 1, 2, 3, 4, 5
19 18명
20 9시 48분

01 15의 약수는 15를 나누어떨어지게 하는 수이므로 1, 3, 5, 15입니다.

02 $11\times1=11$, $11\times2=22$, $11\times3=33$, $11\times4=44$, $11\times5=55$……
➡ 11의 배수: 11, 22, 33, 44, 55……

03 $\frac{5}{8}=\frac{5\times3}{8\times3}=\frac{15}{24}$, $\frac{5}{8}=\frac{5\times6}{8\times6}=\frac{30}{48}$

04 $\frac{60}{72}$을 약분할 수 있는 수는 72와 60의 공약수입니다.
➡ 1, 2, 3, 4, 6, 12
따라서 1을 제외한 수 2, 3, 4, 6, 12로 분모와 분자를 나눌 수 있습니다.

05 최대공약수: $3\times2\times2=12$
최소공배수: $3\times2\times2\times3\times4=144$

06 36과 42의 최대공약수는 두 곱셈식에 공통으로 들어 있는 수의 곱이므로 $2\times3=6$입니다.

07
$$\begin{array}{r|rr} 3 & 27 & 18 \\ \hline 3 & 9 & 6 \\ \hline & 3 & 2 \end{array}$$
➡ 27과 18의 최대공약수: $3\times3=9$
27과 18의 최소공배수: $3\times3\times3\times2=54$

08 $\frac{2}{7}=\frac{2\times3}{7\times3}=\frac{6}{21}$, $\frac{2}{7}=\frac{2\times8}{7\times8}=\frac{16}{56}$

09 분모와 분자의 공약수가 1뿐인 분수는 ②, ④입니다.

10 10과 15의 최소공배수: 30
$\left(\frac{9}{10}, \frac{2}{15}\right)$ ➡ $\left(\frac{9\times3}{10\times3}, \frac{2\times2}{15\times2}\right)$
➡ $\left(\frac{27}{30}, \frac{4}{30}\right)$

11 $\frac{7}{50}=\frac{14}{100}=0.14$
➡ $0.14<0.2$이므로 $\frac{7}{50}<0.2$입니다.

12 $9\times1=9$, $9\times2=18$, $9\times3=27$, $9\times4=36$, $9\times5=45$……이므로 9의 배수입니다.
따라서 12번째 수는 $9\times12=108$입니다.

13 54와 42의 공약수 중에서 가장 큰 수는 54와 42의 최대공약수입니다.
$$\begin{array}{r|rr} 2 & 54 & 42 \\ \hline 3 & 27 & 21 \\ \hline & 9 & 7 \end{array}$$
➡ 54와 42의 최대공약수: $2\times3=6$

14 $\frac{56}{63}$과 $\frac{36}{63}$을 각각 기약분수로 나타냅니다.
$\frac{56}{63}=\frac{56\div7}{63\div7}=\frac{8}{9}$, $\frac{36}{63}=\frac{36\div9}{63\div9}=\frac{4}{7}$

15 두 수의 공약수는 두 수의 최대공약수인 64의 약수와 같습니다.
➡ 64의 약수: 1, 2, 4, 8, 16, 32, 64

16 두 수의 공배수는 두 수의 최소공배수의 배수와 같습니다.
$$\begin{array}{r|rr} 2 & 28 & 12 \\ \hline 2 & 14 & 6 \\ \hline & 7 & 3 \end{array}$$
➡ 28과 12의 최소공배수: $2\times2\times7\times3=84$
따라서 84의 배수 중에서 200보다 작은 수는 84, 168입니다.

17 $\left(\frac{3}{4}, \frac{5}{18}\right)$ ➡ $\left(\frac{27}{36}, \frac{10}{36}\right)$ ➡ $\frac{3}{4}>\frac{5}{18}$
$\left(\frac{5}{18}, \frac{7}{10}\right)$ ➡ $\left(\frac{25}{90}, \frac{63}{90}\right)$ ➡ $\frac{5}{18}<\frac{7}{10}$
$\left(\frac{3}{4}, \frac{7}{10}\right)$ ➡ $\left(\frac{15}{20}, \frac{14}{20}\right)$ ➡ $\frac{3}{4}>\frac{7}{10}$
따라서 $\frac{5}{18}<\frac{7}{10}<\frac{3}{4}$입니다.

18 두 분모의 곱인 70을 공통분모로 하여 통분하면
$\frac{2}{5}=\frac{2\times14}{5\times14}=\frac{28}{70}$, $\frac{\square}{14}=\frac{\square\times5}{14\times5}=\frac{\square\times5}{70}$
이므로 $\frac{28}{70}>\frac{\square\times5}{70}$입니다.
➡ $28>\square\times5$이므로 □ 안에 들어갈 수 있는 자연수는 1, 2, 3, 4, 5입니다.

19
$$\begin{array}{r|rr} 2 & 72 & 90 \\ \hline 3 & 36 & 45 \\ \hline 3 & 12 & 15 \\ \hline & 4 & 5 \end{array}$$
➡ 72와 90의 최대공약수: $2\times3\times3=18$
따라서 18명까지 나누어 줄 수 있습니다.

20 2) 24 16
2) 12 8
2) 6 4
3 2 ➡ 24와 16의 최소공배수:
$2\times2\times2\times3\times2=48$
따라서 두 버스는 48분마다 동시에 출발하므로 바로 다음번에 동시에 출발하는 시각은 오전 9시+48분=오전 9시 48분입니다.

학력진단 전략 3회 124~127쪽

01 9, 8, 17, 1, 5
02 30000
03 $1\frac{3}{40}$
04 36 cm
05 (1) m^2 (2) km^2
06 $\frac{17}{30}$
07 45 m^2
08 $>$
09 52 cm^2
10 $3\frac{7}{20}+1\frac{1}{4}=4\frac{3}{5}$, $4\frac{3}{5}$ km
11 4
12 (위에서부터) $5\frac{1}{14}$, $1\frac{16}{35}$
13 $4\frac{1}{8}-1\frac{5}{6}=2\frac{7}{24}$, $2\frac{7}{24}$ kg
14 28 cm, 49 cm^2
15 나
16 나
17 13
18 112 cm^2
19 $1\frac{2}{15}$
20 15

01 두 분모의 곱인 12를 공통분모로 하여 통분한 다음 분자끼리 더합니다. 이때 계산 결과가 가분수이면 대분수로 고쳐서 나타냅니다.

02 $1\text{ m}^2=10000\text{ cm}^2$이므로 $3\text{ m}^2=30000\text{ cm}^2$입니다.

03 $\frac{1}{5}+\frac{7}{8}=\frac{8}{40}+\frac{35}{40}=\frac{43}{40}=1\frac{3}{40}$

04 (평행사변형의 둘레)
=((한 변의 길이)+(다른 한 변의 길이))×2
$=(8+10)\times2=36$ (cm)

05 (1) 학교 운동장의 넓이는 950 cm^2보다 넓고 950 km^2보다 좁습니다.
(2) 서울시의 넓이는 605 m^2보다 넓습니다.

06 $\frac{1}{6}+\square=\frac{11}{15}$
➡ $\square=\frac{11}{15}-\frac{1}{6}=\frac{22}{30}-\frac{5}{30}=\frac{17}{30}$

07 900 cm=9 m
➡ (직사각형의 넓이)$=9\times5=45$ (m^2)

08 $1\frac{2}{3}+1\frac{11}{12}=1\frac{8}{12}+1\frac{11}{12}=2+\frac{19}{12}$
$=2+1\frac{7}{12}=3\frac{7}{12}$
$4\frac{5}{9}-1\frac{4}{7}=4\frac{35}{63}-1\frac{36}{63}$
$=3\frac{98}{63}-1\frac{36}{63}=2\frac{62}{63}$
➡ $3\frac{7}{12}>2\frac{62}{63}$

09 (마름모의 넓이)
=(한 대각선의 길이)×(다른 대각선의 길이)÷2
$=13\times8\div2=52$ (cm^2)

10 (새롬이가 오늘 걸은 거리)
$=3\frac{7}{20}+1\frac{1}{4}=3\frac{7}{20}+1\frac{5}{20}$
$=4\frac{12}{20}=4\frac{3}{5}$ (km)

11 정팔각형은 8개의 변의 길이가 모두 같으므로 $\square\times8=32$입니다.
➡ $\square=32\div8=4$

12 $3\frac{6}{7}+1\frac{3}{14}=3\frac{12}{14}+1\frac{3}{14}=4+\frac{15}{14}$

$=4+1\frac{1}{14}=5\frac{1}{14}$

$3\frac{6}{7}-2\frac{2}{5}=3\frac{30}{35}-2\frac{14}{35}=1\frac{16}{35}$

13 (남은 밀가루의 양)

$=4\frac{1}{8}-1\frac{5}{6}=4\frac{3}{24}-1\frac{20}{24}$

$=3\frac{27}{24}-1\frac{20}{24}=2\frac{7}{24}$ (kg)

14 (정사각형의 둘레)$=7\times4$

$=28$ (cm)

(정사각형의 넓이)$=7\times7$

$=49$ (cm^2)

참고

(정사각형의 둘레)=(한 변의 길이)$\times4$

(정사각형의 넓이)

=(한 변의 길이)$\times$(한 변의 길이)

15 밑변의 길이와 높이가 각각 같은 삼각형의 넓이는 모두 같습니다. 세 삼각형의 높이는 모두 같고 밑변의 길이가 가는 모눈 3칸, 나는 모눈 4칸, 다는 모눈 3칸이므로 넓이가 다른 삼각형은 나입니다.

다른 풀이

(가의 넓이)$=3\times4\div2=6$ (cm^2)

(나의 넓이)$=4\times4\div2=8$ (cm^2)

(다의 넓이)$=3\times4\div2=6$ (cm^2)

따라서 넓이가 다른 삼각형은 나입니다.

16 (가의 넓이)$=12\times6\div2=36$ (cm^2)

(나의 넓이)$=10\times9\div2=45$ (cm^2)

➡ 가<나

17 사다리꼴의 넓이 구하는 방법을 이용합니다.

$(7+\square)\times8\div2=80$

➡ $(7+\square)\times8=160$, $7+\square=20$, $\square=13$

18 (색칠한 부분의 넓이)

=(사다리꼴의 넓이)−(삼각형의 넓이)

$=(11+19)\times10\div2-19\times4\div2$

$=150-38=112$ (cm^2)

19 어떤 수를 □라 하면 잘못 계산한 식은

$\square+1\frac{2}{3}=4\frac{7}{15}$입니다.

➡ $\square=4\frac{7}{15}-1\frac{2}{3}=4\frac{7}{15}-1\frac{10}{15}$

$=3\frac{22}{15}-1\frac{10}{15}=2\frac{12}{15}=2\frac{4}{5}$

따라서 바르게 계산하면

$2\frac{4}{5}-1\frac{2}{3}=2\frac{12}{15}-1\frac{10}{15}=1\frac{2}{15}$입니다.

20 (평행사변형의 넓이)$=20\times12=240$ (cm^2)

밑변의 길이가 16 cm, 높이가 □cm인 평행사변형으로 생각하면

$16\times\square=240$, $\square=240\div16=15$입니다.

수고 많으셨습니다.

◀ 정답은 이안에 있어!